Les magasins DeWilde
à
de.
D0786027
LONDON
DeWilde
Monte
Carlo
DeWilde
PARIS
DeWilde
SYDNEY
DeWilde
SAN FRANCISCO
DeWilde
NEW YORK

Jasmine Cresswell

Voyageuse infatigable et auteur de plus de quarante romans, Jasmine Cresswell a vu son œuvre récompensée par de nombreux prix littéraires.

Bien qu'elle vive désormais entre la Californie et la Floride, elle continue à voyager régulièrement d'un bout à l'autre des Etats-Unis pour rendre visite à ses enfants, tout en contribuant à de nombreux projets innovateurs chez Harlequin.

Après avoir ouvert avec bonheur la saga des DeWilde, c'est elle qui a le privilège de la conclure avec *L'Amour triomphant*.

Un privilège, bien sûr, mais surtout un plaisir immense car, en retrouvant les héros de *Mariage Privé*, elle a apporté, par son talent, et pour notre plus grande joie, la dernière touche d'émotion au tableau de leurs aventures.

Si vous achetez ce livre privé de tout ou partie de sa couverture, nous vous signalons qu'il est en vente irrégulière. Il est considéré comme « invendu » et l'éditeur comme l'auteur n'ont reçu aucun paiement pour ce livre « détérioré ».

Cet ouvrage a été publié en langue anglaise
sous le titre :
I DO, AGAIN

Traduction française de
JEANNE DESCHAMP

Illustrations de couverture
Couple : © CORBIS STOCK MARKET / THOMAS SCHWEIZER
Couple senior : © CORBIS STOCK MARKET / MICHAEL KELLER
Bijou : © BRUNO BEDOC
Bijou créé par Brécy Joaillier

83-85, boulevard Vincent-Auriol, 75013 Paris — Tél. : 01 42 16 63 63
Service Lectrices — Tél : 01 45 82 47 47
ISBN 2-280-07771-X — ISSN 1264-0409

JASMINE CRESSWELL

L'amour triomphant

AMOURS D'AUJOURD'HUI

De Wilde

A : Lianne

De : Gabriel

—

Lianne, ma chérie, j'ai essayé de te joindre tout l'après-midi, mais à chaque fois je suis tombé sur le répondeur. Je voulais te dire que Michael Forrest arrive à Londres demain matin et qu'il a accepté de venir passer quelques jours à Briarwood Cottage avec nous. Pourrais-tu organiser un petit dîner entre amis samedi prochain ? Surtout arrange-toi pour que Julia Dutton soit présente. Il faudra bien qu'un de ces jours, elle et Michael se rendent compte qu'ils sont faits l'un pour l'autre !
Je t'appelle de Londres ce soir.

Ton Gabe qui t'aime.

P.S. Un petit conseil : lorsque tu appelleras Julia, laisse lui entendre que nous cherchons à les rapprocher elle et Edward Hillyard. Si tu prononces le nom de Michael Forrest, tu peux être certaine qu'elle refusera de venir !

1.

Le rez-de-chaussée des célèbres galeries DeWilde de Londres était plongé dans la pénombre. Les clients avaient déserté le magasin, les bijoux étaient sous clé, et les pierres précieuses, une fois les plafonniers éteints, avaient cessé de jeter leurs feux. En déambulant dans les rayons silencieux, Jeffrey DeWilde prenait note des changements mis en place durant la semaine. Il admira la disposition d'un lot de sacs venus d'Espagne, s'attarda quelques instants devant de magnifiques foulards de soie d'Italie, et s'arrêta soudain, les sourcils froncés : sur un lit de lingerie fine en satin violet, deux brosses à cheveux en argent étaient harmonieusement disposées... Il se trouvait devant le nouveau département « listes de mariage », dont le stand, très accrocheur, venait d'être déménagé du quatrième étage. Il se demanda s'il était vraiment judicieux d'avoir placé le point cadeaux à cet emplacement, bien en évidence à côté des ascenseurs. En réalité, il n'en avait pas la moindre idée, mais Gabe avait apparemment approuvé cette initiative. Et Jeffrey avait appris à respecter les idées de son fils.

Jusqu'à leur séparation, un peu plus d'un an auparavant, Jeffrey avait toujours procédé à cette visite rituelle du vendredi soir avec son épouse. En compagnie de Grace qui commentait et expliquait chaque innovation, il avait alors grand plaisir à parcourir les rayons de leur magasin de Londres. Cette balade paisible dans les galeries désertes symbolisait pour eux l'arrivée du week-end. C'était comme une transition entre le calme de Kemberly, leur propriété à la campagne, et le tourbillon d'une semaine de travail surchargée. Généralement, c'était Grace qui faisait les commentaires. Mais il lui arrivait, de temps en temps, d'intervenir pour insister sur la relation directe qui existait entre les innovations faites dans le magasin et la situation financière de l'empire DeWilde dont les filiales s'étendaient de Paris à Sydney, et de New York à Monaco. Jeffrey avait toujours très clairement en tête les chiffres de ventes, les prix de gros, les frais généraux et les marges de profit. Mais il n'avait pas grand-chose à proposer en termes d'idées et de choix de marchandise, et c'est Grace qui l'aidait toujours à transformer ce tableau financier en réalités plus concrètes.

S'il maintenait malgré tout sa traditionnelle tournée du vendredi soir, c'était plus par défi que par plaisir. Il avait l'impression, en maintenant ce rituel, de prouver au monde entier que sa vie avait gardé tout son sens en dépit de son divorce.

Divorce... Jeffrey n'arrivait pas à concevoir que ce mot effrayant pût désormais résumer sa relation avec Grace, même si ses avocats lui avaient confirmé officiellement, et en termes pompeux, qu'après trente-deux années de mariage et un an de séparation, il était de nouveau un homme libre.

Bien sûr, il était lui aussi responsable de cette situation. Cinq mois auparavant, lorsque Grace s'était établie temporairement dans le Nevada pour entamer les démarches, il ne souhaitait plus qu'une seule chose : mettre un terme à ce mariage qui était devenu une torture pour elle comme pour lui. La procédure avait donc suivi son cours et, depuis le mois d'avril il était très officiellement redevenu célibataire. Aujourd'hui, alors que le mois de juillet tirait déjà à sa fin, il entamait sa quinzième semaine de glorieuse liberté, délivré de toutes les contraintes de la vie conjugale. Il laissa échapper un petit rire amer. Drôle de liberté, assurément... Mais avec un peu de chance, dans un an ou deux, les mots « célibataire » et « divorcé » cesseraient d'éveiller en lui ces élans quasi suicidaires.

— Tout va bien, monsieur DeWilde ? demanda un des gardiens en uniforme qui l'observait sans doute à son insu depuis quelque temps.

— Parfaitement bien, oui, je vous remercie, Bill.

Si on faisait abstraction de son envie tenace de se taper la tête contre les murs, tout allait pour le mieux, en effet. Jeffrey se détourna, pressé d'échapper à la curiosité de l'employé. Que les drames les plus intimes de sa vie privée puissent être une source de commérages incessants parmi les gens qui travaillaient dans les magasins DeWilde restait pour lui un mystère inexplicable.

Il n'arrivait pas à s'habituer à cette curiosité malsaine. Et ce n'était rien à côté des articles délirants que publiaient les magazines ! Depuis quelque temps, une certaine presse avait décidé de faire de lui un homme à femmes — le « tombeur » de l'année, en quelque sorte. Il aurait sans doute trouvé cette idée comique, si elle n'avait pas été aussi douloureusement éloignée de la réalité.

Il contempla la vitrine de verre octogonale dans laquelle scintillait le diadème de l'impératrice Eugénie. La couronne éblouissante de perles et de diamants était posée sur un lit de velours écarlate. Le drapé souple du tissu chatoyant contrastait harmonieusement avec la noble rigidité du diadème. Lianne Beecham, la belle-fille de Jeffrey, était l'auteur de cette vitrine qui portait la marque indéniable de son talent.

Le diadème, une pièce originale d'une valeur de plusieurs millions de livres, était un cadeau de l'empereur Louis-Napoléon à l'épouse qu'il avait tant chérie. Jeffrey ne passait jamais à côté de cette œuvre d'orfèvrerie sans se sentir ému. Pendant près d'un demi-siècle, les Galeries DeWilde de Londres n'en avaient exposé qu'une vulgaire copie. Retrouvée après toutes ces années, la pièce authentique avait repris sa place, moins de quinze jours après le départ définitif de Grace pour San Francisco. Amère coïncidence, songea Jeffrey. Il avait récupéré l'héritage familial au moment où il perdait son épouse. Un lourd tribut à payer pour un bijou, aussi précieux soit-il...

Refusant de se laisser entraîner sur le terrain familier des regrets stériles, Jeffrey se tourna de nouveau vers le gardien de nuit.

— Vous savez sans doute que j'attends une livraison importante par messager spécial, ce soir. J'ai vu le responsable de la sécurité, hier. Il m'a promis de prendre les dispositions nécessaires.

L'homme hocha la tête.

— Mais certainement. Tout est arrangé, monsieur. Keith sera là pour accueillir le livreur. Il vous appellera dès son arrivée. Une fois que nous aurons procédé aux contrôles d'usage, je l'escorterai jusqu'à votre bureau... Ou ailleurs, si vous le souhaitez.

— Dans mon bureau, ce sera parfait. Normalement, il devrait se présenter ici avant 7 heures, autrement dit dans un quart d'heure tout au plus. Dites à Keith que je remonte au sixième étage, vous voulez bien ?

— Je vais lui transmettre le message, monsieur. Passez une bonne soirée.

De retour dans son bureau, Jeffrey déplaça quelques papiers, étala deux ou trois dossiers importants devant lui, soupira, puis se leva pour sortir une bouteille du bar dissimulé derrière les portes en acajou d'un meuble de rangement. Sans prendre la peine d'aller chercher des glaçons ni de l'eau de Seltz, il se versa une larme de whisky pur malt qu'il dégusta à petites gorgées. Il hésita, le verre entre les mains, et résista à la tentation de se resservir. Après le départ de Grace, il était passé par une phase critique où il avait bu nettement plus que de raison. Puis, petit à petit, il avait réussi à contrôler sa consommation, mais il continuait parfois à chercher dans l'alcool un remède à sa solitude. Pourtant, il avait fini par admettre que fuir la réalité était inutile, et qu'il valait beaucoup mieux regarder la douleur en face. En enfouissant ses émotions au plus profond de lui-même, il n'avait pas réussi à les étouffer, mais leur avait donné au contraire une puissance explosive. Et c'est son mariage, finalement, qui était parti en fumée sous le souffle de la déflagration.

Depuis, les décombres fumants avaient envahi son paysage intérieur, comme si un voile opaque et gris était désormais posé sur toute chose et son humeur de ce soir illustrait bien cet état de fait.

Jeffrey passa une main lasse sur son front. Durant l'année écoulée, il s'était acharné de façon presque obsessionnelle à résoudre le mystère des joyaux disparus, et à retrouver la trace de son oncle Dirk qui s'était volatilisé à la même époque en brouillant toutes les pistes. Avec l'aide de Nick Santos, le détective privé qui était devenu son gendre, il avait réussi à démêler peu à peu les fils de l'énigme. Il avait découvert avec plaisir deux nouvelles branches de la famille établies en Australie, et apaisé par la même occasion la vieille querelle qui opposait les familles DeWilde et Villeneuve. La lumière avait été faite également sur les amours secrètes de Dirk DeWilde et sur son désir de couper radicalement les ponts avec la famille pour se construire une nouvelle existence.

La livraison que Jeffrey attendait représentait

l'aboutissement ultime de ses recherches : les quatre joyaux qui manquaient encore à la collection allaient lui être restitués et reprendraient leur place légitime. Après un an de recherche et d'attente, il avait atteint tous les buts qu'il s'était fixés. Mais loin de vivre ce moment comme un triomphe, il se demandait comment il avait pu investir tant de temps et d'énergie pour retrouver quelques vulgaires cailloux de couleur et deux ou trois bouts de métal...

Le téléphone sonna, interrompant ses pensées moroses. Jeffrey soupira et décrocha le le combiné.

— Oui ?

— Monsieur DeWilde ? Ici Keith Jones, du service de sécurité. Le messager que vous attendiez est arrivé.

— Ah, parfait. Faites-le monter tout de suite, voulez-vous ?

— Euh... oui, monsieur. Bill s'apprête à escorter cette... cette personne jusqu'à vous.

Jeffrey perçut une légère hésitation dans la voix du gardien. Autrefois, il n'y aurait prêté aucune attention mais, depuis le départ de Grace, il était devenu beaucoup plus sensible à ce genre de nuances.

— Vous avez un problème avec ce messager, Keith ?

— Euh... non ! Pas du tout. Tout est en règle, monsieur. Les papiers ont été authentifiés et ils sont signés de la main de M. Santos, comme prévu.

Le gardien toussa discrètement avant d'ajouter :

— J'ai débloqué l'ascenseur, monsieur. Bill et le messager sont en route. Ils seront dans votre bureau dans quelques minutes.

— Parfait, Keith. Je vous remercie.

Jeffrey posa son verre sur la table de travail et alla ouvrir la porte. L'hésitation dans la voix du gardien l'avait inquiété : manifestement, il se passait quelque chose d'étrange avec ce livreur, et Keith ne lui avait pas tout dit.

Dieu sait, d'ailleurs, pourquoi Nick Santos ne s'était pas chargé lui-même d'une livraison aussi importante. Jeffrey le lui avait fait remarquer lorsque Nick l'avait prévenu qu'une personne de confiance lui remettrait les bijoux à sa place. Et finalement, ses inquiétudes étaient fondées. Ce mystérieux livreur semblait poser quelques problèmes, Jeffrey en était intimement persuadé.

Avec des joyaux historiques d'une valeur de plusieurs millions de livres, il était absurde de prendre le moindre risque. Qu'est-ce qui lui prouvait que Keith n'avait pas débloqué l'ascenseur sous la menace d'une arme ? La seule façon de le vérifier aurait été de descendre pour inspecter lui-même le rez-de-chaussée. Mais il n'était pas armé et certainement pas habitué à ce genre de confrontation. Il avait été autrefois un excellent attaquant sur un terrain de rugby, mais il avait aujourd'hui des problèmes d'arthrite dans le genou droit et ne se sentait vraiment pas capable de jouer les héros. En admettant même qu'il ait le courage d'aller voir ce qui se passait, son initiative risquait fort de tourner au drame... ou de le faire sombrer définitivement dans le ridicule.

Seul, il ne serait d'aucune utilité : c'était le moment ou jamais de faire appel à des professionnels. Les services de Securicorps avaient été prévenus de l'arrivée imminente des bijoux. Ils ne seraient donc pas surpris de recevoir un appel en urgence à la centrale.

Jeffrey laissa la porte entrouverte et retourna sur ses pas pour activer l'alarme silencieuse qui le reliait directement au siège social de la société de surveillance. La pensée que des spécialistes armés seraient bientôt sur place le rassura un peu. Il était fort possible que ses craintes ne soient pas fondées, mais, dans le doute, il préférait ne pas courir le risque de se retrouver avec une arme braquée sur la tempe.

A quelques mètres de là, sur le palier, les portes de

l'ascenseur s'ouvrirent brusquement. Tous les sens en alerte, Jeffrey attendit dans le bureau que ses visiteurs apparaissent. Le silence était total, l'épaisse moquette en laine étouffait le bruit des pas et personne ne parlait. Jeffrey eut un mauvais pressentiment. En temps normal, le gardien qui accompagnait le livreur était d'un naturel plutôt bavard...

Au lieu d'entrer directement, il frappa deux petits coups avant de passer la tête par l'entrebâillement de la porte.

— Votre... euh... messager est arrivé de San Francisco, monsieur DeWilde.

Il était manifestement très mal à l'aise, et Jeffrey, au comble de l'angoisse, agrippa des deux mains le rebord de son bureau.

— Très bien. Faites entrer, dit-il d'une voix tendue.

Le vigile s'effaça pour laisser passer l'arrivant et Jeffrey fronça les sourcils. Il commençait à en avoir assez de toutes ces simagrées. Que signifiait donc cette mise en scène ?

— Eh bien, qu'attendez-vous ? rugit-il. Entrez donc ! Et ne croyez surtout pas que vous allez vous en tirer comme ça. Notre système de sécurité est très...

Sa phrase se perdit dans un murmure. Une femme venait d'apparaître dans l'encadrement de la porte. Il se tut et la regarda entrer, bouche bée.

— Bonsoir, Jeffrey.

Il dut déglutir deux fois avant de réussir à répondre.

— Grace... Mais qu'est-ce que cela signifie... ?

— C'est très simple, Jeffrey. Nick m'a autorisée à prendre sa place pour te rapporter les bijoux perdus des DeWilde.

La voix de Grace, légèrement rauque, infiniment familière, remplit la pièce. Posant une mince mallette en aluminium sur sa table de travail, elle se plaça juste en face de lui et il put voir la légère rougeur qui lui était montée aux joues, et sentir la discrète fragrance de son parfum.

— Voici donc les quatre joyaux qui manquent encore à ta collection, Jeffrey. Je suppose que tu désires les examiner ?

— Tu t'es fait couper les cheveux...

Un silence tomba. Jeffrey se demanda comment il avait pu laisser échapper une telle remarque. Il trouvait Grace changée. Un éclat nouveau semblait émaner d'elle. Leur dernière rencontre pourtant n'était pas si ancienne : elle datait du mariage de leur fille Kate, à San Francisco, quelques semaines auparavant. Mais ce soir, Grace paraissait différente. Il l'avait toujours connue avec les cheveux rassemblés en chignon sur la nuque, et cette nouvelle coupe — cheveux courts et frange blonde sur le front — lui donnait l'air plus jeune, plus sûre d'elle. Cette métamorphose physique était le signe évident d'une autre transformation, intérieure celle-là. Difficile de ne pas remarquer que Grace avait franchi une étape, ouvert un nouveau chapitre dans le livre de sa vie.

En le laissant loin derrière elle, au fond de l'ornière...

— Kate m'a fait remarquer qu'il serait peut-être temps que je réactualise un peu mon « look ». De toute façon, ma coiffure commençait à dater sérieusement.

Tout en parlant, Grace jouait distraitement avec un de ses pendants d'oreilles en or et en saphir. Comme hypnotisé, Jeffrey suivait le mouvement de ses doigts. Pourquoi n'avait-il jamais remarqué jusqu'à présent à quel point un lobe d'oreille de femme pouvait être sensuel ?

— Tu ne m'as pas dit si ma nouvelle coupe te plaisait, Jeffrey ?

Il s'éclaircit la voix.

— Euh... beaucoup, oui. Elle est très moderne. Et elle met la forme de ton visage en valeur.

Elle lui répondit d'une voix étrangement basse, presque rauque.

— Je suis contente qu'elle soit à ton goût.

Jeffrey se sentit impuissant et désarmé et il détourna les yeux. Lui qui avait l'habitude d'affronter les situations professionnelles les plus périlleuses, qui savait si bien répondre aux questions les plus embarrassantes, grâce à sa puissance de raisonnement et à son implacable logique, se trouvait frappé de mutisme en face des gens qu'il aimait, et bien trop maladroit pour énoncer ne serait-ce que quelques pauvres platitudes.

C'était la première fois que Grace revenait dans son bureau depuis le jour où elle l'avait quitté, un vendredi du mois de mai, un peu plus d'un an auparavant et il ne savait pas quoi dire. Il était complètement désorienté de la voir là, debout en face de lui, au siège social de son groupe. Elle semblait si différente de la femme qu'il connaissait... Etrangement, ce qu'il éprouvait après trente-deux années de mariage et une séparation de quatorze mois, n'était ni de la nostalgie, ni du regret, ni même de la colère... Le seul sentiment qui l'animait en cet instant était un violent désir physique, comme il n'en avait plus éprouvé depuis l'âge de vingt ans. Et il luttait désespérément contre une irrésistible envie de renverser son ex-femme sur le canapé pour lui faire passionnément l'amour, au risque de voir son genou torturé par l'arthrite le lâcher au moment fatidique...

Comme chaque fois qu'il se sentait à court de mots, Jeffrey trouva refuge dans des considérations d'ordre pratique.

— Nick n'aurait jamais dû t'autoriser à traverser l'Atlantique avec des bijoux d'une telle valeur. C'est beaucoup trop dangereux pour...

« Pour une femme », avait-il failli dire. Mais il s'était retenu juste à temps. A force de lui faire la leçon, Kate, Megan et Lianne avaient réussi à lui inculquer quelques principes de prudence.

— C'est trop dangereux pour qui n'a pas été formé à ce genre de travail, enchaîna-t-il avec diplomatie. Tu n'as pas eu de problèmes avec la douane, au moins ?

— Aucun. Ma première idée était de m'envoler pour Londres avec les bijoux dès le soir du mariage de Kate. Mais j'ai réalisé à temps que ce serait beaucoup trop risqué. Nick a donc pris les dispositions nécessaires. Il a chargé un de ses collègues de m'accompagner jusqu'ici et de s'occuper de toutes les démarches. Mon rôle, au fond, a été assez limité. Mais je voulais quand même avoir le plaisir de t'apporter moi-même ces bijoux.

Jeffrey aurait bien aimé comprendre pourquoi elle tenait tant à lui restituer elle-même les joyaux manquants, mais il n'osait pas le lui demander directement. Depuis ce fameux soir de la Saint-Sylvestre, dix-neuf mois auparavant, où Grace lui avait avoué qu'elle l'avait épousé sans être amoureuse de lui, Jeffrey évitait de poser des questions trop personnelles. Il savait que certaines réponses pouvaient être douloureuses à entendre.

En attendant, il était heureux que Grace ait pris spontanément l'initiative de venir jusqu'à lui. Depuis un an qu'ils étaient séparés, elle n'avait cessé de proclamer qu'elle avait besoin « d'espace » — un euphémisme qui signifiait apparemment qu'elle se sentait bien à peu près partout, sauf là où il se trouvait.

Il sourit à Grace et dit avec un enjouement forcé :

— Eh bien ! Il ne me reste plus qu'à ouvrir cette valise pour voir si les bijoux ont résisté au voyage.

Grace leva la main gauche et il vit que la mallette était reliée à son poignet par une fine chaîne en inox soudée à une espèce de bracelet gravé et doublé de velours. Etrangement troublé par cet instrument bizarre, Jeffrey se demanda si elle avait fait fabriquer ces « menottes » exprès, ou si elle les avait dégotées dans un sex-shop de San Francisco.

— Il va falloir que tu me libères, dit Grace en glissant sa main droite dans le décolleté de sa veste de tailleur bleu marine.

Elle sortit une chaînette aux fins maillons d'or et d'argent au bout de laquelle pendait une petite clé qu'elle détacha pour la lui remettre.

— Elle sert à la fois pour les menottes et le cadenas. Nick m'a dit que tu connaissais la combinaison pour le coffret.

Jeffrey hocha la tête et prit la clé encore tiède qui avait reposé entre les seins de Grace. Il sentit un frisson lui traverser les reins.

— Tu veux bien tendre un peu le bras, dit-il d'une voix étranglée. J'ai l'impression que ça va être compliqué de te délivrer de tout ce métal.

Il saisit son poignet avec précaution et réussit à actionner le fermoir. Le bracelet en métal s'ouvrit et tomba avec fracas sur le bureau. Un silence pesant s'installa entre eux. Jeffrey porta la main à son cou et desserra nerveusement son nœud de cravate. Il n'avait encore jamais remarqué à quel point on manquait d'air dans son bureau. Il jeta un bref regard vers Grace qui était en train de masser l'intérieur de son poignet, puis se tourna pour ouvrir le coffret. Il dut s'y reprendre à deux fois avant de réussir à entrer la combinaison, mais enfin le couvercle se souleva et, oubliant Grace pendant une fraction de seconde, il se perdit dans la contemplation des pièces rares nichées dans leurs compartiments.

— Dieu merci, rien n'a bougé, s'exclama Grace en se penchant pour examiner les bijoux. Certaines de ces montures sont si fragiles que je craignais qu'elles ne s'abîment pendant le voyage.

— Les bijoux étaient très bien protégés. Je ne sais pas qui a conçu ce coffret, mais c'est du très bon travail.

— C'est Nick et moi qui l'avons dessiné ensemble.

Jeffrey prit délicatement une paire de boucles d'oreilles et les tint dans la lumière pour mieux les admirer. Serties de diamants et de rubis de Birmanie d'une pureté absolue, elles étaient presque trop lourdes pour qu'une femme puisse les porter. Il les reposa dans leur écrin et regarda la broche : des rubis, des diamants et des émeraudes étaient montés sur un fond d'onyx noir. L'ensemble était assez surprenant, d'une beauté sombre, presque mystérieuse. Plus fascinant encore était le collier baptisé « Eaux Dansantes ». L'éclat bleu des saphirs dispersés çà et là dans une cascade de diamants évoquait les eaux d'un torrent de montagne, perdues dans un nuage d'écume. Enfin venait le diadème de l'impératrice Catherine, une couronne exquise sertie de pierres rares, qui avait jadis appartenu à l'impératrice de Russie.

Jeffrey souleva le collier et le fit tourner lentement jusqu'à ce que les diamants s'embrasent en réfléchissant la lumière. Comme Grace poussait une exclamation admirative, il s'approcha d'elle et le lui passa autour du cou.

— Les bijoux sont toujours plus beaux lorsqu'ils sont portés, dit-il doucement.

Grace rit avec légèreté et se pencha pour voir son reflet dans le minuscule miroir derrière le bar.

— Tu as raison. Mais je crains que le lin bleu marine ne soit pas le tissu idéal pour mettre ce genre de bijou en valeur. Il faudrait du satin ou, à la rigueur, une pointe de dentelle.

Jeffrey secoua la tête.

— Faux. Les épaules nues d'une belle femme comme toi se suffiraient à elles-mêmes.

Grace lui lança un regard étonné.

— Tu fais parfois des compliments saisissants, Jeffrey.

Il rit doucement.

— Ce n'est pas un compliment. C'est tout simplement la stricte vérité.

— Nous allons voir tout de suite qui de nous deux a raison, dit Grace en défaisant le premier bouton de sa veste de tailleur. Je vote pour le satin et la dentelle, et toi pour des épaules dénudées.

Jeffrey retint son souffle. Elle n'allait tout de même pas retirer sa veste. Et lui qui était là, comme un idiot, en train de la dévorer des yeux. Il fallait qu'il se ressaisisse. C'était ridicule. Le corps de Grace n'avait pas le moindre mystère pour lui. Il l'avait tenue dans ses bras des milliers de fois en trente-deux ans...

Pourtant il n'arrivait pas à détacher son regard de ses mains. Il gardait le silence, craignant de se mettre à balbutier comme un adolescent. Grace enleva sa veste et la posa négligemment sur le bureau. Elle ne portait dessous qu'une fine chemise de soie pêche.

Elle tourna lentement sur elle-même pour que les diamants scintillent de tous leurs feux.

— Alors ? demanda-t-elle en souriant. Qui de nous deux a raison ?

Jeffrey dut faire un effort pour conserver sa lucidité.

— C'est moi, dit-il, soulagé d'être encore capable de formuler une réponse cohérente. Le satin et la dentelle seraient un véritable gâchis sur des épaules aussi parfaites que les tiennes.

Grace rougit légèrement.

— Merci... Je t'accorde que la dentelle serait de trop. Mais je reste sur mon idée de satin. Imagine une robe droite, très simple, largement décolletée, fendue jusqu'à mi-cuisse...

Il voyait la robe, le tissu chatoyant moulant le corps de Grace... Une vague de désir et de nostalgie le submergea soudain, si puissante qu'il en perdit la tête. Oubliant qu'ils étaient divorcés et qu'il était censé reconstruire sa vie sans elle, il la prit dans ses bras.

— Mon Dieu, Grace, tu m'as tellement manqué. J'ai l'impression que ça fait une vie entière que nous n'avons plus été ensemble, toi et moi.

Le visage enfoui contre sa poitrine, elle murmura d'une voix sourde.

— Nous étions ensemble à San Francisco, il y a seulement quelques semaines, souviens-toi, pour le mariage de Kate.

Il secoua la tête.

— Nous n'étions pas ensemble. Nous étions au même endroit, au même moment. C'est différent.

Elle ne répondit pas, mais ne fit pas un geste pour se dégager.

— Gracie..., murmura-t-il.

Il existait sûrement des mots pour exprimer le tourbillon d'émotions qui l'assaillaient, mais, à supposer qu'il trouve les paroles justes, il aurait été de toute façon incapable de les formuler de façon cohérente. Il renonça donc à parler et pencha son visage vers le sien pour l'embrasser. Il ressentait un besoin impérieux d'effacer tous les regrets, toutes les frustrations qu'il avait accumulées au cours de ces derniers mois, et de montrer à Grace à quel point il était heureux de l'avoir là, près de lui, à la place exacte qui était la sienne : entre ses bras.

Ce baiser avait un goût infiniment familier et rassurant. Et en même temps, il y trouvait une fraîcheur et une nouveauté qui l'étonnaient. Grace, lovée contre lui, s'abandonnait à son étreinte. Il sentait sa chaleur se communiquer à lui, comme un apport d'énergie neuve qui le galvanisait.

Elle lui rendait son baiser avec tant de fougue et d'abandon qu'il ne comprit pas soudain pourquoi elle poussait un cri étouffé. Elle lui échappa d'un mouvement brusque et se précipita sur sa veste de tailleur.

— Jeffrey, dit-elle, d'un ton affolé. Il y a deux hommes armés à la porte de ton bureau.

Deux hommes armés ? Son premier réflexe fut de se placer devant Grace. Le second fut de se demander comment il allait pouvoir s'y prendre pour la protéger.

— Le bâtiment est gardé et les installations de sécurité fonctionnent, lança-t-il aux intrus d'une voix ferme. Vous n'avez aucune chance de sortir d'ici.

Les deux hommes échangèrent un regard puis l'un d'eux fit un pas en avant, son arme toujours braquée sur lui.

— Je crois qu'il y a un malentendu, monsieur. Je suis Ron Bradley, de l'équipe d'intervention de Securicorps. Et voici mon équipier, Alan Hicks. Pouvez-vous nous montrer vos papiers, s'il vous plaît ?

Jeffrey foudroya les deux hommes du regard. De quel droit osaient-ils faire irruption ainsi dans son bureau ? Et pourquoi les avait-on laissés entrer ? Il ne les connaissait pas, mais ils portaient bel et bien l'uniforme kaki de Securicorps.

Soudain la mémoire lui revint. C'est lui qui avait déclenché l'alarme silencieuse ! L'arrivée inattendue de Grace dans son bureau l'avait tellement déboussolé qu'il avait complètement oublié son appel en urgence. Comment avait-il pu se laisser ainsi distraire ?

— Je suis Jeffrey DeWilde, dit-il sèchement en s'efforçant de dissimuler son embarras.

Derrière lui, Grace était en train de reboutonner sa veste de tailleur. Il l'entendit pouffer de rire et prit brusquement conscience du comique de la situation. Ils venaient de se faire surprendre comme deux adolescents en train de s'embrasser en cachette. Et, comble du grotesque, on leur demandait de montrer patte blanche !

— Si vous voulez une pièce d'identité, messieurs, il faudra me laisser prendre mon portefeuille dans le veston qui est accroché sur cette chaise.

— Vous dites que vous êtes monsieur DeWilde ? marmonna l'intervenant de Securicorps, visiblement dérouté. Alors, glissez lentement la main dans la poche de votre veston, et tendez-moi votre portefeuille à bout de bras.

Plutôt amusé, Jeffrey s'exécuta.

— Comme vous pouvez le constater, je suis effectivement Jeffrey DeWilde. J'attendais ce soir une livraison importante et certains, euh... indices m'ont porté à croire qu'un problème de sécurité risquait de se poser. Peu après avoir mis l'alarme en route, cependant, je me suis rendu compte qu'il s'agissait d'une fausse alerte.

— Mais vous n'avez pas pensé à désactiver l'alarme ? Ni à passer un coup de fil à nos bureaux ?

— Eh bien, non ! Je n'y ai pas pensé.

A quoi bon inventer une quelconque excuse ! Pour une fois, sa réputation de froideur hautaine allait avoir son utilité.

Le dénommé Ron Bradley inspecta le contenu de son portefeuille.

— Apparemment, tout est en règle. Par mesure de précaution, cependant, je vais vous demander de composer le code qui désactive l'alarme. M. DeWilde est seul à le connaître.

Jeffrey actionna les touches et l'agent de sécurité vérifia sur son bip que le voyant rouge passait au vert.

— C'était le bon code, dit-il. L'alarme est désactivée.

— Parfait. Je ne vous retiendrai pas plus longtemps, messieurs. Pensez à signaler à Keith Fennel, au service de sécurité en bas, qu'il n'y a aucun problème, voulez-vous ? Et dites-leur que dans vingt minutes environ, mon épouse et moi quitterons le bâtiment à notre tour.

De nouveau, le regard de l'agent de sécurité se fit suspicieux.

— Votre épouse, dites-vous ?

Ce fut le moment que choisit Grace pour se mêler à

la conversation. Un sourire chaleureux aux lèvres, elle s'avança et salua les deux hommes.

— Je suppose que c'est de moi que Jeffrey veut parler. Je suis Grace DeWilde, son ex-femme. Nous avons été mariés pendant tant d'années que nous avons parfois tendance à oublier que nous sommes maintenant divorcés.

Jeffrey était furieux contre lui-même d'avoir commis une erreur aussi stupide, et furieux que Grace se soit ainsi amusée à la relever. Pendant ce temps, pour finir de rassurer les vigiles de Securicorps, elle continuait à parler avec eux. Elle précisa qu'elle vivait à San Francisco et qu'elle était de passage pour quelques jours à Londres, et l'un des agents se mit à raconter les vacances qu'il avait passées aux Etats-Unis l'année précédente.

En les entendant discuter ainsi tous les trois, Jeffrey sentit soudain la mauvaise humeur le gagner. Décidément, les choses ne changeraient jamais, se disait-il. Avant que ces deux types acceptent de le croire, il avait fallu qu'il prouve par a + b qu'il était bien qui il prétendait être. Alors que Grace n'avait qu'à sourire et les gens lui faisaient instantanément confiance.

— N'oubliez pas de signaler à votre supérieur que j'ai été très contrarié de constater qu'il s'est écoulé au moins un quart d'heure entre le moment où j'ai actionné l'alarme et celui où vous êtes arrivés. Je compte sur Securicorps pour revoir ses délais d'intervention. S'il y avait réellement eu un problème, les voleurs seraient déjà loin à l'heure qu'il est.

— La circulation était très dense, monsieur, protesta l'un des agents en reprenant aussitôt son allure rigide et professionnelle.

— Bon. Très bien. Nous en reparlerons lundi.

Jeffrey savait qu'il avait eu tort de se montrer aussi désagréable alors que lui-même avait commis une erreur. Ce n'était pas seulement parce que Grace l'avait énervé qu'il avait réagi ainsi, mais surtout parce qu'il s'en voulait à lui-même.

Il attendit que les deux hommes soient partis et se tourna vers Grace.

— Si j'ai bien entendu ce que tu viens de dire à ces deux charmants garçons, tu as l'intention de séjourner ici quelque temps, dit-il d'un ton sec.

Du temps où tout allait encore bien entre eux, Grace se serait certainement contentée d'éclater de rire et lui aurait répondu du tac au tac, sans s'offusquer de son attitude rigide et autoritaire. Mais cette fois, elle resta impassible et se contenta de répondre d'un ton neutre :

— Je compte passer quelques jours en Angleterre. Puis j'irai à Paris, voir Megan et Phillip.

Jeffrey s'éclaircit la voix.

— Si tu restes ici quelques jours, est-ce que tu accepterais de dîner un soir avec moi ?

Grace, apparemment, n'était pas d'humeur à faciliter la vie.

— Et pourquoi souhaites-tu dîner avec moi, Jeffrey ?

La question était simple apparemment, mais il n'arrivait pas à lui trouver une réponse juste. En fait, il se sentait pris au piège. S'il avait voulu divorcer, n'était-ce pas précisément pour ne plus voir Grace ? Pour fuir les obligations matérielles qui les liaient inévitablement l'un à l'autre, faire en sorte qu'ils n'aient plus de biens communs à gérer, plus de détails domestiques à régler ? Et pour ne plus jamais se retrouver face à face, en train de se jeter des horreurs à la figure, tandis que leur amour finissait de tomber en poussière ?

— Nous avons été mari et femme pendant plus de trente ans, dit-il d'un ton légèrement exaspéré. Et nous avons trois enfants qui viennent tout juste de se marier. Il me semble que nous pourrions trouver sans difficultés un sujet de conversation pour un soir ?

— Oh ! Je n'en doute pas, en effet, admit Grace très gentiment. Mais je ne vois toujours pas pourquoi nous devrions passer un moment ensemble. Nous ne sommes plus mariés et tous nos enfants nagent dans le bonheur.

Ses arguments étaient imparables. Renonçant à se torturer l'esprit pour trouver un prétexte à son invitation, Jeffrey haussa les épaules en signe d'impuissance et décida de jouer la carte de la vérité.

— Très franchement, je ne sais pas pourquoi j'aimerais dîner avec toi, Grace. Mais le fait est que j'en ai envie. Très envie même.

Pendant quelques instants, elle garda le silence. Puis elle porta les mains à son cou, détacha le collier et le lui tendit.

— Quand tu sauras pourquoi tu veux dîner avec moi, tu n'auras qu'à m'appeler, Jeffrey. Je suis descendue au Goreham, le nouvel hôtel de Knightsbridge. Bonsoir !

Elle lui tourna le dos et quitta la pièce si vite qu'il n'eut même pas le temps de la retenir. Il se retrouva seul, debout au milieu du bureau avec pour seule compagnie quelques fabuleux joyaux hors de prix et la trace ténue du parfum que son ex-femme avait laissé dans son sillage...

2.

Au cours de l'année écoulée, Julia Dutton avait découvert que le meilleur moyen d'oublier une grosse peine de cœur consistait à s'abrutir de travail jusqu'à tomber de fatigue. Le seul ennui, c'était que cet état d'épuisement permanent finissait par vous gâcher le teint. Adieu mine épanouie, œil vif et sourire éclatant !

Ajustant le spot au-dessus du miroir de la salle de bains, Julia inspecta son reflet d'un œil critique. Autant se rendre à l'évidence, le spectacle n'était pas très réjouissant. Yeux tristes et cernés, bras trop graciles et peau pâlichonne : tout cela évoquait plutôt Caspar le Fantôme que Cendrillon en grande tenue, parée pour séduire son prince !

Julia fit la moue. Il était hors de question qu'elle se présente devant Lianne et Gabe avec cette mine de chien battu. S'il y avait un couple au monde devant lequel elle souhaitait faire bonne figure, c'était bien celui-là. Aux yeux de Gabe, elle tenait à passer pour un concentré de joie et de vitalité, rien de moins. Mais elle avait beau tourner le spot dans tous les sens, rien à faire : elle avait le teint blafard et les traits tirés quel que soit l'angle choisi.

Résolue à lutter contre l'adversité, Julia se mit à fouiller fébrilement dans ses rangements de salle de bains. Elle finit par trouver son bonheur sous la forme d'un masque « coup d'éclat express » qui devait traîner là depuis la nuit des temps. L'effet n'aurait sans doute rien de radical, mais ce serait toujours mieux que rien.

Perçant le tube, elle se tartina copieusement avec la crème qui, s'il fallait en croire les promesses inscrites sur l'emballage, lui procurerait un teint de pêche et une mine éblouissante. Qu'un tel miracle puisse s'opérer en dix minutes paraissait difficile à croire. Mais elle aurait au moins fait tout ce qui était en son pouvoir pour se donner un coup de fouet, ne serait-ce que psychologique. Elle détacha la barrette qui retenait ses cheveux. Par chance, ils étaient longs, vigoureux et pleins d'éclat même lorsqu'elle était fatiguée.

Ce qui, étonnamment, n'était pas le cas cet après-midi-là. Même si elle avait passé la semaine à donner des cours de français dans le cadre d'un stage intensif d'été et occupé toutes ses soirées à coudre un patchwork compliqué pour le troisième anniversaire de sa nièce, elle se sentait relativement en forme. Dans un sursaut d'optimisme, elle brancha son fer à friser pour parfaire ses boucles et réussit même à relever la frange qui lui tombait habituellement sur le front.

Elle contempla le résultat d'un œil dubitatif. Peut-être se berçait-elle d'illusions mais à première vue cette nouvelle coiffure lui donnait un air presque sexy. Ce qui correspondait très précisément à l'effet recherché. Elle revoyait Gabe ce soir pour la première fois depuis quatre mois et elle avait envie de ressembler à une femme qui profitait de la vie. Et pas de n'importe quelle vie : une vie excitante, mouvementée, pleine de rencontres masculines passionnantes. Car s'il y avait une chose qu'elle se refusait désormais à endurer, c'était bien la commisération muette de son ex-amant.

En songeant à Gabriel DeWilde, Julia sentit ses joues brûler sous le masque d'argile. Elle se hâta de chasser de son esprit les souvenirs restés trop vivaces. Lianne et Gabriel vivaient un mariage idyllique et attendaient leur premier enfant pour le mois suivant. Il était grand temps qu'elle se relève enfin de sa stupide passion pour Gabe. Les amours désespérées à sens unique avaient peut-être nourri l'inspiration des poètes romantiques, mais aujourd'hui, elles constituaient un fardeau aussi absurde qu'encombrant. Julia estimait que sa propre situation frisait le ridicule. Quoi de plus pathétique qu'une femme incapable de juguler ses sentiments pour un homme qui avait rompu avec elle depuis plus d'un an ?

Il est vrai que d'être rejetée par l'homme de sa vie à cause d'une autre femme n'était déjà pas une expérience spécialement confortable. Mais lorsque « l'autre femme » en question se trouvait être votre meilleure amie, l'épreuve tournait au cauchemar intégral. Que Lianne et elle aient continué à se fréquenter malgré ce qui s'était passé témoignait de la force de l'amitié qui les unissait ! Elles se voyaient dès qu'elles trouvaient un moment de répit dans leurs emplois du temps respectifs et se téléphonaient au moins une fois par semaine. Lors de ces rencontres, toutes deux s'appliquaient consciencieusement à éviter le sujet « Gabe ». De temps en temps, avec une feinte désinvolture, elles laissaient tomber son nom dans la conversation et continuaient à sourire stoïquement l'une et l'autre, en faisant mine de ne pas remarquer la tension ambiante. Et c'est ainsi que, cahin-caha, elles avaient réussi à préserver leur amitié, même si leur relation avait beaucoup perdu en spontanéité et en décontraction.

Ces derniers temps, cependant, Julia n'avait plus très souvent l'occasion de jouer la comédie de l'indifférence avec Lianne. Depuis quelques mois, en effet, Gabe DeWilde et sa jeune épouse passaient le plus clair de leur temps à la campagne. La naissance de leur bébé était prévue pour fin août et il ne leur restait plus beaucoup de temps pour finir d'aménager l'adorable cottage vieux de deux siècles qu'ils avaient acheté peu après leur mariage.

Occupé jusque-là par deux sœurs octogénaires, le cottage était aussi charmant qu'inconfortable. La baignoire sur pieds était une merveille, mais il n'y avait pas d'eau chaude. Toutes les chambres avaient des fenêtres à petits carreaux délicieusement romantiques, mais le plâtre des plafonds était verdi par les moisissures. Quant à la cuisine, elle s'enorgueillissait d'un superbe parquet en chêne, mais il était impossible de faire fonctionner la vieille cuisinière à bois sans enfumer toute la maison.

Dès l'instant où Lianne lui avait fait visiter le cottage, Julia n'avait plus eu qu'une envie : s'occuper de la décoration. L'aménagement intérieur avait toujours été sa passion, même lorsqu'elle était enfant. Mais ses parents avaient eu la sagesse de lui faire comprendre qu'il s'agissait d'un secteur trop aléatoire pour qu'elle puisse envisager d'y faire carrière.

Depuis sa désastreuse rupture avec Gabe, l'enseignement ne suffisait plus à meubler son existence. Julia avait donc pris l'habitude de sillonner l'Angleterre tous les week-ends pour découvrir les vieilles demeures au charme classique qui ouvraient occasionnellement leurs portes au grand public. Elle avait approfondi ainsi sa connaissance des antiquités et était devenue une véritable experte en matière d'étoffes anciennes. Au début, elle s'était plus ou moins forcée à ces visites pour chasser sa déprime. Mais le plaisir, peu à peu, avait fini par prendre le dessus et elle s'était découvert une authentique passion pour la fabrication et la restauration des tissus d'époque.

En se lançant dans les travaux de rénovation du cottage, Gabe et Lianne avaient opté pour un savant compromis entre les exigences du confort moderne et le respect des matériaux et du charme d'origine. Dans ce patient travail de reconstruction, Lianne avait traversé quelques crises de panique et connu les affres de la panne d'inspiration. Si bien que Julia avait eu amplement l'occasion de la conseiller dans le choix des motifs et des harmonies de couleur.

La semaine précédente, Lianne l'avait appelée, enthousiaste, pour lui annoncer la fin des travaux.

— Devine ce qui arrive, Julia ! Les ouvriers ont plié bagage. Pour de bon ! Je crois que je suis folle de joie, mais je suis trop fatiguée pour en être certaine. Les murs tiennent debout, les plafonds sont secs : c'est la vie de château !

Julia n'avait pu s'empêcher de rire.

— Ce n'est pas seulement merveilleux, c'est carrément incroyable. Mais est-ce que ces murs qui tiennent debout sont peints au moins ?

— Tous ! Jusqu'au dernier ! Tu ne peux pas imaginer comme la maison est belle, Julia. Et tu entends ce calme ? Je ne savais même plus ce qu'était une journée sans le bruit des ponceuses, les éclats de voix, les marteaux qui tapent et la radio qui beugle.

— Ça doit être une vraie bénédiction d'avoir enfin le cottage pour toi toute seule. Est-ce que tu sais si, chez Liberty, ils ont terminé les rideaux du salon ? Je suis tellement impatiente de les voir posés.

— Ils sont superbes, Julia, tu verras. Tu as eu raison de me pousser à prendre ce chintz rose plutôt que le vert un peu triste qui me plaisait tant au début. Quant au bleu ardoise des panneaux de la salle à manger, il s'harmonise magnifiquement avec les moulures ivoire. Je ne sais pas ce qui m'arrive, en ce moment, mais je crois que j'ai perdu mon sens des couleurs. A croire qu'il n'a pas résisté aux changements hormonaux dus à la grossesse ! Je remercie le ciel que la plupart des femmes continuent à se marier en blanc. Sinon, j'aurais été virée depuis longtemps de chez DeWilde.

Julia se mit à rire.

— Ça, j'en doute. Qui oserait mettre à la porte la femme qui a remporté le prix du designer de l'année décerné par le magazine *Joies du Mariage* ?

— Tu es déjà au courant ? s'exclama Lianne. Je parie que ce fou de Gabe n'a pas pu résister au plaisir de te le dire ! Lorsque le magazine nous a appelés pour annoncer la nouvelle, c'est tout juste s'il n'est pas allé l'afficher au beau milieu de Trafalgar Square !

Julia sentit son cœur se serrer, mais réussit à garder un ton léger.

— Je n'ai pas eu l'occasion de bavarder avec Gabe

récemment. C'est Megan qui m'a appris la grande nouvelle. J'ai déjeuné avec elle, alors que j'étais de passage à Paris, le mois dernier.

— A Paris ! Mais c'est génial, ça ! J'espère que tu te trouvais là-bas pour des raisons inavouables et scandaleuses, au moins ?

Julia réprima un soupir.

— Il n'y a pas plus avouable ni moins scandaleux qu'un séjour à Paris en compagnie d'une classe entière d'élèves de seconde ! Le seul moment où le voyage a failli tourner au scandale, c'est lorsque je suis tombée sur deux de mes élèves, en train de boire de l'alcool au bar de l'hôtel à 3 heures du matin !

— Un voyage scolaire ? Oh, non, quel dommage ! Et moi qui pensais que tu avais rencontré un beau brun séducteur qui t'avait enlevée dans sa Porsche blanche et emmenée à Paris pour vivre des journées de rêve et des nuits blanches torrides...

Julia laissa échapper un petit rire contrit.

— Tu sais, Lianne, je ne crois pas être le type de femme qui éveille des élans irrépressibles chez des beaux bruns roulant en Porsche.

— Tu es une des plus jolies femmes que je connaisse, répliqua Lianne doucement. Et tu as un corps magnifique. Je connais peu d'hommes capables de te résister.

Peu d'hommes, peut-être, mais Gabe si. Et les autres la laissaient de marbre.

— Merci pour le compliment, Lianne. Mais être jolie ne veut pas dire forcément être désirable.

— Je dirais que ce qui rend essentiellement une femme désirable, c'est le fait qu'elle se sente bien dans sa peau. Ta famille t'a tellement renvoyé de toi l'image terne et rassurante d'une bonne petite maîtresse de maison que tu n'as même pas idée de la sensualité que tu dégages. Pour moi, tu es un paquet de dynamite en attente de l'homme chanceux qui saura mettre le feu aux poudres.

Julia rit de bon cœur.

— Si je suis de la dynamite, c'est de la dynamite mouillée. Ou alors il y a un problème avec le détonateur. Tu es la plus généreuse des amies, Lianne, et je te remercie pour le compliment. Mais, de ma vie, je n'ai encore jamais rencontré un homme à qui j'ai inspiré de folles envies de siestes langoureuses ou de week-ends en amoureux dans des contrées romantiques.

— Qu'est-ce que tu en sais, d'abord ? Tu as des dons de télépathie pour lire dans les pensées des beaux garçons ?

— Je ne pense pas qu'une femme ait besoin d'être médium pour sentir si un homme la désire ou non, rétorqua Julia en riant. Ce sont des choses que l'on perçoit intuitivement... si mes souvenirs sont bons.

— En bref, ça ne te déplairait pas d'être passionnément désirée par un homme, conclut Lianne. Mmm... intéressant. Jusqu'ici, j'avais toujours eu l'impression que tu n'aspirais qu'à une relation terriblement conventionnelle avec un homme BCBG, plutôt branché famille/mariage.

Alarmée par le ton pensif de Lianne, Julia comprit que c'était le moment ou jamais de rectifier le tir avant que son amie ne commence à fomenter Dieu sait quel projet scabreux.

— Ton impression était juste, Lianne. Je ne suis pas portée sur les passions tumultueuses.

Ce qui était d'ailleurs l'exacte vérité. Si un jour elle parvenait à oublier Gabe, elle espérait bien rencontrer un homme calme et posé pour l'épouser et avoir des enfants. Et tant pis si elle donnait l'impression d'être vieux jeu ou ennuyeuse. Les histoires purement sexuelles n'avaient jamais été sa tasse de thé.

— Mmm... en es-tu bien certaine ? demanda Lianne d'un ton sceptique.

— Absolument ! Et écoute-moi bien, Lianne. Nous sommes des amies de longue date et je te connais comme si je t'avais faite. Je sais que tu es en train de passer mentalement en revue la liste de tes amis célibataires pour essayer de voir lequel d'entre eux serait susceptible de m'enlever dans sa Porsche blanche pour vivre une folle passion. Mais je te préviens tout de suite que ce n'est même pas la peine d'y penser.

— Ne sois donc pas si méfiante, Julia ! Je n'ai absolument aucun projet de ce genre en tête.

Lianne changea de sujet avec une rapidité suspecte :

— Au fait, si je t'appelle, c'est pour une raison bien précise : je voulais t'inviter à venir au cottage ce week-end. Nous réunissons un petit cercle d'amis pour célébrer la fin des travaux. Nous sommes tellement contents de ne plus avoir à couvrir le sol de notre chambre à coucher de bassines chaque fois qu'il pleut qu'il faut fêter cela ! Je t'en supplie, accepte, Julia ! Ensuite il sera trop tard pour que tu viennes nous voir. Dès lundi, nous devons retourner en ville pour attendre l'arrivée du bébé, et nous avons très envie de montrer notre belle maison à nos amis avant d'être mobilisés vingt-quatre heures sur vingt-quatre par les séances de change, les biberons et les réveils nocturnes. S'il te faut des arguments supplémentaires : ils annoncent un temps magnifique pour le week-end, et la campagne est absolument superbe en ce moment.

— N'en dis pas plus : je suis convaincue. Je prendrai le train jusqu'à Winchester, mais il faut que quelqu'un vienne ensuite me chercher à la gare. Si tu savais comme j'ai hâte de voir à quoi ressemble votre cottage !

— Tu n'as pas besoin de prendre le train, Edward Hillyard se fera un plaisir de t'emmener, dit Lianne précipitamment.

Edward Hillyard, comme par hasard... Edward était un ancien camarade de lycée de Gabe, divorcé depuis moins d'un an. C'était déjà la troisième fois que Lianne trouvait une excuse pour leur ménager des moments en tête à tête. Et le brave Edward, une fois de plus, allait jouer les chevaliers servants durant le week-end.

Julia réprima un soupir. Elle aurait dû être reconnaissante à son amie d'avoir choisi pour elle un compagnon aussi respectable. Edward était tout à fait le type d'homme qu'une femme raisonnable rêvait d'épouser. A première vue, il était idéal sur tous les plans. Sauf aux yeux de son « ex », bien sûr... Julia se surprenait parfois à se demander pourquoi la femme d'un homme aussi « parfait » qu'Edward avait demandé le divorce au bout de deux ans de mariage à peine.

— Edward a déjà accepté notre invitation à dîner pour samedi soir, poursuivit Lianne sans lui laisser le temps de protester. Et il pense reprendre la route de Londres le dimanche après le déjeuner. Il pourra donc te raccompagner sans problème. Tu veux que je lui demande de passer te prendre aux alentours de 16 heures, samedi ?

— Ce serait parfait pour moi. Mais il faudrait peut-être commencer par demander l'avis d'Edward. Tu es certaine que ça ne le dérange pas de faire un crochet par chez moi ?

Elle entendit Lianne pousser un soupir à fendre l'âme à l'autre bout du fil.

— Franchement, Julia, tu me désespères. Tu prétends que tu n'as pas besoin de dons de voyance pour savoir quel sentiment tu inspires aux hommes. Mais je te signale que, là, tu es vraiment aveugle ! Edward n'attend que ça : une excuse pour passer un moment seul avec toi. Et toi, tu t'inquiètes de savoir si ça ne le dérange pas ! Je vais lui dire de t'appeler, comme ça, il te rassurera lui-même.

Julia avait de la sympathie pour Edward. Et quand il s'était manifesté quelques jours après sa conversation avec Lianne, pour confirmer qu'il serait ravi de la conduire jusqu'au cottage, elle l'avait remercié poliment. Edward exerçait la profession d'avocat, jouissait d'une excellente réputation dans les milieux juridiques, et on lui prédisait un avenir brillant. C'était un homme intelligent, attentionné, qui lui avait fait plutôt bonne impression au cours de leurs deux précédentes rencontres. Il avait également un physique agréable si bien qu'elle ne désespérait pas, à la longue, de sentir naître pour lui un début d'attirance. Il devait bien exister sur cette terre quelques hommes capables de faire battre son cœur, même s'ils ne s'appelaient pas Gabriel DeWilde ! Avec un peu de chance et beaucoup de bonne volonté de sa part, Edward Hillyard l'aiderait peut-être à guérir de sa lamentable passion.

Julia se passa le visage à l'eau froide et retira le masque qui — miraculeusement — semblait avoir produit l'effet désiré. Jetant un coup d'œil à sa montre, elle constata qu'il lui restait tout juste un quart d'heure avant l'arrivée prévue d'Edward. Il n'arrivait jamais en retard. Sa ponctualité sans faille faisait partie de ses admirables qualités. Mais allez donc savoir pourquoi, la pensée d'un homme qui arrivait toujours à l'heure lui parut soudain affreusement déprimante...

Douze minutes plus tard, maquillée, coiffée avec art et délicatement parfumée, Julia enfilait la robe qu'elle avait achetée spécialement en vue de sa soirée. Il lui avait fallu un certain temps pour trouver LE modèle qui ferait passer clairement son message. Un message qui disait en termes clairs : « Tu vois, Gabe, je suis ravie que vous soyez heureux ensemble, Lianne et toi, mais regarde quand même à côté de quoi tu es passé... »

Pivotant devant le miroir, elle examina la jupe courte et serrée — très courte et très serrée, même — et se demanda si elle n'avait pas un peu forcé la dose. Vu que la robe lui arrivait déjà à mi-cuisses, elle aurait peut-être pu se dispenser de la prendre aussi décolletée. Et qui sait si un jaune un peu moins soutenu n'aurait pas fait aussi bien l'affaire ?

Julia enseignait dans une prestigieuse école privée où la plus grande discrétion vestimentaire était de mise. Et comme ses deux frères aînés avaient toujours exercé sur elle une censure implacable lorsqu'elle était adolescente, elle avait gardé l'habitude de choisir des tenues plutôt sages, même pour sortir.

Ce jour-là, pour la première fois, elle dérogeait à cette règle. Et plus elle se regardait dans le miroir, moins elle était persuadée que ce nouveau look de « femme fatale » convenait à sa personnalité ! Elle enfila des escarpins noirs à talons hauts, recula d'un pas pour juger de l'ensemble et fut instantanément envahie par un doute terrible : et si cette robe jaune était tout simplement *vulgaire* ? Prise de panique, elle voulut se rabattre sur l'éternel ensemble en lin beige qui lui servait de tenue de soirée standard, mais le carillon de l'entrée fit soudain entendre ses deux notes fatidiques.

C'était la catastrophe. Marmonnant quelques jurons qui auraient horrifié ses deux honorables frères, elle glissa les bras dans les manches de la robe qu'elle était en train d'enlever et tenta de remonter précipitamment la fermeture Eclair qui, naturellement, resta coincée. Elle eut beau tirer dans tous les sens, pas moyen de la faire bouger, que ce soit dans un sens ou dans un autre.

Julia respira profondément. Elle n'avait jamais été superstitieuse et ne croyait pas aux mauvais présages. Alors pourquoi imaginer que le week-end entier était fichu sous prétexte qu'il lui fallait accueillir Edward à moitié déshabillée ? Maintenant le haut de sa robe d'une main, elle traversa l'appartement d'un pas ferme et ouvrit la porte. Fidèle à lui-même, Edward-le-Ponctuel se tenait sur le seuil. Elle lui adressa un sourire amical, guettant avec espoir les battements de son cœur. Mais à sa grande déception, il conserva son rythme régulier.

Elle décida de rester optimiste. Un soir, alors qu'Edward l'avait invitée à une première au théâtre, elle avait croisé par hasard ses parents à l'entracte. Lorsqu'elle leur avait présenté son compagnon, ils avaient été positivement enchantés. Depuis, sa mère n'omettait jamais de lui demander des nouvelles « du charmant avocat qui avait de si merveilleuses manières ». Pour que Lianne et ses parents fassent preuve d'un tel enthousiasme, Edward Hillyard devait être quelqu'un de réellement exceptionnel, se répétait Julia, bien décidée à pratiquer la méthode Coué jusqu'à ce qu'un début d'attirance s'ensuive.

Elle recula d'un pas pour lui laisser le passage.

— Bonjour, Edward. Vous êtes à l'heure, comme toujours. Apparemment, vous n'avez pas eu de problèmes de circulation ?

— Euh... bonjour, Julia.

Pourtant réputé pour son flegme inaltérable, Edward semblait passablement déconcerté par son changement d'apparence. Sous le choc, il trébucha sur le seuil et faillit s'étaler de tout son long. Rouge de contrariété, il tira nerveusement sur ses manchettes amidonnées et lissa ses cheveux châtains en arrière. Le bel Edward n'était manifestement pas sensible à l'humour de la situation.

Réprimant une envie de rire, Julia mentit poliment.

— Je suis désolée. Il y a longtemps que j'aurais dû retirer ce petit tapis. Tout le monde trébuche en entrant dans cet appartement.

Edward eut un sourire magnanime.

— Oh, il n'y a pas de mal. Je ne regardais pas où je mettais les pieds, c'est tout.

Il s'exprimait avec son calme et sa politesse habituels. Mais son regard ne cessait de glisser sur sa silhouette en s'attardant à la hauteur de ses cuisses un peu trop généreusement dévoilées. Ses yeux gris semblaient un peu plus protubérants qu'à l'ordinaire, comme s'ils allaient sortir de sa tête. Très vite, cependant, ses bonnes manières l'emportèrent et il fixa de nouveau son attention sur son visage.

— Si nous voulons échapper aux embouteillages du vendredi après-midi, nous ferions mieux de partir sans attendre. Donc si vous êtes prête, Julia...

Elle vit sa pomme d'Adam tressaillir, tandis qu'il contemplait ses épaules.

— Cette... robe n'a pas l'air d'être très chaude. Vous devriez peut-être prévoir une veste.

Julia réprima un soupir. Elle n'était décidément pas faite pour le rôle de femme fatale. Tout ce qu'Edward trouvait à dire de sa robe, c'est qu'elle serait bien avisée de la recouvrir au plus vite ! Même ses yeux ronds et son étonnement n'avaient rien de flatteur. Au lieu de se sentir féminine et troublante, elle avait le sentiment de s'exhiber de façon aussi gênante qu'ostentatoire. Mais les dés étaient jetés : elle pouvait difficilement gâcher le temps précieux d'Edward en lui demandant de lui accorder quelques minutes pour se changer. Il ne lui restait donc plus qu'à endurer sa robe jaune pendant le reste de la soirée.

— J'ai une veste dans ma chambre mais j'ai d'abord un service à vous demander, Edward. C'est un peu embarrassant de vous mettre à contribution de cette façon, mais la fermeture Eclair de ma robe s'est coincée et je ne peux plus ni la mettre ni l'enlever. Croyez-vous pouvoir remédier à ce petit problème ?

— Euh... oui, bien sûr. Je vais tâcher de vous arranger ça.

Edward lui plaça les mains sur les épaules et la fit pivoter. Elle tressaillit lorsque ses doigts entrèrent en contact avec la peau nue de son dos.

— Je suis désolé, dit Edward d'une voix légèrement altérée. J'ai sans doute les mains froides.

— Aucune importance, lui assura Julia tout en priant pour que l'épreuve prenne fin rapidement.

Ce n'était pas tant ses mains froides qui la gênaient que cette intimité forcée. Non pas qu'Edward abusât de la situation, bien au contraire, il prenait soin de la toucher le moins possible et ses gestes n'avaient rien de suggestif. Pourtant, elle n'avait qu'une envie : qu'il termine au plus vite !

— Et voilà, nous y sommes, dit-il d'un ton triomphant. Vous êtes parée, Julia.

Elle se retourna pour le remercier et découvrit — trop tard — qu'Edward n'avait pas bougé. Face à face, ils étaient si près l'un de l'autre qu'elle n'avait qu'un geste à faire pour se retrouver dans ses bras. Cette seule pensée suffit à la paralyser sur place, comme si un farceur quelconque avait collé les semelles de ses escarpins sur la moquette de l'entrée. Que faire ? Avancer d'un pas et tenter un baiser ou battre prudemment en retraite ?

Edward finit par résoudre le dilemme à sa place. Il murmura son nom sur un ton interrogateur et comme elle ne réagissait pas, il glissa les bras autour de sa taille et se pencha pour l'embrasser. Ce n'était pas tout à fait la première fois, d'ailleurs. En la déposant chez elle après le théâtre, il lui avait déjà volé un rapide baiser. Julia doutait qu'il ait tiré grande satisfaction de l'expérience et, de son côté, elle n'avait strictement rien ressenti, mais sa propre indifférence ne l'avait pas surprise outre mesure. Depuis Gabe, elle n'avait plus éprouvé la moindre étincelle de désir pour quelque homme que ce soit. Et si elle se trouvait dans les bras d'Edward en ce moment, c'était précisément dans un but de guérison. Elle ne pouvait pas pleurer sur Gabe jusqu'à la fin de ses jours, tout de même ! Avec un minimum de bonne volonté, elle finirait bien par ressentir au moins un début de trouble. Le tout était de réussir à se laisser aller. A y mettre du sien, en quelque sorte. Fermant résolument les yeux, elle lui offrit ses lèvres.

Edward ne se fit pas prier pour les accepter. Bien décidée à tirer le meilleur parti de l'événement, Julia se concentrait sur ses sensations. Mais rien, hélas, ne se dessinait de ce côté. Pas de fiévreux emportements, pas de montée d'adrénaline, pas de faiblesse dans les jambes. Pas même une vague sensation de vertige ou un début de frémissement !

Pour s'encourager un peu, elle essaya d'imaginer qu'elle était Kate Winslet et lui Leonardo DiCaprio. Mais là encore, les résultats furent décevants. Edward restait Edward et il ne faisait pas battre son cœur. Son baiser avait le goût du dentifrice à la menthe qu'il avait dû utiliser juste avant de venir. Ce qui, en soi, n'avait rien de désagréable, mais Julia aurait voulu pouvoir oublier ce genre de détail technique, et sentir le vent du désir souffler en elle, balayant toutes ces plates considérations. Hélas ! Tout ce dont elle avait encore conscience, c'est qu'elle avait du mal à respirer et que si elle relevait trop brusquement la tête, son nez risquait de heurter celui d'Edward.

Bref, l'expérience virait au pathétique et il ne lui restait plus qu'une chose à faire : arrêter tout avant que cela ne tourne à la corvée pure et simple. Ne serait-ce que pour le pauvre garçon qui devait commencer à trouver le temps long, lui aussi. D'autant plus que si elle était obligée de l'imaginer sous les traits de Leonardo pour que leur baiser devienne tolérable, il était évident que leur relation ne les mènerait jamais à des sommets de volupté ni de passion !

Edward, toujours très homme du monde, la laissa aller dès l'instant où elle détacha ses lèvres des siennes. Julia ouvrit les yeux et eut la surprise de constater qu'il ne semblait rien avoir remarqué d'anormal. Sa respiration s'était accélérée et son regard trahissait une indéniable excitation. Julia se sentit vaguement coupable. Pourquoi était-elle restée froide comme la glace alors qu'Edward semblait avoir tiré un réel plaisir de l'expérience ? Avait-elle perdu toute capacité de s'émouvoir ? Ou avait-elle été génétiquement programmée pour ne vibrer que dans les bras du seul Gabriel DeWilde ?

La situation, en tout cas, était particulièrement embarrassante et elle se demandait ce qu'elle allait bien pouvoir dire à Edward. Ce dernier, par chance, faisait partie de ces bavards intarissables capables de parler pour deux en toute circonstance. Tout en l'entraînant vers sa BMW qu'il avait réussi à garer tout près de l'immeuble — Edward trouvait toujours des places de stationnement, même dans les quartiers réputés impossibles —, il se lança dans un récit détaillé de ses aventures professionnelles de la semaine. Julia écoutait patiemment, acquiesçait lorsqu'il fallait acquiescer et se demandait comment Edward réagirait si elle retirait discrètement son bras qu'il avait glissé d'autorité sous le sien...

Il était 18 heures passées lorsqu'ils quittèrent l'autoroute à Winchester. Le ciel était sans nuage et la campagne baignait dans une lumière encore vive, en cette fin d'après-midi de juillet. Ils passèrent devant la jolie église moyenâgeuse de Lower Ashington. Quelques minutes plus tard, la BMW s'immobilisait devant le cottage de Briarwood. Lianne ouvrit la porte, avant même qu'ils aient atteint la sonnette.

Elle poussa une exclamation joyeuse, et se jeta au cou de Julia.

— Oh, Julia, c'est si injuste ! Regarde comme tu es mince et belle. Tu as une chevelure de rêve, comme d'habitude, et une robe à faire pâlir de jalousie. Je crois que je te déteste, tu sais. Si je continue à grossir comme je grossis depuis quelque temps, Gabe va être obligé de louer une grue pour me sortir du lit le matin.

Julia regarda son amie avec affection.

— Tu es magnifique, voyons. Rayonnante de santé et encore joliment ronde. Attends d'être à la fin du neuvième mois et tu sauras ce que c'est que d'être vraiment volumineuse. L'avant-veille de son accouchement, ma belle-sœur me faisait penser à une montagne en mouvement.

Lianne lui jeta un regard faussement courroucé.

— C'est ça, retourne le couteau dans la plaie et rappelle-moi que mon tour de taille va continuer à augmenter pendant encore quatre semaines. Tu verras quand tu seras enceinte ! Je ne me priverai pas de te glisser quelques remarques perfides de ce genre.

— Oh ! Je ne m'inquiète pas trop, tu auras tout oublié d'ici là. D'après la belle-sœur en question, l'accouchement est suivi d'une amnésie aussi totale qu'immédiate.

— Ne compte pas trop là-dessus, ma vieille. Je prends note de tous les commentaires désobligeants de mes soi-disant amies. Et j'ai la ferme intention plus tard de me venger sans pitié.

Se tournant vers Edward, Lianne lui tendit la main.

— Ravie de te revoir, Edward. Entrez vite tous les deux. Gabe va vous servir à boire et une fois que l'apéritif vous aura requinqués, vous serez priés de jouer votre rôle d'invités modèles et de faire le tour complet de la maison en vous répandant en commentaires élogieux sur nos fils électriques flambant neufs, les magnifiques roulements à bille qui ornent notre installation de plomberie et...

Edward l'interrompit avec un sourire hésitant.

— Désolé d'avoir à te contredire, Lianne, mais à ma connaissance, il n'y a jamais eu de roulements à bille dans les installations de plomberie.

Il y eut un quart de seconde de silence. Puis Lianne reprit d'un ton léger :

— Sans doute, oui. Disons pour simplifier que nous sommes tellement contents de nos rénovations que nous comptons sur une réaction enthousiaste de votre part. Tâchez donc de paraître émerveillés, quitte à mentir poliment s'il le faut.

— Sois sans crainte, Lianne, je n'aurai pas à me faire violence, intervint Julia avec diplomatie. Je vois déjà d'ici que vous avez fait des prodiges dans cette maison. Je vous soupçonne même d'avoir enchaîné les peintres à leurs pinceaux et les maçons à leurs truelles. C'est extraordinaire, le travail qui a été accompli en si peu de temps. Et tout est absolument superbe.

— On peut dire la même chose de toi, Julia.

Gabe qui venait de les rejoindre se pencha et fit mine de poser sur sa joue un baiser qui alla se perdre dans le vide.

— J'aime beaucoup ta nouvelle coiffure, commenta-t-il poliment.

Avec un effort de volonté, elle réussit à le regarder dans les yeux et à sourire.

— Merci, Gabe. J'ai pensé qu'il était temps de changer un peu de style.

— C'est un changement réussi, répliqua-t-il en souriant.

Le cœur de Julia se mit à battre à grands coups précipités

dans sa poitrine. Découragée, elle se demanda si elle ferait encore une fixation sur Gabriel DeWilde, à quatre-vingt-dix ans, lorsqu'elle serait une vieille dame, errant de pièce en pièce à la recherche de ses fausses dents. Cette image la fit rire et elle réussit à murmurer une vague réponse polie avant de s'échapper en direction du salon.

Deux autres invités s'y trouvaient déjà. La silhouette de la femme lui était vaguement familière, mais son sourire se figea lorsqu'elle reconnut l'homme assis sur la banquette aménagée dans l'arrondi d'une fenêtre. Michael Forrest ! Pour une mauvaise surprise, c'était une mauvaise surprise ! S'il y avait une personne au monde qu'elle aurait préféré ne pas avoir sur le dos au cours des prochaines vingt-quatre heures, c'était bien le cousin américain de Grace DeWilde. Comme si ce n'était pas déjà assez compliqué d'avoir à surveiller ses réactions pour éviter de trahir son incurable passion pour Gabe ! Il allait en plus falloir faire des efforts de politesse avec cet homme qui la mettait littéralement hors d'elle chaque fois qu'il ouvrait la bouche. Le week-end promettait d'être laborieux. Lianne et Gabe étaient pourtant attentifs habituellement à ces questions d'affinités. Mais pour une raison inexplicable, ils ne semblaient pas avoir remarqué l'animosité presque viscérale qui existait entre Michael Forrest et elle.

Ils s'étaient rencontrés pour la première fois au printemps de l'année précédente, lors d'un dîner présidé par Grace et Jeffrey DeWilde. Julia, qui sortait encore avec Gabe à l'époque, considérait cette soirée comme un des pires fiascos de son existence. Non seulement elle avait commencé à comprendre ce jour-là que Gabe ne l'aimait pas, mais, pour couronner le tout, le hasard avait voulu que Michael Forrest se trouve placé à sa droite. Elle qui avait le contact si facile d'ordinaire s'était surprise en flagrant délit de rejet immédiat. Cet homme lui avait déplu de façon tellement viscérale qu'elle en avait eu la chair de poule. Et Michael, de son côté, avait très clairement réagi de la même manière.

Toute la soirée, Michael avait monopolisé l'attention générale en déballant un stock inépuisable d'anecdotes sur des politiciens ou des célébrités d'Hollywood. Ses révélations au parfum de scandale avaient remporté un franc succès et chaque récit s'était soldé par un éclat de rire général. Même le très sérieux Jeffrey DeWilde avait fini par se détendre. Julia qui avait toujours trouvé le père de Gabe plutôt intimidant avait eu la surprise de découvrir que Jeffrey n'était pas seulement brillant et plein d'esprit, mais doué d'une grande chaleur humaine.

Pourtant, même s'il n'y avait pas eu entre eux cette tension aussi étrange qu'inexplicable, Julia aurait eu du mal à tolérer la compagnie de Michael Forrest. En règle générale, elle avait des vues plutôt larges et se gardait bien de juger la façon dont les gens organisaient leur existence. Peu lui importait que ce jeune cousin de Grace DeWilde collectionnât les petites amies et passât le plus clair de son temps libre avec des gens dont le seul but dans la vie était de se pavaner devant un public aussi large que possible. Mais Michael avait à ses yeux un défaut totalement rédhibitoire : il avait pour ainsi dire abandonné son propre fils.

En tant qu'enseignante, elle avait vu trop d'enfants victimes de ce genre de négligence pour cautionner l'attitude de ces parents irresponsables. Surtout lorsque, comme Michael Forrest, ces gens avaient l'éducation et la culture nécessaires pour mesurer les dégâts qu'ils provoquaient en prenant leurs obligations parentales à la légère.

Trois ans auparavant, les amours de Michael Forrest et de la célèbre actrice Cherie Lockwood avaient fait le régal des paparazzi du monde entier. Pendant des semaines, les rebondissements quotidiens de leur histoire avaient alimenté une série continue d'articles, et les photos du couple enlacé avaient envahi les kiosques. Lorsque Cherie Lockwood avait annoncé fièrement qu'elle était enceinte, leur « passion » avait connu son apogée.

Mais ces amours extraordinaires n'avaient même pas

duré le temps d'une grossesse. Cherie et Michael s'étaient séparés quelques mois avant la naissance de Storm, leur fils. Michael avait reconnu l'enfant certes, et il avait même fait l'effort de passer quelques week-ends avec le bébé et sa mère... Mais s'il fallait en croire les récits des médias, ces visites s'étaient espacées très rapidement. Lorsque le petit Storm avait fêté son premier anniversaire, Michael avait confié à un journaliste qu'il revoyait son fils seulement pour la seconde fois en cinq mois.

Par chance, l'histoire du petit Storm s'était bien terminée, même si sa tête brûlée de père n'avait pas joué un rôle très glorieux dans l'affaire. Cherie avait récemment épousé Brad Stein, le célèbre réalisateur d'Hollywood qui l'avait dirigée dans son premier film. Dans une ville réputée pour la légèreté de ses mœurs, Brad Stein faisait exception à la règle. Il était toujours resté fidèle à Terri, sa première femme, même pendant les dix années où elle s'était battue contre la myopathie progressive qui avait fini par l'emporter.

D'après les rumeurs, Brad et Cherie étaient tombés éperdument amoureux, alors qu'elle s'efforçait de lui apporter un soutien moral après son veuvage. Ils s'étaient mariés très vite et sans chichis, en faisant l'économie de l'habituel tapage médiatique. Peu de temps après la cérémonie, Brad avait entamé les démarches légales en vue de l'adoption de Storm, sans que Michael Forrest ne tente quoi que ce soit pour défendre ses droits de père. Quelques semaines plus tôt, le magazine *People* avait publié une photo de Storm donnant le biberon à un petit veau orphelin dans le ranch de Brad Stein au Texas. Julia avait été horrifiée. Comment Michael pouvait-il se prêter à ce genre de mise en scène, alors que son adorable petit bonhomme de deux ans était élevé par un autre que lui ?

Malgré les jugements négatifs qu'elle portait sur Michael, Julia n'avait pas réussi à l'oublier après leur première rencontre. Elle avait gardé vivante en elle la mémoire de son visage. Régulièrement, elle se surprenait à feuilleter la presse à scandale à la recherche d'articles où figurait son nom. Il devait s'agir d'une pulsion purement masochiste d'ailleurs, car tout ce qu'elle lisait au sujet de Michael Forrest l'irritait au plus haut degré.

De nationalité américaine, Michael passait le plus clair de son temps à San Francisco ou à Chicago. Logiquement, elle n'aurait jamais dû être amenée à le revoir, puisque Gabe et elle étaient désormais séparés. Son salaire d'enseignante ne lui permettait pas de fréquenter les premières, les cocktails ou les galas qui constituaient le terrain d'élection de Michael. Mais un hasard étrange avait voulu qu'elle se retrouve à la même table que lui au moins une demi-douzaine de fois au cours de l'année écoulée. De chacun de ces dîners, elle était ressortie furieuse et les nerfs à vif.

La soirée qui débutait au cottage promettait donc de se dérouler selon le schéma habituel. A la vue de Michael, Julia s'immobilisa au milieu du salon. Michael lui jeta un regard indéchiffrable et se leva sans hâte, un demi-sourire amusé aux lèvres. Il était si arrogant, songea Julia, qu'on aurait pu le croire propriétaire de la moitié de la planète. Elle se sentait déjà hérissée et prête à mordre. Glissant les mains dans les poches de son pantalon, Michael s'approcha avec désinvolture et s'immobilisa devant elle. Bien qu'il eût gardé ses distances, elle se sentit envahie, colonisée, comme si l'air entre eux venait de se raréfier brusquement.

Il inclina la tête et dit d'un ton ironique :

— Bonsoir, ma chère Julia. Vous me forcez à venir jusqu'à vous, puisque le bonheur de me revoir semble vous avoir clouée sur place.

Julia grinça des dents. Cela commençait bien ! Sans lui laisser le temps de répliquer, Michael lui prit la main et déposa un rapide baiser sur le bout des doigts. Diable ! Il n'avait donc pas peur du ridicule à pratiquer encore le baise-main en ce début de vingt et unième siècle ?

Bien décidée à ne pas se laisser distancer sur le terrain de l'ironie, elle sourit hypocritement.

— Bonsoir, Michael. Quelle surprise de vous voir de ce côté de l'Atlantique ! Je vous croyais encore à Dallas, occupé à donner des cours de parachutisme à un petit groupe de top models triés sur le volet.

Une lueur d'amusement passa dans les yeux verts de Michael.

— Ça, ma chère, c'était la semaine dernière. Dans les jours à venir, j'ai l'intention de mener une existence parfaitement terne et monotone. Vous pourriez peut-être me tenir compagnie ?

Charmant, vraiment... Elle lui jeta un regard noir.

— Les paparazzi vont être désœuvrés si vous vous montrez trop discret. Ils comptent sur vous pour leur fournir au moins un article à sensation par semaine.

— Tant pis pour eux, il faudra qu'ils se contentent de la famille Grimaldi pour cette fois.

Du pouce, il lui caressa le dos de la main, et elle se rendit compte avec consternation qu'elle avait laissé ses doigts entre les siens. Le souffle soudain trop court, elle reprit sa liberté.

— Vous êtes très belle ce soir, Julia, déclara Michael avec indifférence. Le jaune vous va bien.

— Merci.

Ce compliment désinvolte avait quelque chose d'étrangement rassurant. Après tout, le jugement d'un séducteur comme Michael pouvait être considéré comme une parole d'expert, et il n'y avait aucune raison pour ne pas le prendre pour argent comptant. Depuis l'épisode Cherie Lockwood, le nom de Michael avait dû être associé à celui d'au moins une dizaine d'actrices d'Hollywood. Julia savait qu'il ne fallait pas accorder beaucoup de crédit à ce genre d'information. La plupart des « couples » dont les photos figuraient dans la presse à scandale se connaissaient à peine en réalité. Mais il n'y avait pas de fumée sans feu. Et la réputation d'homme à femmes de Michael était si solidement établie qu'elle devait reposer sur un fond de vérité.

— Julia, ma chérie, je vous ai apporté une coupe de champagne.

— Pardon ?

Stupéfaite, Julia constata qu'Edward venait d'arriver près d'elle. Elle balbutia un remerciement, et prit la coupe qu'il lui tendait. Comment l'avocat avait-il pu se trouver là, tout près, sans qu'elle s'en rende compte ? La présence de Michael la perturbait tellement qu'elle en oubliait le reste de l'humanité ! Heureusement, Edward était arrivé à point pour briser la tension entre Michael et elle.

— Edward, je crois que vous ne connaissez pas Michael Forrest ? Michael est un cousin au second degré de Gabe. Il est également président de la chaîne d'hôtels Carlisle Forrest. Michael, je vous présente Edward Hillyard, un ancien camarade de lycée de Gabe qui est maintenant avocat.

Les deux hommes se serrèrent la main.

— Enchanté de faire votre connaissance, Michael, dit Edward d'un ton jovial. Ce n'est pas un mince exploit que d'être déjà P.-D.G. d'une chaîne d'hôtels aussi prestigieuse à votre âge. Vous avez fait une carrière impressionnante, dites-moi !

Un instant, Michael parut sur ses gardes. Mais il finit par sourire.

— Il se trouve que j'ai hérité du titre.

Edward rit doucement.

— Ma foi, être bien né a toujours été la méthode la plus sûre pour atteindre rapidement les sommets.

Pendant une fraction de seconde, le sourire de Michael se crispa.

— C'est ce que j'entends dire régulièrement, en effet.

— Même si nous ne nous sommes jamais rencontrés, j'ai l'impression de vous connaître déjà, dit Edward aimablement. Même ici, en Angleterre, la presse nous rapporte vos exploits. Il m'arrive d'envier votre existence. Vous ne devez pas vous ennuyer souvent.

Michael eut une sorte de rictus qu'Edward eut la naïveté de prendre pour un sourire.

— Vous êtes un homme de loi, Edward. Vous devriez savoir que les magazines de ce type se soucient rarement d'exactitude. La vérité, c'est que je travaille régulièrement entre soixante et soixante-dix heures par semaine. Ce qui ne me laisse guère de temps pour mener la vie de joyeux noceur que l'on me prête.

Edward se mit à rire.

— Bien sûr, je comprends. Si vous étiez chargé de tenir compagnie à cette brochette de top models la semaine dernière, c'était uniquement pour affaires... Ah ! Les contraintes de la vie professionnelle sont parfois redoutables, mon pauvre ami, conclut-il avec un clin d'œil appuyé.

— Il est vrai que certains aspects de mon métier peuvent être terriblement fastidieux, par moments.

Accueillant cette dernière remarque comme une aimable boutade, Edward alluma un cigare et lui tapota l'épaule. Julia était consciente de la tension nerveuse que dégageait Michael. Peut-être était-ce pour cette raison qu'elle se sentait si mal à l'aise en sa compagnie. Plus elle le voyait, plus elle avait le sentiment que l'image qu'il projetait de lui-même ne correspondait en rien à sa personnalité réelle. En surface, il paraissait détendu et très sûr de lui, mais il semblait toujours lutter pour garder le contrôle de lui-même. Et personne n'avait l'air de s'en rendre compte à part elle. Elle était troublée par cette lucidité, comme si le regard qu'elle portait sur Michael les rapprochait et les éloignait à la fois.

A cet instant, la compagne de Michael, qui s'était éclipsée un moment, entra dans le salon.

— Tu tombes bien, Tate, ma chérie, murmura-t-il en prenant la main de la nouvelle venue pour l'attirer contre lui.

Julia perçut une grande complicité dans la manière dont la dénommée Tate se pelotonna alors dans ses bras. Elle se demanda si Michael et elle étaient amants, mais se dit aussitôt que sa question était stupide. Leur attitude elle-même ne constituait-elle pas déjà une réponse ?

— Je suis Tate Herald, dit la jeune femme en lui adressant un sourire chaleureux.

Sa voix était amicale, sa poignée de main ferme et franche.

— Et vous devez être Julia. Je suis ravie de vous rencontrer enfin depuis le temps que j'entends parler de vous par Lianne ! Chaque fois qu'elle me montre un meuble ou une harmonie de couleurs qui m'enchantent dans cette maison, j'apprends que l'idée vient de vous.

— Merci pour le compliment, mais Lianne exagère. En réalité, je n'ai fait que lui apporter une aide très ponctuelle. En fait, c'est moi qui suis comblée de faire votre connaissance, Tate. Il ne faudra pas m'en vouloir si je vous dévore des yeux toute la soirée, mais je suis une inconditionnelle de *Grosvenor Square*, et j'apprécie énormément vos talents d'actrice. Grâce à la subtilité de votre jeu, vous avez réussi à faire de Rowena Slade un personnage à la fois riche, complexe et attachant.

Tate fit la grimace, mais n'en rougit pas moins de plaisir.

— Merci, votre analyse est flatteuse. Je m'efforce de donner de la consistance à ce rôle, même si les producteurs ne me facilitent pas toujours la tâche. Tous les prétextes sont bons, ces derniers temps, pour me faire ôter mes vêtements devant les caméras.

— Mais, ma chérie, tu ne peux pas en vouloir aux réalisateurs, murmura Michael. Tu es si délicieuse, allongée entre des draps froissés, avec un sourire voluptueux pour seule tenue...

Tate rit de bon cœur.

— Merci, mon ange. C'est toujours agréable d'être complimentée par un connaisseur. Je dois d'ailleurs reconnaître que les rentrées d'argent régulières rachètent en partie l'ineptie du script... Vous voyez, Julia, je suis une femme vénale, dit-elle en riant. Mais j'avoue que j'ai eu tellement de mal à joindre les deux bouts pendant des années que je savoure insolemment le plaisir d'être riche !

— Les séries télévisées vous ont ouvert une porte, intervint Edward gentiment. Ne vous inquiétez pas trop pour la suite, Tate. Peut-être, à l'avenir, aurez-vous l'occasion de jouer des rôles plus intéressants.

Un silence gêné suivit cette déclaration. Mais Tate se ressaisit très vite.

— En effet, dit-elle d'un ton neutre. C'est une possibilité.

L'arrivée de Gabe avec une bouteille de champagne apporta une diversion bienvenue. Il resservit Michael, Tate et Julia et apporta un whisky soda à Edward.

— Désolé de vous avoir fait attendre. Mais nous avons fait tant de provisions pour le week-end, Lianne et moi, que je ne trouvais plus la bouteille de Schweppes.

Edward prit le verre de scotch et le leva.

— Je bois à ta santé et à celle de Lianne, Gabe. En espérant que ce week-end marquera le début d'une longue succession de moments heureux dans ce cottage.

— Ce sont des vœux auxquels je me joins volontiers, déclara Michael en portant sa flûte à ses lèvres.

Tous suivirent son exemple.

— A propos de Lianne, où se cache-elle ? demanda Tate après avoir bu une gorgée.

Gabe fit la grimace.

— La dernière fois que je l'ai aperçue, elle était en train de maudir les canards qu'elle s'évertue à préparer pour le dîner. J'ai pensé qu'il était plus stratégique de la laisser régler ses comptes en tête à tête avec ces volatiles et je me suis éclipsé.

— Oh ! mon Dieu, s'exclama Edward. L'affaire paraît sérieuse. Je peux peut-être aller lui proposer mon aide ? J'ai une véritable passion pour la cuisine, et le canard à l'orange est le plat préféré de ma mère.

Edward, décidément, était un réservoir ambulant de qualités éblouissantes, songea Julia. Quoi de plus attendrissant qu'un homme aimant cuisiner pour sa maman ? Elle devait avoir une nature vraiment perverse pour ne pas se sentir attirée par un être aussi accompli.

— Merci pour cette proposition héroïque, répondit Gabe. Mais pour avoir survécu à une année entière de mariage, je peux affirmer sans crainte de me tromper que si Lianne a besoin d'aide, elle nous le fera savoir.

A peine avait-il fini de parler qu'un cri suivi d'un fracas de vaisselle brisée se fit entendre en provenance de la cuisine. Gabe leva les yeux au ciel.

— Mmm... Voilà qui peut être interprété comme un appel au secours, il me semble.

Comme un silence alarmant succédait au vacarme, Julia se précipita vers la porte.

— J'y vais, lança-t-elle, soulagée d'échapper à la compagnie des trois hommes qui, chacun à sa façon, mettaient ses nerfs à rude épreuve.

Elle découvrit Lianne assise contre le mur de la cuisine, les yeux mi-clos. Des éclats de faïence brisée et des haricots plats encore fumants jonchaient le sol. Inquiète, Julia s'approcha pour prendre la main de son amie dans la sienne.

— Que se passe-t-il, Lianne ? Tu t'es brûlée ? Il faudrait que tu te passes les doigts sous l'eau froide.

— Je ne me suis pas brûlée.

Julia sentit l'excitation percer dans la voix bizarrement détachée de Lianne. Gabe pénétra à son tour dans la cuisine. Ecrasant des haricots à chaque pas, il alla entourer sa femme de ses bras.

— Que se passe-t-il, ma chérie ? Tu as mal à la tête ? Tu as besoin de t'allonger un moment ? Tu n'as pas l'air dans ton assiette.

— Tu trouves ?

Avec un petit sourire en coin, Lianne leva les yeux vers son mari.

— Je n'ai pas besoin de m'allonger, mais je crois en revanche qu'il serait bon de prévenir le Dr Masham. Je crois qu'il est en congé ce week-end, à moins qu'il ne soit de garde, ce qui ne nous avancerait pas à grand-chose de toute façon puisqu'il est à Londres. J'aurais dû me mettre en contact avec un obstétricien par ici au cas où, mais comme nous devions rentrer lundi...

Gabe l'interrompit d'une voix calme, en détachant chaque syllabe.

— Lianne, excuse-moi, mais je ne comprends pas grand-chose à ton histoire. Pourquoi voudrais-tu appeler un obstétricien maintenant ?

— Eh bien ! Je n'ai pas voulu t'en parler, mais j'ai une douleur tenace dans le bas du dos depuis cet après-midi. Je me disais que c'était juste un peu de fatigue et que ça allait finir par passer, mais cela n'a fait qu'empirer. Et maintenant, je viens d'avoir une contraction très violente. C'est pour cela que j'ai lâché mon plat.

— Une contraction ? Tu as eu une contraction ?

Lianne frissonna malgré la chaleur qui régnait dans la cuisine.

— Une contraction forte, oui. Je crois que ça y est, Gabe. Le travail a commencé.

Elle leva vers son mari un regard où l'excitation se mêlait à la panique.

— Cette fois, nous y sommes, Gabe. Il n'a peut-être pas vraiment choisi son moment mais je sens que notre bébé va naître dans très peu de temps.

3.

A l'annonce de cette nouvelle, le futur papa parut se changer en statue de pierre. Pour Julia, Gabe représentait l'homme fort par excellence. Efficace, organisé et responsable, il était à ses yeux la personne idéale pour gérer n'importe quelle situation de crise. Persuadée qu'il ferait preuve de sa présence d'esprit habituelle, elle mit quelques secondes à comprendre sa réaction : si Gabe restait muet et le regard fixe, ce n'était pas parce qu'il réfléchissait à la meilleure stratégie à adopter. Il était tout simplement paralysé par le choc !

Edward entra juste au moment où Lianne annonçait que le bébé allait naître. Son visage se décomposa et il se mit à arpenter la pièce en gesticulant nerveusement.

— Un mois avant la date prévue ? Et cet enfant peut arriver d'un instant à l'autre alors qu'il n'y a ni médecin ni infirmière parmi nous ? Oh, mon Dieu ! Qui faut-il appeler ? Les pompiers ? Le service des urgences ! Je ne sais pas, moi... Il nous faut une ambulance !

— J'ai une idée, Edward : allons faire un tour dans le jardin, vous et moi, proposa Tate en plaçant d'autorité un verre de whisky entre les mains tremblantes de l'avocat.

Sans laisser à Edward le temps de protester, l'actrice lui prit le bras et l'entraîna vers la porte.

— Je vais essayer de le tenir à l'écart pour éviter que vous l'ayez dans les pieds, glissa-t-elle au passage à l'oreille de Julia. Pour l'instant, j'ai l'impression que c'est ce que je peux faire de plus utile. Si tu as besoin de moi pour autre chose, n'hésite pas à m'appeler.

Si Julia n'avait pas déjà été une admiratrice convaincue de Tate Herald, elle le serait devenue sur-le-champ.

— Merci, murmura-t-elle avec gratitude. Je te revaudrai ça.

— J'y compte bien, rétorqua Tate en lui décochant un clin d'œil. Et crois-moi, je saurai te rappeler ta dette envers moi.

Pendant que Tate s'éloignait en entraînant Edward, Gabe et Lianne continuaient à se regarder dans les yeux, comme deux marionnettes attendant que quelqu'un veuille bien tirer les ficelles. Julia secoua la tête. Ce n'était pas la première fois qu'elle constatait le phénomène : les futurs parents passaient des mois à planifier l'arrivée de leur progéniture et se trouvaient invariablement pris au dépourvu lorsque l'événement tant attendu s'annonçait enfin. Comme Gabe ne semblait pas se décider à agir, elle se résigna à prendre les choses en main.

— Si j'ai bien compris, la gynéco qui te suit à Londres n'est pas joignable ce week-end. Je propose que nous prévenions votre médecin traitant ici, à Lower Ashington, dit-elle à Lianne tout en retirant la cuillère de bois que son amie tenait toujours à la main. Je suppose que vous en avez un ?

— Oui, bien sûr, répondit Lianne sans bouger.

Avec un léger soupir, Julia se baissa pour rassembler les éclats de faïence qui jonchaient le sol.

— Si tu me dis où je peux trouver son numéro de téléphone, je lui passerai un coup de fil pour demander s'il vaut mieux que tu partes pour Londres tout de suite ou s'il y a une possibilité d'accoucher ici, à l'hôpital du coin. Je suppose que tu n'as pas pris de dispositions en vue d'une naissance à domicile ?

Gabe sortit enfin de son état de stupeur.

— Non, non, c'est exclu. La maman de Lianne m'a fait

promettre qu'elle accoucherait dans une maternité et surtout pas à la maison, déclara-t-il d'une voix tendue. Ma belle-mère estime qu'il serait beaucoup trop risqué de faire appel à une sage-femme.

— Très bien. Alors il nous reste à choisir entre Londres et ici.

— La clinique de Lower Ashington a fermé ses portes il y a trois ans, intervint Lianne d'une petite voix essoufflée. La maternité la plus proche se trouve à Winchester. Il faut compter environ quarante minutes de trajet et je ne sais même pas de quel côté de la ville se situe l'hôpital.

— Ne t'en fais surtout pas pour ça, ma chérie. Nous allons nous renseigner. Il n'y a aucune raison pour que nous n'arrivions pas là-bas à temps.

Gabe avait l'air tellement terrifié que Julia lui tapota le bras pour le rassurer. C'était la première fois qu'elle le touchait depuis leur rupture. A son grand étonnement, elle ne ressentit aucun trouble à son contact. Rien qu'unc affection plutôt détachée comme elle aurait pu en éprouver pour un grand frère en état de crise.

— Tout est O.K., Gabe, murmura-t-elle d'un ton apaisant. L'arrivée d'un bébé ne se programme jamais à l'avance et les équipes soignantes des maternités sont habituées à gérer l'imprévu. Pour le moment, nous devons simplement essayer de trouver la meilleure solution pour Lianne : Londres ou Winchester.

Lianne leva vers son mari ses grands yeux mouillés de larmes.

— Oh, Gabe... je suis tellement désolée, j'aurais dû prendre des dispositions plus tôt au lieu de croire que nous serions de retour à Londres pour la naissance. Comment ai-je pu être aussi négligente ?

Gabe la serra dans ses bras.

— C'est ma faute, ma chérie, pas la tienne. C'est moi qui ai insisté pour que nous restions ici jusqu'à la fin des travaux.

Un sourire ému illumina le visage de Lianne.

— Mais c'était mon désir tout autant que le tien, mon amour. J'aime tellement ce cottage ! C'est comme si cette maison existait déjà dans mes rêves et qu'elle était devenue réalité.

Perdus dans leur bulle, le futur papa et la future maman semblaient avoir oublié l'urgence de la situation. Julia les regardait, sidérée. Serrés l'un contre l'autre, les yeux dans les yeux, Lianne et Gabe semblaient sur un nuage. Elle avait déjà entendu dire que l'imminence d'une naissance s'accompagnait souvent de comportements irrationnels chez les futurs parents, mais comment croire que Lianne et Gabe, si solidement ancrés dans la réalité d'ordinaire, puissent être touchés eux aussi par ce syndrome d'irresponsabilité prénatale ?

Cherchant des yeux un allié ayant les deux pieds sur terre et un cerveau en état de marche, elle croisa le regard de Michael Forrest. Ils échangèrent une moue amusée.

— Aussi criminel que cela puisse paraître d'interrompre ce touchant tête-à-tête, je crains qu'il ne nous faille les ramener tout doucement à la réalité, murmura Michael.

— Je suis de votre avis. Voyez si vous avez plus de succès que moi pour vous faire entendre.

Michael tapota l'épaule de Gabe.

— O.K., les amis, nous sommes enchantés d'apprendre que vous avez trouvé le bonheur en votre nouvelle demeure, mais Julia et moi aimerions attirer votre attention sur des considérations plus immédiates. Comme le lieu où doit se dérouler l'accouchement, par exemple. Si l'un de vous deux consentait à redescendre sur terre une minute pour nous donner le numéro de téléphone de votre médecin traitant à Lower Ashington, nous pourrions peut-être lui passer un coup de fil. Ce qui éviterait à Lianne de donner naissance à votre enfant ici, dans la cuisine, sur un lit de haricots écrasés et de débris épars.

Gabe cligna des yeux.

— Vous avez raison, il faut prendre des dispositions immédiates. Le médecin d'ici s'appelle Emily Crane. C'est bien cela, n'est-ce pas, ma chérie ?

Lianne hocha la tête.

— Oui. Et son numéro de téléphone doit se trouver à côté du réfrigérateur. Enfin... il me semble que c'est là que j'ai punaisé sa carte de visite, lorsque les ouvriers sont partis.

Pâlissant brusquement, la jeune femme se plia en deux avec un cri de douleur étouffé, les mains posées sur son ventre en un réflexe protecteur.

— Bon sang, non ! Déjà une nouvelle contraction, s'écria Gabe, le visage décomposé par l'angoisse.

Livide, Lianne s'accrocha à lui et serra sa main de toutes ses forces.

— J'ai mal, Gabe, gémit-elle.

Lorsque la contraction prit fin, Julia nota que Michael et elle avaient retenu leur souffle l'un et l'autre dans un réflexe commun. Ils soupirèrent en chœur lorsque Lianne, pantelante, s'effondra enfin contre le plan de travail. Gabe lui massa les épaules et le dos, mais le visage de la jeune femme restait contracté par la souffrance. Julia sentit monter une bouffée d'inquiétude. Ses notions d'obstétrique étaient on ne peut plus vagues, mais elle avait la nette impression que le processus aurait dû se dérouler de façon beaucoup plus progressive.

Lianne se redressa péniblement et s'appuya de tout son poids sur le bras de son mari pour gagner un fauteuil.

— Tu as trouvé les coordonnées du médecin, Julia ? demanda-t-elle d'une voix faible.

— Oui, ça y est. J'ai la carte de visite dans la main et je suis en train de composer le numéro. Eprouves-tu des symptômes particuliers que tu aimerais que je signale ?

Lianne se massa le front.

— Dis-lui simplement que Gabe me conduit à l'hôpital de Winchester, tu veux bien ? Pour être franche, je crois que nous pouvons tirer un trait sur l'option Londres. J'ai la nette impression que le bébé n'attendra pas jusque-là.

D'un air profondément désemparé, Gabe passa la main dans ses cheveux en bataille.

— Je ne comprends pas. Ce n'est pas du tout ce qu'on nous a expliqué pendant les séances de préparation à l'accouchement ! Quatre minutes seulement se sont écoulées entre tes deux dernières contractions. Alors que l'espacement normal devrait être de vingt minutes en début de travail.

— C'est ce qu'ils nous ont appris à nous, Gabe. Mais ils ont oublié de transmettre ces règles à notre bébé. En bon DeWilde, cet enfant n'en fait déjà qu'à sa tête. Il naîtra donc à sa façon et au rythme qui lui est propre, sans se soucier des normes en vigueur, le taquina Lianne.

Mais Gabe n'était clairement pas en état d'apprécier son humour. Il continua à se tripoter nerveusement les cheveux, les yeux rivés sur Lianne qui s'agitait dans son fauteuil. Deux taches écarlates se détachaient sur les joues crayeuses de la jeune femme et la sueur commençait à perler à son front.

Julia qui patientait au téléphone allait ouvrir la bouche pour suggérer qu'on lui apporte un mouchoir humide quand Michael devança l'appel. Il trouva une serviette propre dans un tiroir qu'il passa aussitôt sous l'eau froide. Sans un mot, il la tendit à Lianne qui lui jeta un regard reconnaissant avant de s'en tapoter le front.

— Ça y est. Je suis en contact avec la permanence téléphonique du médecin, annonça Julia. Ils sont en train d'essayer de joindre Emily Crane. Tout va bien, Gabe. Ils vont m'indiquer la meilleure route à suivre pour vous rendre à l'hôpital. Et Emily Crane vous fournira toutes les précisions nécessaires sur la procédure administrative à respecter.

Quelques secondes s'écoulèrent ainsi, dans un silence lourd de tension.

— Ils ont du mal à joindre le Dr Crane ? demanda Michael à mi-voix.

— Non, non, tout va bien. Normalement, elle devrait les rappeler d'une seconde à l'autre. Elle passe la soirée au théâtre mais elle a son bip. Ils ont utilisé un code spécial pour indiquer qu'il s'agissait d'une urgence.

— Laissez-moi prendre le téléphone, suggéra Michael. Pendant ce temps, vous pourriez monter dans la chambre de Lianne et commencer à rassembler quelques affaires.

— Vous ne croyez pas que nous devrions laisser ce soin à Gabe ? dit Julia.

Michael secoua la tête.

— Gabe ? Dans l'état où il est, il serait capable de lui prendre un jean et des porte-jarretelles et d'oublier son nécessaire de toilette.

— Vous pensez que Lianne ne verrait pas d'inconvénient à ce que j'aille fouiller dans ses affaires ?

Prenant le combiné d'autorité, Michael la poussa vers la porte.

— Vous avez trop de scrupules, Julia. Notre couple de futurs parents est en état de choc et incapable d'agir de façon rationnelle. Lianne ne va pas tarder à avoir une nouvelle contraction et Gabe perdra encore un peu plus la tête. Il voudra prendre des mesures concrètes, mais sera incapable d'aller au bout de quoi que ce soit. Il va se mettre à courir dans tous les sens en se cognant aux meubles et en se prenant les pieds dans la moquette. Les hommes forts et protecteurs qui sont fous amoureux de leur femme sont toujours ceux qui paniquent le plus dans les salles d'accouchement. Croyez-moi, il n'y a qu'une façon de les aider à s'en aller d'ici dans la demi-heure qui vient : prendre nous-mêmes l'organisation en charge.

— Vous avez sans doute raison, reconnut Julia. Je vais m'occuper du sac de Lianne. Je ne devrais pas en avoir pour longtemps.

Elle repéra sans difficulté la chambre conjugale, mais elle

eut beau ouvrir tous les placards, pas moyen de mettre la main sur une valise. Finalement, pour ne pas perdre un temps précieux, elle prit son propre sac de voyage, le vida en vrac sur le lit d'une des chambres d'amis et le remplit de nouveau avec les affaires qui lui paraissaient utiles à Lianne. Elle regagna le rez-de-chaussée juste au moment où Michael prenait congé du médecin au téléphone.

Il reposa le combiné et l'interrogea du regard. Avec un léger sourire, elle lui montra le sac plein ainsi que les deux oreillers qu'elle avait prévu d'installer pour Lianne à l'arrière de la voiture. Michael leva le pouce.

— Bravo, Julia. Excellente initiative.

Son habituelle expression sardonique avait miraculeusement disparu. C'était soudain un autre homme, humain et chaleureux, qu'elle avait en face d'elle. Julia ressentit un léger vertige accompagné d'une sensation de flottement au niveau de la poitrine, mais elle n'eut pas le temps de s'interroger sur l'origine de ce phénomène. Les mains accrochées à ses accoudoirs, Lianne était en proie à une nouvelle contraction.

Plus angoissé que jamais, Gabe se leva d'un bond.

— Trois minutes seulement depuis la dernière, s'exclama-t-il, le front en nage. Nous partons immédiatement pour l'hôpital. C'est une situation d'urgence.

Il passa le bras autour de la taille de Lianne pour l'aider à se lever, puis la repoussa d'autorité dans son fauteuil.

— Non, ne bouge pas. Il vaut mieux que tu attendes ici pendant que je sors la voiture du garage.

Il se rua en direction de la porte, se heurta à une console et faillit envoyer valser une carafe en cristal que Julia rattrapa in extremis. Michael saisit Gabe par le bras et le ramena en arrière.

— Il faudrait peut-être penser à prendre les clés, tu ne crois pas ?

— Exact, oui. Tu as raison. Les clés.

Comme Gabe repartait en courant dans la direction opposée, Julia jeta un regard d'avertissement à Michael et secoua discrètement la tête. Il capta aussitôt le message.

— A la réflexion, Gabe, ce serait peut-être aussi bien que je prenne le volant, non? Comme ça, tu pourras t'asseoir à l'arrière avec Lianne, lui tenir la main et l'aider à régler sa respiration. J'imagine qu'on a dû t'enseigner deux ou trois techniques utiles que tu pourras mettre en pratique.

S'il s'était exprimé en chinois ou en russe, Gabe n'aurait pas eu l'air plus ahuri. Michael sortit ses clés de voiture de sa poche et les agita sous son nez.

— Mon carrosse est garé juste devant la maison. Lianne n'aura que quelques pas à faire.

Hochant la tête, Gabe se tourna vers sa femme et l'aida tendrement à se lever.

— Tu es prête, mon amour? Ou tu veux que j'aille te chercher une veste?

Lianne secoua la tête.

— Non, allons-y tout de suite. Il fera suffisamment chaud dans la voiture.

Julia les accompagna jusqu'à la porte d'entrée et serra son amie dans ses bras.

— Bonne chance, ma belle, murmura-t-elle. Tout se passera au mieux, tu verras. Et dis bien à Gabe de téléphoner dès qu'il sera moralement préparé à s'arracher à ta compagnie et à celle du bébé. Je meurs d'impatience de savoir si c'est un garçon ou une fille.

— Je veillerai à ce qu'il appelle, promit Lianne d'une petite voix. Mais j'avoue que cela m'inquiète un peu que l'accouchement se déclenche un mois à l'avance. J'espère que ce n'est pas mauvais signe. Si jamais les poumons du bébé n'étaient pas suffisamment développés...

— Ton enfant est parfaitement viable, Lianne. A huit mois de grossesse, c'est à peine si on parle encore de prématurité. Il est simplement impatient de découvrir le monde, ce bébé! Tu l'as dit toi-même : c'est la personnalité DeWilde qui se dessine.

Julia passa affectueusement le bras autour des épaules de son amie et l'entraîna en direction de la voiture.

— Allez, viens. Tu ferais mieux de te dépêcher. Je crois que le pauvre Gabe est au bord de la crise d'apoplexie.

Le regard de Lianne se remplit de tendresse.

— Il est nerveux, c'est vrai. Mais pour lui c'est un grand moment, puisque le bébé va enfin entrer dans sa vie. De mon côté, c'est différent, je l'ai senti grandir en moi pendant huit mois. Alors que Gabe, lui, est resté sur la touche. Ce n'est pas facile pour un homme qui a toujours besoin d'être au cœur de l'action.

— Dis-lui qu'il peut se charger des couches et des biberons en exclusivité pendant les trois prochains mois, s'esclaffa Julia. Là, tu peux être certaine qu'il se sentira pleinement impliqué !

Lianne sourit.

— Tu es toujours de bon conseil, Julia. Ah, j'oubliais ! Tu veux bien passer un coup de fil à ma mère pour la mettre au courant ? Elle va être tellement déçue d'avoir manqué la naissance ! Elle avait déjà son billet d'avion pour Londres tout prêt.

— Je l'appellerai dès que vous serez partis, promit Julia.

— Tu es un ange. Préviens également le père de Gabe, O.K. ?

Sur le point de s'installer sur la banquette arrière, Lianne marqua une hésitation. Puis elle pivota sur elle-même de façon à tourner le dos à Gabe et ajouta dans un murmure :

— Je sais que Grace est de passage à Londres en ce moment, mais j'ignore où elle est descendue. Kate a oublié de m'indiquer le nom de son hôtel. Crois-tu pouvoir t'arranger pour la joindre ? J'aimerais tellement qu'elle soit présente, elle aussi !

— Je me débrouillerai pour trouver ses coordonnées, lui assura Julia à mi-voix.

Elle avait entendu parler de la brouille qui depuis un an opposait Gabe à sa mère. Lianne lui avait exprimé son soulagement quelques semaines auparavant en précisant que les relations mère-fils étaient en voie d'amélioration. Mais, apparemment, des tensions subsistaient puisque Lianne avait cru utile de parler de façon à ne pas être entendue de son mari.

A son grand étonnement, Julia éprouva une bouffée de colère contre Gabe alors qu'il aidait sa femme à se caler contre les oreillers. Elle pouvait comprendre qu'il ait été affecté par le divorce de ses parents. Mais une année entière s'était écoulée depuis le départ de Grace et elle avait du mal à imaginer que Gabe puisse manifester un ressentiment aussi tenace. Il était adulte et en âge de comprendre, bon sang ! Pourquoi ne se décidait-il pas à tourner la page ?

Dès que Lianne fut installée, Michael se glissa au volant.

— Vous restez seule maîtresse à bord, Julia, déclara-t-il en tournant la clé de contact. Tâchez de maintenir le navire à flot jusqu'à mon retour. Je vous appellerai de Winchester dès qu'il y aura du nouveau.

— Vous comptez rester à l'hôpital ? s'étonna Julia. Je pensais que vous vous contenteriez de faire l'aller-retour.

Une lueur gentiment moqueuse scintilla dans le regard de Michael.

— Comme c'est charmant de me dire cela ! Dois-je en conclure que je vais vous manquer ?

D'un mouvement hautain de la tête, elle rejeta ses longs cheveux en arrière.

— Vous pouvez toujours rêver !

Il fixa sur elle un regard déconcertant.

— Oui, dit-il enfin. Oui... je peux rêver.

La voiture démarra en trombe, soulevant une pluie de gravillons dans son sillage. Interloquée, Julia demeura clouée sur place, regardant les feux arrière s'éloigner dans la nuit.

4.

Des trois enfants de Jeffrey, Kate, la petite dernière, était celle dont la personnalité se rapprochait le plus de la sienne. Sensible, sérieuse, déterminée et intelligente, elle avait hérité de son incapacité à gérer ses émotions. En tant que père, il n'avait pas été surpris par les heurts, les rebondissements et les crises qui avaient marqué les débuts de la relation de Kate avec Nick Santos. Ce qui l'étonnait beaucoup plus, en revanche, c'était le changement qui s'opérait chez sa fille depuis son mariage. Son amour pour Nick l'avait transformée et elle n'hésitait plus à exprimer des vérités sur lesquelles elle aurait gardé un silence pudique moins d'un an auparavant.

Lorsque Grace l'avait quitté pour aller vivre à San Francisco, Kate s'était fait un devoir de l'appeler de temps en temps pour maintenir le contact. Mais elle ne lui avait jamais dit ce qu'elle pensait de la rupture. Depuis quelque temps, cependant, elle n'hésitait pas à lui faire la leçon. Et en termes vigoureux, qui plus est !

— Franchement, papa, je suis désolée de te dire ça, mais tu te comportes comme le dernier des imbéciles. Tu as envie que maman revienne et tu n'es même pas fichu de le lui faire savoir. Pourquoi te cantonner dans cet entêtement masochiste ? Tu te gâches la vie parce que tu es trop fier pour avouer à la femme que tu aimes que tu t'es conduit comme un âne !

— La situation n'est pas aussi simple que tu sembles le croire, avait-il protesté.

A l'autre bout du fil, Kate avait soupiré bruyamment.

— Arrête de te raconter des histoires, papa. Tu as passé un an et demi à faire n'importe quoi uniquement pour rendre maman malheureuse. Et le bouquet, c'est que vous avez dépensé une fortune en avocats pour payer un divorce que vous ne souhaitiez ni l'un ni l'autre. Tout ça parce que ta stupide fierté t'interdit de revenir en arrière.

— Tu confonds fierté et dignité, Kate. Il y a eu certains facteurs aggravants dont tu n'as même pas idée et qui ont rendu notre séparation inévitable.

Des images de Ian Stanley lui traversèrent l'esprit. Ian dansant joue contre joue avec Grace, Ian embrassant Grace, Ian faisant l'amour à Grace. Ian avait été son meilleur ami depuis toujours, mais ils ne s'étaient plus adressé la parole depuis le jour où Grace avait demandé le divorce. D'un geste las, Jeffrey se passa la main sur le front. Même si Kate ignorait certains détails, il ne pouvait lui donner tort sur le fond. En l'espace d'une année, il avait perdu à la fois sa femme et son meilleur ami. Il ne s'y serait pas pris autrement s'il avait délibérément choisi de saboter son existence.

— Je ne confonds rien du tout, rétorqua Kate. Toi et moi, nous fonctionnons exactement sur le même mode, papa. Et tu sais ce qu'elle nous rapporte, notre fichue fierté ? Des journées vides, des nuits solitaires et pas grand-chose de bon entre les deux. La vérité, c'est que tu as rejeté les tentatives de réconciliation de maman une fois de trop. Et manque de chance, elle a fini par en conclure que tu souhaitais réellement cette séparation. Maintenant, tu as envie qu'elle revienne et tu t'aperçois, oh ! surprise, qu'elle n'est pas restée sans bouger à attendre que tu veuilles bien lui accorder généreusement ton pardon. Il faut te dire une chose, papa : elle ne reviendra peut-être plus, sauf si tu te décides à ramper. Alors il serait peut-être temps d'accepter de faire taire ta fichue « dignité » et d'aborder la situation avec un peu plus de courage et d'humilité, tu ne crois pas ?

— Tu as l'air d'oublier que c'est ta mère qui est partie, pas moi, répliqua Jeffrey, toujours prompt à se réfugier derrière cet argument imparable.

De nouveau, Kate soupira avec impatience.

— Papa, le problème n'est plus là et tu le sais aussi bien que moi. Peu importe désormais qui de vous deux a fait quoi. Le passé est le passé et vous avez déjà eu amplement l'occasion de vous le jeter mutuellement à la figure. Si j'étais toi, je commencerais à me soucier de l'avenir plutôt que de continuer à entretenir ces vieilles rancœurs. Par chance, maman est généreuse et elle a un solide sens de l'humour. Les deux lui seront nécessaires si tu lui demandes de revenir.

« Un sens de l'humour ? » Pourquoi un sens de l'humour ? songea Jeffrey, irrité, tout en se demandant ce qu'il allait faire de lui-même en cette journée de samedi. Considérer la destruction de son couple comme une tragédie était une chose, mais accepter d'envisager leur séparation comme un malentendu plus ou moins ridicule... Un stupide quiproquo... Il fronça les sourcils en méditant sur cette conversation téléphonique récente avec sa fille et conclut que Kate avait une vision complètement erronée de la situation. Pour commencer, sa fierté ne le condamnait pas à vivre des nuits solitaires et des journées tristement vides. Il suffisait de consulter son agenda pour s'en convaincre. Il était occupé sept jours sur sept et pas seulement par des rendez-vous professionnels. Les opportunités de rencontre ne manquaient pas. S'il l'avait désiré, il aurait pu sortir tous les soirs avec des femmes superbes. Solitaire par tempérament, il préférait passer des soirées tranquilles à lire ou à écouter de la musique chez lui. Mais c'était par plaisir, pas par amertume.

Bien décidé à prouver qu'il était encore un homme

séduisant en pleine force de l'âge et non pas un vieil imbécile racorni par l'échec, Jeffrey programma sa journée de manière à ne pas laisser une seule case vide dans son emploi du temps. Il prit son petit déjeuner avec un fournisseur de Taiwan, visita le nouveau magasin d'un concurrent, déjeuna avec le vice-président de son agence de publicité attitrée pour mettre au point sa prochaine campagne, puis passa le reste de l'après-midi avec LA décoratrice en vogue du moment pour discuter du réaménagement de son appartement londonien.

Lorsque la décoratrice quitta enfin les lieux vers 17 h 30, Jeffrey ferma sa porte à clé et poussa un soupir de soulagement. Il était d'humeur massacrante. Alors que le soleil, pour une fois, brillait dans un ciel sans nuage, quelle pire façon de passer le temps que de rester bouclé chez soi à compulser des catalogues avec une femme qui brandissait ses longs ongles vernis comme des griffes et qui s'écriait « celui-ci est vraiment trop chou ! » chaque fois qu'elle lui montrait un échantillon de tissu ou de papier peint ?

Qu'importe. Il avait serré les dents et s'était forcé à endurer jusqu'au bout ces trois heures de torture. C'était ça ou continuer à se terrer dans un décor dont chaque élément lui rappelait son ex-femme. Mais était-il vraiment résigné à tirer un trait sur son ancienne vie avec Grace ? Ou risquerait-il une ultime tentative pour essayer de la convaincre de reprendre la vie commune ? Jeffrey finit par admettre que ce n'était pas vraiment la personnalité de la décoratrice qui lui avait porté sur les nerfs.

Il avait passé une journée entière à s'agiter pour rien. Car il avait eu beau s'étourdir dans des activités diverses, il n'avait pas réussi à oublier une seule seconde que son ex-femme se trouvait à Londres et qu'elle lui avait indiqué le nom de son hôtel. Jeffrey s'approcha du téléphone, souleva le combiné, hésita. Mais composer le numéro de Grace était une chose, décider de ce qu'il allait lui dire constituait, en revanche, une tâche beaucoup plus ardue. Etait-il prêt à « ramper », comme Kate le lui conseillait ?

Le fait que Grace ait tenu à lui rapporter personnellement les bijoux disparus des DeWilde pouvait être considéré comme un signe encourageant, bien sûr. Comment comprendre ce geste sinon comme une tentative de rapprochement ? Lorsqu'il l'avait embrassée la veille au soir, elle lui avait d'ailleurs paru plutôt consentante. Et même disposée à y mettre du sien. Mais il n'excluait pas, hélas, qu'il puisse se tromper sur ce point. N'avait-il pas tendance à se bercer d'illusions trompeuses dès qu'il s'agissait de son ex-femme ? Jeffrey soupira et se frotta pensivement le crâne. Depuis que les choses avaient commencé à aller mal entre Grace et lui, il était devenu incapable d'interpréter correctement ses paroles, ses sourires, ses mimiques, tout cet ensemble de signes qui auraient pu lui fournir des indices sur son état intérieur.

Plus Jeffrey se creusait la tête pour essayer de comprendre ce qui s'était passé exactement la veille dans son bureau, plus il avait du mal à analyser le sens de la démarche de Grace. Sur le coup, il avait eu l'impression qu'elle jouait la carte de la séduction avec lui. Mais rien ne prouvait qu'il n'ait pas confondu ses désirs avec la réalité.

Et si Grace était venue le voir avec des intentions purement amicales ? Elle avait peut-être tout simplement voulu enterrer la hache de guerre, confirmer la séparation et instaurer entre eux une sorte d'aimable camaraderie, comme il en naissait parfois entre d'anciens conjoints ? Les mâchoires de Jeffrey se crispèrent. C'était insensé de se torturer ainsi les méninges sans jamais aboutir à la moindre conclusion fiable. La dernière fois qu'il s'était ainsi tourmenté au sujet d'un simple baiser, c'était le jour où il avait oublié de se présenter sur le terrain de foot, parce qu'il s'était attardé dans les vestiaires à embrasser la sœur du goal de l'équipe adverse...

Dans la solitude de sa cuisine, pendant que sa soupe congelée du soir chauffait dans le micro-ondes, Jeffrey réussit enfin à s'avouer pourquoi il n'avait jamais demandé à Grace de revenir. Contrairement à ce que croyait Kate, ce n'était pas sa fierté qui l'empêchait d'agir. S'il se taisait, c'était purement et simplement parce qu'il mourait de peur.

Tant qu'il ne posait pas la question à Grace, et dans la mesure où le doute subsistait, il lui était encore permis d'espérer. Et de continuer à fantasmer sur des retrouvailles possibles, sur une réconciliation qui effacerait comme par enchantement le cauchemar des deux années écoulées.

Planté devant le four, Jeffrey regardait tourner la minuterie d'un œil sombre. Il avait les meilleures raisons du monde de redouter l'épreuve de vérité que constituerait une explication franche avec son ex-épouse. Grace était une belle femme intelligente, pleine de vivacité, de charme et de talent. Pourquoi accepterait-elle de s'enterrer de nouveau avec un rabat-joie comme lui ? Qu'avait-il encore à offrir qui puisse la décider à lui revenir ?

Le micro-ondes sonna. D'un geste précis, Jeffrey fit pivoter son bol de soupe d'un quart de tour avant de remettre l'appareil en route. Jadis, aux temps lointains où Grace et lui étaient encore heureux ensemble, il avait coutume d'affirmer qu'une harmonieuse complémentarité cimentait leur couple. De son côté, il apportait la solidité, une intégrité à toute épreuve et la sécurité financière ; alors que sur l'autre plateau de la balance, beauté, rayonnement et joie de vivre représentaient la contribution de Grace. Mais ce bel équilibre, il l'avait irrémédiablement détruit en entamant une brève liaison avec Allison Ames. Infidèle, comment aurait-il pu se prétendre encore intègre ?

En montant avec succès son propre magasin à San Francisco, Grace avait prouvé d'autre part qu'elle n'avait plus besoin de lui pour assurer sa sécurité financière. Quant à la stabilité émotionnelle qu'il avait cru pouvoir apporter dans leur couple, elle n'était qu'un leurre. Quelques jours à peine après le départ de Grace, il avait compris que les rares moments d'apaisement qu'il avait pu offrir à sa femme étaient dérisoires par rapport à la source intarissable de joie, de rire, de vie qui émanait de Grace et à laquelle il s'était abreuvé jour après jour.

Le micro-ondes émit un « bip ». Jeffrey fit la grimace en contemplant son bol de minestrone fumant. Autant se rendre à l'évidence : ni sa richesse ni son pouvoir ne lui seraient du moindre secours, en l'occurrence. Il n'avait aucune prise sur Grace. Rien ne l'empêchait d'aller la voir, certes, et de mettre son âme à nu devant elle. Il pouvait lui demander pardon à genoux et lui avouer qu'il l'aimait et qu'il devenait fou loin d'elle. Mais que résulterait-il de ces aveux ? Le cœur lourd, Jeffrey imagina la scène : Grace l'écouterait très gentiment, puis elle lui rappellerait avec un charmant sourire qu'elle lui avait déjà pardonné son incartade avec Allison Ames. Elle lui annoncerait ensuite avec une petite moue de regret qu'elle avait pris goût à son indépendance et que pour rien au monde elle ne regagnerait la froide et pluvieuse Angleterre pour reprendre le morne train-train de la vie conjugale. Généreuse comme elle l'était, elle se montrerait sans doute touchée par son désarroi et lui proposerait de faire l'amour avec lui une dernière fois en souvenir du bon vieux temps. Ce scénario laissa Jeffrey aux prises avec une question déchirante : serait-il plus douloureux d'accepter ou de refuser cette offre en sachant qu'il n'avait aucune chance pour qu'elle se renouvelle ?

Lorsque le téléphone sonna, Jeffrey se sentit soulagé. Dans l'état de désespoir où il se trouvait, toute diversion ne pouvait être que salutaire. Même l'effroyable décoratrice serait préférable à la compagnie de ses démons intérieurs.

— Monsieur DeWilde ?

La voix était féminine, attirante et vaguement familière. Rien à voir avec le timbre aigu de l'abominable architecte d'intérieur.

— Jeffrey DeWilde, oui, confirma-t-il.

— Monsieur DeWilde, je suis Julia Dutton. Je ne sais pas si vous vous souvenez de moi mais nous avons eu l'occasion de nous croiser à quelques reprises. Je partageais un appartement avec Lianne avant son mariage avec Gabe.

— Julia ? Mais bien sûr ! Je me souviens très bien de vous. C'est un plaisir de vous entendre, commenta Jeffrey avec un enthousiasme qui n'avait rien de feint. Vous êtes une amie de Michael Forrest, je crois ?

Il y eut une petite pause à l'autre bout du fil.

— Je connais Michael Forrest, en effet. Je vous appelle de Briarwood Cottage, monsieur DeWilde, car j'ai une excellente nouvelle à vous annoncer. Lianne a eu de fortes contractions en fin d'après-midi et Gabe l'a conduite à la maternité de Winchester. Il m'a demandé de vous passer un coup de fil pour vous informer que le bébé devrait naître cette nuit. Il espère que vous aurez la possibilité de faire un saut ce week-end pour faire la connaissance de votre petit-fils ou de votre petite-fille.

Ainsi Gabe et Lianne allaient bientôt serrer leur enfant nouveau-né dans leurs bras ! Une nouvelle génération de DeWilde voyait le jour ! Jeffrey fut submergé par un élan de joie si intense qu'il demeura un instant sans voix. Il avait été content d'apprendre que son premier petit enfant était en route. Mais c'était aujourd'hui, seulement, en entendant la voix douce de Julia, qu'il prenait la pleine mesure de cet événement heureux entre tous. Il songea à la nuit où Megan et Gabe étaient nés et retrouva, intact, l'émerveillement que Grace et lui avaient éprouvé.

— Je jette quelques affaires dans un sac de voyage et j'arrive, annonça-t-il gaiement. Des week-ends comme cela, on n'en vit pas tous les jours. Si la circulation le permet, je devrais être à Winchester dans environ deux heures.

— Eh bien... euh... je suis sûre que Gabe et Lianne seront ravis de vous voir.

Pourquoi Julia s'exprimait-elle d'une voix aussi contrainte, tout à coup ? Elle lui avait toujours fait l'effet d'être une jeune femme parfaitement ouverte et franche. Et si elle lui cachait quelque chose ? se demanda-t-il, alerté.

— Julia, dites-moi la vérité : tout se passe bien, n'est-ce pas ? S'il y a un problème pour Lianne ou pour le bébé, j'aimerais autant en être informé tout de suite, murmura-t-il, l'estomac soudain noué.

— Non, non, rassurez-vous, tout va bien de ce côté-là. Je me heurte simplement à une petite difficulté et je ne suis pas certaine de...

Julia marqua un temps de pause et reprit d'un ton indécis :

— Monsieur DeWilde, si ma question vous paraît embarrassante, je vous prie de m'excuser, mais Lianne a appris que sa belle-mère se trouvait de passage à Londres et elle aurait souhaité informer Mme DeWilde euh... enfin Grace que...

— Oui ?

Il entendit Julia prendre une profonde inspiration à l'autre bout du fil.

— Lianne souhaite que je prenne contact avec sa belle-mère. Puisque Grace est de passage en Angleterre, ce serait merveilleux qu'elle puisse voir le bébé dès la naissance. Malheureusement, j'ai essayé de faire le tour des hôtels de Londres et je n'ai pas réussi à retrouver la trace de Mme... de la mère de Gabe. Je me rends bien compte que c'est un peu délicat de vous demander cela, vu les circonstances, mais seriez-vous, par hasard, en mesure de me renseigner ? Vous savez peut-être dans quel hôtel elle est descendue ? Ou si elle réside actuellement chez des amis ?

Peut-être était-ce l'arrivée imminente du bébé qui le rendait exagérément euphorique, mais Jeffrey ne put s'empêcher de sourire. Les efforts désespérés que déployait la pauvre jeune femme pour éviter de prononcer les mots « votre ex-épouse » étaient attendrissants.

— Vous avez bien fait de me poser la question, répondit-il avec une pointe d'amusement dans la voix. Le hasard faisant bien les choses, je sais dans quel hôtel séjourne Grace.

— Ah, quelle chance ! Vous voulez bien me donner le numéro de téléphone, s'il vous plaît ?

Jeffrey se sentit soudain d'humeur intensément jubilatoire. Ne venait-il pas de trouver un prétexte imparable pour reprendre contact avec Grace ?

— Oh, je suis sûr que vous devez avoir un tas d'autres coups de fil à passer. Laissez-moi vous aider et prendre au moins une tâche à ma charge. Je peux prévenir Grace et lui transmettre moi-même la bonne nouvelle.

— Eh bien, si cela ne vous dérange pas, cela m'arrangerait bien, en effet.

— Je m'en occupe avec le plus grand plaisir, répondit Jeffrey en toute sincérité. Le plus simple, d'ailleurs, serait que je passe prendre Grace pour la conduire à Winchester. Je suis persuadé qu'elle voudra se rendre à la maternité sur l'heure. Ce serait de la folie qu'elle loue une voiture alors que je m'apprête à faire le trajet de mon côté.

— Merveilleux. Je me charge d'appeler Gabe et Lianne pour les avertir de votre arrivée.

Julia lui communiqua les instructions pour se rendre à l'hôpital et lui souhaita bonne route. Jeffrey raccrocha en souriant et se mit à fredonner la musique de James Bond en jetant son minestrone dans l'évier. Puis il téléphona aux renseignements pour obtenir les coordonnées du Goreham et composa le numéro, le cœur battant.

La veille, les joyaux qui avaient disparu de la collection depuis presque un demi-siècle étaient revenus au bercail. Et aujourd'hui son premier petit-enfant allait naître. Quel plus beau trait d'union entre Grace et lui ?

— Ici, l'hôtel Goreham, répondit une voix suave à l'autre bout du fil.

Un large sourire éclaira les traits de Jeffrey. Ce week-end qui avait si mal commencé était en train de prendre des allures de fête...

Jeffrey foula le sol en marbre lisse de l'immense hall d'entrée de l'hôtel Goreham. Contournant une fontaine, il se dirigea vers la réception avec l'habitude née d'une longue fréquentation d'établissements du même genre.

— Je suis Jeffrey DeWilde, annonça-t-il sans préambule. Je m'efforce de joindre Mme DeWilde depuis 19 h 30. Apparemment, elle n'est pas dans sa chambre, et j'ai besoin de la joindre d'urgence. Il m'est venu à l'esprit, tout à coup, qu'elle avait pu passer par votre intermédiaire pour réserver des places au théâtre ou à l'opéra ?

Le réceptionniste consulta un registre et secoua la tête d'un air de regret.

— Non, je suis désolé, monsieur. Mme DeWilde n'a pas fait appel à nous. Mais si vous voulez lui laisser un message je veillerai à ce qu'elle se mette en rapport avec vous dès son retour.

Jeffrey regarda l'heure à sa montre. Il n'était pas loin de 9 heures. Les encombrements seraient dissipés depuis longtemps et il ne lui faudrait pas deux heures pour se rendre à Winchester. Il était pressé de se mettre en route, certes, mais il ne s'agissait pas à proprement parler d'une urgence. Et comme il avait très envie d'être avec Grace pour partager l'heureux événement, le plus simple serait qu'il prenne son mal à patience et qu'il attende son retour sur place.

— Je vais commander un sandwich dans l'intervalle, annonça-t-il au réceptionnaire. Je suppose qu'il y a moyen de prendre une collation légère à cette heure-ci?

— Mais certainement, monsieur. Vous trouverez notre snack-bar au fond du hall principal, à votre droite, juste après le jardin intérieur, expliqua l'employé de l'hôtel en désignant la jungle de plantes tropicales à l'autre bout du bâtiment.

Jeffrey allait s'éloigner dans cette direction lorsque le réceptionniste le rappela.

— Je viens de penser à quelque chose, monsieur. Il est possible que Mme DeWilde ait choisi de dîner dans notre restaurant gastronomique Old England. Nombre de nos clients optent pour cette formule. Puisque vous allez par là, je vous conseille de jeter un coup d'œil dans la salle de restaurant avant d'aller commander votre sandwich. On ne sait jamais.

— C'est une possibilité, en effet, acquiesça Jeffrey. Merci pour ce conseil. Je ne manquerai pas de le suivre.

Tout en se frayant un chemin entre les pompeuses colonnes doriques du hall, Jeffrey se demanda au nom de quels mystérieux principes l'architecte avait cru bon de donner à l'entrée d'un hôtel anglais l'aspect d'un palais romain mâtiné d'un décor d'Hollywood. Il ne s'était même pas soucié d'harmoniser les styles, constata Jeffrey en pénétrant dans la salle « Old England ». Entièrement lambrissé de chêne sombre, tapissé de vert bouteille et meublé de profonds fauteuils de cuir rembourrés, le restaurant était censé retraduire l'ambiance d'un de ces clubs fermés que fréquentaient les gentlemen au XIXe siècle. Dans ce décor obscur, les lourdes nappes blanches damassées avaient l'éclat fantomatique d'un linceul. La lumière était si pauvre que Jeffrey se demanda comment les clients étaient censés déchiffrer leur menu.

Le maître d'hôtel était occupé à placer un groupe d'hommes d'affaires japonais autour d'une table ronde.

La clientèle était d'ailleurs presque exclusivement masculine ce qui contribuait encore à alourdir l'atmosphère. C'était vraiment le dernier endroit au monde où Grace choisirait de prendre ses repas, songea Jeffrey, pessimiste. Mais puisqu'il était sur place, autant faire un rapide tour des lieux avant d'aller commander son sandwich.

Il n'avait pas fait trois pas lorsqu'il reconnut le rire léger de Grace. Heureux d'avoir réussi à la retrouver si vite, il s'avança dans sa direction et appela son nom au moment précis où il identifiait l'homme assis à côté d'elle. Sa femme dînait en compagnie de Ian Stanley !

Jeffrey s'immobilisa, en proie à une jalousie aussi violente qu'irrationnelle. Grace était libre désormais. Libre de passer ses soirées — et ses nuits — avec qui elle l'entendait. De quel droit s'interposerait-il alors que Ian et elle célébraient peut-être leurs fiançailles ? Si seulement il avait eu la prudence d'agir plus discrètement ! Maintenant que le couple l'avait repéré, il ne pouvait décemment rebrousser chemin. Les mâchoires crispées, il s'avança jusqu'à leur table et s'efforça de saluer son ex-épouse et son ex-ami avec la calme politesse qu'exigeaient les circonstances. Mais il avait présumé de ses forces en espérant affronter la situation avec un minimum de sang-froid. Comme chaque fois qu'il vivait des émotions trop fortes, il sentit sa langue se paralyser. Il chercha désespérément des paroles détachées à prononcer, mais aucune ne lui traversa l'esprit.

Quelques secondes s'écoulèrent ainsi dans un silence oppressant. Puis Grace tourna un regard interrogateur vers Ian. Les nerfs tendus à se rompre, Jeffrey perçut la complicité qui existait entre eux. Il avait cru que rien ne pourrait le rendre plus jaloux qu'il ne l'était déjà, mais en assistant à cet échange muet, il comprit soudain, dans un accès de lucidité terrifiante, que sa vie ne valait plus rien : il avait *tout* perdu. Une immense vague de tristesse monta en lui, balayant la colère et la jalousie, pour ne laisser à la place qu'un profond sentiment d'abandon.

— Tu veux t'asseoir et te joindre à nous pour le café, Jeffrey ? proposa Grace en tendant la main vers lui.

Le geste avait quelque chose de suppliant, comme si elle le conjurait de ne pas faire de coup d'éclat. Jeffrey fut saisi par un mélange de honte et de découragement. La nervosité manifestée par Grace le renvoyait à ses comportements incontrôlés en de précédentes circonstances. Il n'avait vraiment pas de quoi être fier de lui.

— Tu me cherchais, Jeffrey ? Ou s'agit-il d'une rencontre de hasard ?

— Je voulais te voir, réussit-il à répondre. Et on m'a expliqué à la réception que je risquais de te trouver ici. Mais j'espère que je ne vous interromps pas à un moment... délicat ? demanda-t-il, les yeux rivés, sur un nœud du lambris, en s'efforçant de prendre un ton poli plutôt que sarcastique.

— Non, bien sûr que non. Assieds-toi donc, Jeffrey, tu me donnes le torticolis à rester debout comme ça. Ian et moi discutions de ses projets pour cet été.

Ses projets ? Devait-il en conclure que Ian s'apprêtait à passer l'été seul, sans Grace ? Jeffrey se fit violence pour prendre place sur la banquette, en face du couple. Comment avait-il pu en arriver à un point où boire un café en compagnie de la femme qu'il aimait et de l'homme qui avait été son meilleur ami devenait une torture ?

Au comble du désespoir, Jeffrey se raccrocha à la seule valeur qui lui restait encore : sa dignité. Pour commencer, il allait museler sa fichue jalousie et se comporter poliment avec Ian. Son ami n'avait joué aucun rôle dans le naufrage de son couple. Il était seul responsable du départ de Grace. De quel droit continuerait-il à blâmer la terre entière pour un désastre dont il était lui-même l'artisan ? Il s'éclaircit la voix.

— Comment vas-tu, Ian ? Toujours en forme, apparemment ?

De nouveau, un dialogue silencieux s'établit entre l'homme et la femme assis en face de lui.

— Je vais... bien, oui. Et comme j'étais en train de l'expliquer à Grace, j'ai des projets passionnants pour le mois prochain. Je dois passer trois semaines dans une petite ville à l'ouest de Pékin.

— Comme c'est intéressant, dit Jeffrey d'un ton qui lui parut affreusement compassé. Il s'agit d'un voyage d'affaires, je suppose? La banque aurait-elle prévu d'investir dans cette région?

— Oh, non, c'est beaucoup plus passionnant que cela, intervint Grace. Ian a organisé une collecte de fonds pour sauver trois cents orphelines dont le foyer a brûlé l'hiver dernier. Un nouvel orphelinat a été bâti récemment et maintenant il essaye d'obtenir le feu vert pour enchaîner sur la construction d'un lycée. Tu sais qu'en Chine, le taux d'abandon des filles est dix fois plus élevé que celui des garçons et très souvent, ces laissées-pour-compte ne sont même pas prises en charge par le système scolaire. Ian s'est tellement démené pour régler toutes les formalités administratives que les autorités provinciales l'ont invité pour la cérémonie d'ouverture. Comme tu peux l'imaginer, c'est un immense honneur, car le gouvernement central préfère généralement ne pas voir d'étrangers en dehors des zones qui leur sont réservées.

Si Grace lui avait annoncé qu'Ian s'était lancé dans le pilotage de vaisseaux spatiaux, Jeffrey aurait été à peine plus surpris.

— Tu as l'intention de passer trois semaines dans un village au fin fond de la Chine à tracer des plans pour construire une école? s'exclama-t-il sans parvenir à dissimuler son étonnement.

— Tu pourrais éviter de me regarder de cet air ébahi, protesta Ian avec un sourire en coin. Ce n'est pas très flatteur pour moi que tu manifestes une stupéfaction pareille.

Il s'était exprimé avec son habituelle ironie mais Jeffrey crut détecter une pointe de souffrance dans sa voix.

— Excuse-moi, mais...

— Même les gens frivoles ont parfois besoin de se sentir utiles, laissa tomber Ian d'un ton désinvolte.

Sourcils froncés, Jeffrey secoua la tête.

— Ta générosité et tes qualités de cœur, je les connais mieux que quiconque, Ian. C'est toi qui as toujours déployé des efforts immodérés pour convaincre le reste du monde que tu ne te souciais que de toi-même. Je suis surpris que tu acceptes enfin de casser cette image cynique que tu t'es toujours obstiné à projeter de toi, c'est tout.

Pendant quelques secondes, Ian garda le silence.

— La vie se charge parfois de nous faire la leçon. J'ai traversé deux ou trois épreuves l'année dernière qui m'ont pas mal bousculé dans mes convictions. J'ai compris que lorsque l'heure du bilan serait venue, j'aurais envie de laisser d'autres traces derrière moi que les ragots que colportent mes trois ex-femmes.

L'année écoulée avait également été riche en enseignements pour Jeffrey. Depuis qu'il vivait séparé de Grace, il avait développé certaines facultés. Comme celle de percevoir les blancs d'un discours, par exemple. Il jeta un coup d'œil à Grace dans l'espoir d'obtenir un signe, une indication. Mais elle avait entrepris de former de petites piles de sachets de sucre sur le bord de sa soucoupe et refusait obstinément de croiser son regard.

Jeffrey repoussa le bouquet placé au centre de la table et scruta le visage de l'homme qui avait été son ami pendant quarante ans.

— Que se passe-t-il, Ian ? Il y a un problème quelque part et il ne s'agit pas seulement des jeunes filles en Chine.

Ian sourit mais évita de le regarder dans les yeux.

— Il n'y a aucun problème, Jeff. Au contraire, même. Je me rends en Chine pour superviser les travaux et m'assurer qu'aucun fonctionnaire corrompu ne détourne notre argent pour son profit personnel. Mais je saurai aussi me distraire. Il paraît que le régime a assoupli ses normes en matière d'habillement et que le costume mao a été supplanté par d'extraordinaires *cheongsams* de soie fine. Je me réjouis à l'idée de rencontrer quantité de jolies femmes et de vivre quelques aventures délicieuses.

— Arrête ! s'écria Jeffrey. Ne joue pas la comédie avec moi, Ian. Je suis ton ami depuis des lustres, ne l'oublie pas.

Pour la première fois, ce soir-là, Ian leva les yeux et accepta de soutenir son regard.

— Mon ami depuis des lustres, tu dis ? C'est étonnant. J'avais cru remarquer que nous ne nous adressions plus la parole, ces derniers temps, si ce n'est pour prononcer quelques banalités glaciales. De là à en conclure que cette belle amitié appartient désormais au passé...

Jeffrey fut étonné de découvrir à quel point les paroles de Ian lui faisaient mal.

— Depuis deux ans, j'ai accumulé les erreurs, Ian. Penser que je pouvais nier notre amitié était une des plus monstrueuses d'entre elles. Il est clair que nous avons bien autre chose à nous dire que des banalités glaciales. Et je t'assure que je continuerai à te parler jusqu'à ce que j'obtienne de vraies réponses. Alors inutile de poursuivre dans la série des subtiles dérobades.

Un authentique sourire, cette fois, éclaira les traits d'Ian.

— Tu sais que c'était presque chaleureux et vibrant ce que tu viens de me dire là, Jeffrey ? Mais j'imagine qu'il faut t'avoir connu depuis les bancs de l'école primaire pour mesurer le chemin que tu as parcouru en prononçant de telles paroles...

— Cela tombe bien. Tu réponds à ce critère.

— En effet.

Les yeux baissés, Ian se tut quelques instants. Lorsqu'il leva de nouveau la tête, une indéniable émotion embuait son regard.

— Tu as raison. Ce serait un gâchis de jeter aux orties toutes ces années que j'ai déjà passées à te supporter. Autant se faire à l'idée que nous sommes condamnés à rester « meilleurs amis » pour toujours.

Il hésita légèrement avant de lui tendre la main par-dessus la table.

— Serrons-nous la pince, mon vieux. Au nom de l'amitié vraie et d'une vie entière de bons souvenirs communs.

En acceptant la poignée de main d'Ian, Jeffrey sentit une boule se former dans sa gorge. Il se hâta de déglutir.

— Tu aurais dû me botter les fesses, il y a quelques mois, dit-il doucement.

— J'avoue que j'ai été tenté de le faire à plusieurs reprises. Mais Grace m'a mis en garde. Elle m'a dit que tu pouvais être tellement monolithique par moment que je risquais de me casser un doigt de pied sans parvenir à te faire changer d'avis pour autant. Et je n'avais pas envie de sacrifier un orteil pour une cause perdue d'avance.

Jeffrey jeta un coup d'œil à Grace, mais elle refusa, là encore, de croiser son regard. Il soupira.

— Je vais être franc avec toi, Ian. Si vous avez l'intention de vous marier, Grace et toi, je ne te verrai pas aussi régulièrement que par le passé. Je ne suis pas suffisamment généreux pour faire abstraction de mes sentiments au point de me réjouir de votre bonheur sans arrière-pensée. Mais cela ne signifiera pas pour autant que... que je n'ai plus d'affection pour vous. Vous compterez toujours énormément pour moi l'un et l'autre.

Grace abandonna enfin ses piles de sucre pour tourner vers lui un regard impatient.

— Je t'ai déjà dit il y a quelques semaines que nous n'avions aucune intention de nous marier, Ian et moi. Pour un homme intelligent, tu as vraiment beaucoup de mal à te mettre une idée simple dans la tête.

Comme elle était belle dans la lumière douce des bougies, songea Jeffrey, en proie à une puissante vague de nostalgie.

— C'est bien possible, Gracie. Mais pendant plus de trente ans, j'ai compté sur toi pour faire entrer de force toutes sortes d'évidences dans mon crâne. A mon âge, ce n'est pas facile de trouver des méthodes de remplacement pour comprendre les choses simples de la vie sans ton assistance.

Un silence presque palpable tomba, suite à cette déclaration. Ce fut Ian qui finit par le rompre.

— Puisque le serveur semble avoir oublié notre présence, je crois que je vais aller régler directement à la caisse et vous laisser discuter tranquillement de ce qui t'amène ici, Jeffrey.

Il se leva.

— Ma chère Grace, je ne demanderais pas mieux que de passer par-dessus cette paire de jambes incomparables dont tu ne t'enorgueilliras jamais assez. Mais comme ton ex-mari nous surveille d'un regard assassin, il me paraît plus prudent de te prier de me laisser le passage.

Grace obtempéra aussitôt, mais ce ne fut pas sur son ex-femme que Jeffrey porta son attention. Le changement qui s'était opéré chez Ian le frappait soudain comme une terrifiante évidence. Comment avait-il pu ne pas remarquer ces joues creuses, cette maigreur mal dissimulée par l'élégance du complet taillé sur mesure ?

Jeffrey sentit du plomb lui tomber sur l'estomac.

— Ian ? Pour l'amour du ciel, cesse de me mentir. Que t'est-il arrivé ? Tu as été malade ?

L'espace d'une seconde, Ian hésita. Mais il finit par hausser les épaules.

— J'ai donc l'air si mal en point que ça ? Et dire que mes médecins sont si contents de moi.

— Tes médecins ?

— Mon Dieu, oui. C'est un véritable défilé de blouses blanches que je vois passer depuis quelque temps. Mais en ce moment, nous sommes très satisfaits les uns des autres, eux et moi. Ils ont réussi à différer mon arrêt de mort de quelques mois en me soumettant à un nouveau protocole expérimental. L'un de ces grands spécialistes est quasiment certain de remporter une distinction scientifique une fois qu'il aura publié l'article dans lequel il analyse l'action révolutionnaire de cette nouvelle molécule sur mes cellules malignes.

Le regard de Jeffrey se porta alternativement sur son ami puis sur son ex-femme. L'expression de Grace le conforta dans ses craintes les plus sombres. Il ne fit pas l'insulte à Ian de prétendre ne pas comprendre.

— Combien de temps te reste-t-il, Ian? s'enquit-il d'une voix sourde.

— Comme je viens de te l'expliquer, j'ai eu droit à un report de sentence et les médecins ont bon espoir de me prolonger quelques mois de plus. Mais si je vis encore un an, ce sera le bout du monde. Il ne faut pas trop compter dépasser cette limite, semble-t-il.

Jeffrey sentit son propre visage se décomposer. Ce fut Ian qui lui posa une main rassurante sur l'épaule.

— C'est O.K., Jeff. Ne sois pas triste. La maladie m'a ouvert de nouvelles perspectives, vois-tu. Depuis que je sais que le temps m'est compté, je le savoure à petites gorgées et j'accorde à chaque heure le poids qu'elle mérite. Ce temps supplémentaire qui m'a été accordé, je le considère comme un cadeau. Crois-moi si tu veux, mais je vis des choses passionnantes.

— Et moi qui ai déjà gâché quatre mois de partage et d'amitié, déclara Jeffrey sombrement. Je suis vraiment le dernier des imbéciles. Mais bon sang, Ian, pourquoi ne m'as-tu rien dit lorsqu'on t'a communiqué le diagnostic?

— Je n'étais pas certain que tu accepterais de me répondre au téléphone. Et je ne me sentais pas tout à fait assez solide pour prendre le risque de me faire jeter par mon plus vieil ami.

Sur le point de protester qu'il aurait nécessairement accepté de l'écouter s'il avait eu le sentiment d'un problème, Jeffrey se remémora toutes les erreurs de jugement stupides qu'il avait commises depuis deux ans. A sa grande consternation, il comprit qu'il aurait peut-être raccroché au nez de son ami sans lui laisser le temps d'aller jusqu'au bout de ses explications. Effaré à l'idée qu'il aurait pu passer à côté de l'essentiel une fois de plus, il glissa un bras autour des épaules amaigries d'Ian et déglutit à plusieurs reprises avant de réussir à parler.

— Je t'appellerai la semaine prochaine. Nous tâcherons de nous revoir avant ton départ pour la Chine. Viens donc passer quelques jours à Kemberly, O.K. ? Comme ça, Milton te fera une démonstration de ses talents culinaires et tu verras la roseraie de Gracie que je ne suis pas peu fier d'avoir réussi à entretenir en son absence. Tu me parleras de ce lycée que tu as entrepris de faire construire près de Pékin.

— Je serais ravi de refaire un petit tour dans ta campagne, Jeff. Et s'il y a moyen de te soutirer quelques deniers, je t'apporterai des photos et des dessins d'architecte pour que tu te fasses une idée de mon projet de lycée.

Ian sourit. Mais à présent que Jeffrey l'observait avec plus d'attention, il nota à quel point ses traits fatigués dénotaient la souffrance.

— Apporte les photos, Ian. Te connaissant comme je te connais, je sais que tu n'auras aucun mal à me convaincre que j'ai rêvé toute ma vie de sponsoriser un orphelinat en Chine. Alors quitte à devoir payer, autant que je sache où doit partir mon argent.

Ian se mit à rire.

— Parfait. Je viendrai avec un dossier complet et quelques formulaires...

Il se tourna vers Grace pour lui prendre la main et la porta à ses lèvres avec son panache habituel.

— Bonne nuit, mon ange. Incidemment, en tant qu'ami de longue date, je considère qu'il est de mon devoir de te mettre en garde : le dénommé Jeffrey DeWilde a une réputation choquante avec les dames. S'il essaye de te convaincre de l'accompagner où que ce soit, réfléchis bien à ce que tu fais, car c'est une aventure qui risque de se terminer au lit.

Les joues de Grace s'empourprèrent.

— Merci pour le conseil, Ian. On ne pourra pas dire que je n'ai pas été prévenue. Passe une bonne nuit et encore merci pour ce dîner.

— Tout le plaisir était pour moi, Grace, et tu le sais... Bonsoir, Jeff.

Ils suivirent Ian des yeux en silence jusqu'à ce qu'il eût quitté le restaurant.

— Depuis combien de temps étais-tu au courant ? demanda Jeffrey, effondré, lorsque Grace et lui eurent repris leur place.

— Il m'a appris la nouvelle lorsque j'étais dans le Nevada et que j'attendais notre divorce.

— Tu aurais dû me mettre au courant.

— Il m'a priée instamment de me taire et j'ai respecté sa volonté. C'était le moins que je pouvais faire.

— Il y a des années que Ian est amoureux de toi. Tu le sais, n'est-ce pas ?

Grace fit oui de la tête et se remit à manipuler ses sachets de sucre.

— Ian est tout à fait conscient, cependant, que mes sentiments pour lui sont de nature purement amicale.

Jeffrey s'éclaircit la voix.

— Ce serait une terrible erreur de l'épouser dans un élan de pitié.

— Jeffrey, s'il te plaît, comment dois-je te le dire ? Je n'ai pas l'intention de me marier avec Ian. Il le sait et je le sais. Tu pourrais peut-être te décider à changer de disque ?

— Désolé, fit-il, sur la défensive. Mais, pour une fois, ce n'est ni à toi ni à moi que je pensais en te donnant ce conseil. Ce serait affreux pour Ian si tu l'épousais par charité.

— En effet. Et comme ce n'est ni son souhait ni le mien, laissons ce faux problème de côté, O.K. ? Dis-moi plutôt pourquoi tu souhaitais me voir, s'enquit-elle en lui jetant un regard interrogateur.

Ramené à sa mission, Jeffrey sentit monter en lui une grande bouffée de joie, même si son chagrin pour Ian avait assombri son humeur. Il prit la main de Grace qui reposait sur la table et ne put s'empêcher de sourire à la pensée du bébé qui était peut-être déjà né.

— J'ai eu un coup de fil de Julia Dutton, ce soir. Tu la connais, je crois ?

— Mmm... oui. Elle sortait avec Gabe avant qu'il ne rencontre Lianne, je crois ?

— C'est possible. Mais je doute qu'il y ait jamais eu quoi que ce soit de très sérieux entre eux. En revanche, je l'ai vue à quelques reprises en compagnie de Michael Forrest. Et même moi, j'ai senti qu'entre eux, ça faisait des étincelles. J'ai l'impression qu'il existe une très forte attirance entre eux.

Le regard de Grace s'éclaira.

— Michael et Julia Dutton ? A première vue, c'est une combinaison un peu surprenante, mais pourquoi pas ? Cela pourrait très bien marcher, effectivement. Je n'ai jamais vu de mariage plus catastrophique que celui des parents de Michael et il a toujours juré ses grands dieux qu'il resterait célibataire. Mais Julia pourrait bien être celle qui saura le faire changer d'avis.

Jeffrey faillit rire tout haut du tour qu'avait pris leur conversation. C'était tellement caractéristique de ses causeries avec Grace qui déviaient régulièrement dans les directions les plus inattendues.

— Grace, ma chérie, revenons à notre sujet initial, tu veux bien ?

— Notre sujet initial ? Mais je croyais que c'était Julia Dutton qui nous intéressait en ce moment !

— Pas du tout. Si j'ai mentionné son nom, c'est seulement parce qu'elle a appelé pour annoncer que Lianne était en salle d'accouchement. Gabe aimerait que nous filions directement à l'hôpital pour faire la connaissance du premier jeune DeWilde de la nouvelle génération.

Grace ouvrit de grands yeux.

— Mon Dieu, mais c'est merveilleux ! Notre premier petit-enfant est né ? Comment va Lianne ? Et le bébé ? C'est un garçon ou une fille ?

— Lorsque Julia m'a appelé en début de soirée, Lianne n'avait pas encore accouché. Mais d'ici à ce que nous arrivions à l'hôpital, je pense que le bébé aura poussé son premier cri.

Grace rayonnait. La joie presque palpable qui vibrait en elle semblait émaner de tout son être. Elle était transfigurée.

— Oh, Jeffrey, je suis tellement excitée ! Mon premier petit-enfant, tu imagines !

Elle récupéra son sac à main et se leva sans attendre.

— On pourrait peut-être partager un taxi, non ? Cela nous permettrait d'aller fêter la naissance ensuite en buvant un verre de champagne ou deux, sans avoir à nous soucier de conduire en rentrant.

— Pour le taxi, ce sera un peu difficile, malheureusement. Lianne et Gabe passaient le week-end à Lower Ashington et ils n'ont pas eu le temps de regagner Londres où elle devait entrer en clinique. Apparemment, tout s'est passé très vite et Lianne a dû être hospitalisée in extremis à la maternité de Winchester.

Grace fronça les sourcils.

— Tout ça paraît tellement précipité ! Tu es sûr qu'il n'y a pas de problème, Jeffrey, n'est-ce pas ? Je sais que Lianne a été bien suivie et qu'elle a pris toutes les précautions nécessaires durant la grossesse. Mais ça m'inquiète toujours un peu lorsqu'un bébé arrive avec une telle avance.

— D'après les nouvelles que l'on m'a transmises, tout se passe pour le mieux, déclara Jeffrey d'un ton rassurant. Mais si nous voulons voir ce petit garçon avant qu'il fasse ses premières dents, il serait peut-être temps que nous nous mettions en route.

— Ce petit garçon ! Quel horrible macho, tu fais, Jeffrey. Je t'ai déjà dit je ne sais combien de fois que ce serait une fille.

Ce fut plus fort que lui.

— Tu es prête à parier combien ? la défia-t-il avec un sourire en coin.

Grace plissa les yeux d'un air songeur.

— C'est à une somme d'argent que tu penses ?

— Bien sûr que non, ce serait sans intérêt. Je songeais plutôt à nos paris traditionnels... Tu te souviens ?

Si Grace fut choquée, elle n'en laissa en tout cas rien paraître. Pendant quelques secondes, elle le dévisagea pensivement avant de laisser glisser son regard sur son torse.

— C'est d'accord. Parions une heure.

— Deux, rectifia-t-il aussitôt.

Elle hésita un instant.

— Bon. Très bien. Va pour deux heures.

Jeffrey n'en revenait pas d'avoir obtenu la victoire aussi facilement. Pour s'assurer qu'il n'y avait pas de malentendu, il précisa les termes du pari :

— Je récapitule : si c'est un garçon, tu feras tout ce que je voudrai pendant deux heures, c'est bien ça ?

Les joues de Grace s'empourprèrent.

— Tout ce que tu voudras. Mais si c'est une fille, tu seras à mes ordres, mon cher.

— Marché conclu, murmura Jeffrey en lui effleurant la joue.

Grace détourna les yeux si vite qu'il ne put déchiffrer son regard.

— Si tu m'accordes cinq minutes, je monte dans ma chambre enfiler une tenue plus confortable pour la route, annonça-t-elle.

— Pas de problème. Et pendant que tu y es, prends donc aussi quelques affaires pour demain, au cas où nous déciderions de passer le dimanche sur place.

Lorsque Grace tourna la tête vers lui, elle avait les joues en feu.

— Entendu. Je prévois ce qu'il faut pour passer la nuit là-bas.

— Tu veux que je t'aide à faire tes bagages ?

Elle lui jeta un regard mi-amusé mi-troublé qui accéléra instantanément les pulsations du sang dans ses veines.

— Merci de me le proposer. Mais je crois que je progresserai nettement plus vite sans ton assistance.

Jeffrey porta la main à son col pour desserrer son nœud de cravate et s'aperçut qu'il n'en portait pas.

— Alors, je t'attends à la réception, déclara-t-il d'une voix rauque.

Les yeux rivés aux siens, Grace pressa le bout de ses doigts contre ses lèvres.

— Parfait. Je te retrouve dans un quart d'heure.

5.

Julia était à son poste à côté du téléphone lorsqu'un bruit de moteur se fit entendre dans l'allée. Au comble de l'impatience, elle courut à la rencontre de Michael.

— Alors ? Tout s'est bien passé ? Vous êtes arrivés à temps pour la naissance du bébé ? demanda-t-elle dès qu'il ouvrit sa portière.

— Largement, oui. Lorsque je suis parti de Winchester, Lianne était toujours en salle de travail, annonça Michael en descendant de voiture. L'obstétricien lui donnait encore trois heures. Si l'expulsion ne se fait pas d'ici là, l'enfant naîtra par césarienne.

Sourcils froncés, Julia lui emboîta le pas.

— Par césarienne ! Mais pourquoi ? Elle avait l'air partie pour accoucher en un temps record, pourtant. Qu'est-ce qui se passe, Michael ?

— Oh, rien d'alarmant, d'après Gabe, annonça-t-il, laconique, en la suivant jusqu'au salon.

Il se laissa tomber sur le canapé et s'étira en bâillant.

— Où sont passés Tate et Edward, au fait ?

Julia regarda sa montre.

— A l'heure qu'il est, ils ne devraient pas tarder à arriver à Londres. Tate m'a chargée de vous dire qu'elle vous appellerait lundi soir. Mais expliquez-moi quel est le problème pour Lianne.

— Gabe n'a pas été très clair sur les aspects techniques, mais d'après ce que j'ai cru comprendre, les premières contractions de Lianne ont été tellement puissantes qu'elles ont propulsé le bébé trop bas alors que le col n'est pas encore effacé. Comme la dilatation est insuffisante, l'obstétricien a pris toutes les dispositions nécessaires pour pouvoir pratiquer une hystérotomie, le cas échéant. Mais *a priori*, il n'y a aucune raison pour que le bébé ne naisse pas par les voies naturelles.

Rassurée, Julia prit place sur le canapé à côté de Michael et replia ses jambes sous elle.

— Bon... Eh bien, dans ce cas, il ne nous reste plus qu'à attendre. Il ne semble pas y avoir de problèmes majeurs, donc ?

Michael hocha la tête.

— Non, tout paraît O.K. Et Gabe a l'air de faire confiance au médecin. Il m'a dit que Lianne était en bonnes mains.

— Le futur papa s'est un peu ressaisi, si je comprends bien. Suffisamment pour penser à nous appeler lorsque le bébé sera né, vous croyez ?

— Pour ça, n'y comptez pas trop. C'est tout juste si Gabe se souvenait encore de son propre prénom lorsqu'il est venu me rejoindre dans la salle d'attente pour m'exposer la situation. Mais avec un peu de chance, sa matière grise recommencera à fonctionner à plein régime une fois qu'il aura vu sa Lianne souriante avec leur bébé sur le ventre.

Julia secoua la tête.

— Je n'en reviens toujours pas qu'il ait paniqué à ce point. Les hommes ne servent décidément à rien lorsqu'il s'agit de faire des enfants.

Un sourire amusé se dessina sur les lèvres de Michael.

— J'avais pourtant cru comprendre que notre contribution était indispensable. Vous n'avez tout de même pas l'intention de m'ôter mes illusions sur ce point ?

— Certainement pas, non. Je me garderais bien de contredire un expert.

Pendant une fraction de seconde, l'expression de Michael se durcit. Puis il bâilla et se massa les épaules.

— Sage précaution, ma douce.

Consciente qu'elle avait les yeux rivés sur les muscles qui jouaient sous sa chemise, Julia détourna la tête.

— Je préférerais que vous évitiez de m'appeler ainsi.

— Que je vous appelle comment ?

Si la voix de Michael restait de velours, son regard étincelait dangereusement.

— Ma douce.

— Pourquoi pas ? Vous n'êtes pas douce ?

Elle sentit son estomac se nouer.

— Pas particulièrement, non. Et je ne suis pas vôtre non plus. C'est tellement condescendant, cette façon que vous avez de vous adresser à moi ! Je trouve ça insupportable.

— Désolé. Ce n'était pas mon intention de paraître condescendant, répondit-il lentement, les yeux fixés sur son visage.

Julia sentit la moutarde lui monter au nez.

— Pas condescendant, dites-vous ? Alors quel qualificatif utiliseriez-vous pour définir votre attitude ? Ironique, sarcastique, macho ?

Michael se leva en haussant les épaules et se dirigea vers la cuisine.

— Je me suis déjà excusé. Que voulez-vous de plus ?

Trop remontée pour en rester là, Julia lui emboîta le pas.

— Ce que je veux ? C'est tout simplement une explication, Michael. Depuis le premier regard que nous avons échangé, vous n'avez pas cessé de m'asticoter et de m'envoyer des piques. Qu'est-ce qui vous chagrine tant chez moi, au juste ? Que vous ai-je fait pour que vous m'en vouliez à ce point ?

— Rien, Julia. Strictement rien.

Il referma la porte du réfrigérateur d'un geste presque brutal et pivota sur lui-même.

— Ou plus exactement si. Vous me faites... ça, ajouta-t-il d'une voix rauque en l'attirant dans ses bras.

A l'instant précis où ses lèvres touchèrent les siennes, Julia comprit que ce baiser avait commencé à vibrer entre eux dès le premier regard. Quelque part, au fond d'elle-même, à un niveau inaccessible à sa conscience, elle l'avait senti venir, attendu, et même espéré. Michael l'embrassa sans douceur, avec une ardeur qui, d'emblée, trouva un écho en elle. C'était comme si la tension entre eux se dissolvait enfin dans un élan de tout leur corps. Bouche ouverte, il chercha sa langue tandis que ses mains couraient sur son corps en longues caresses brûlantes. Elle lui rendit son baiser avec la même passion, la peau frémissant de plaisir partout où il portait ses mains.

Lorsqu'il la pressa plus fort contre lui, elle se cramponna à son cou. Au début, elle ressentit un étonnement fugace : comment pouvait-elle se sentir aussi merveilleusement bien dans les bras d'un homme tel que Michael Forrest ? Mais cette question ne fit que traverser son esprit de façon fugitive avant de s'évanouir sans laisser de trace. Très vite, un brouillard cotonneux recouvrit ses pensées et elle perdit conscience de tout ce qui n'était pas Michael. Il fit descendre la fermeture Eclair de sa robe et dégagea ses épaules. Julia ne songea même pas à protester. Elle se coulait contre lui, ondulait dans son étreinte, toute pensée anéantie par les battements du sang à ses tempes. Leurs baisers avaient beau se multiplier, elle en redemandait toujours plus. La « sage » Julia Dutton se découvrait soudain brûlante, passionnée, insatiable.

Michael, le premier, finit par s'arracher à leur étreinte ; il recula d'un pas pour mettre un peu de distance entre eux, se passa la main sur les paupières et s'appuya contre la porte du réfrigérateur. Sa poitrine se soulevait et retombait comme s'il venait de courir un mille mètres.

Julia se mordit la lèvre. Elle ressentait une frustration si violente qu'elle en oubliait ses inhibitions habituelles.

Pour une fois, elle se sentait suffisamment sûre de son désir pour prendre l'initiative. Poussée par un élan aveugle, elle voulut se rapprocher, mais Michael lui saisit les poignets et l'empêcha de revenir se couler dans ses bras.

— Désolé, Julia. Ce n'est pas l'envie qui m'en manque, vous le savez aussi bien que moi, mais je me suis fixé une règle à laquelle je ne déroge jamais : je ne couche pas avec une femme qui est amoureuse d'un autre homme.

Brutal, inattendu, le rejet la laissa un instant sans voix. Parmi les émotions contradictoires qui faisaient rage en elle, Julia n'en retint qu'une seule : la colère.

— Il me semble que je n'ai jamais affirmé vouloir faire l'amour avec vous, Michael.

Les coins de sa bouche se plissèrent en une moue ironique.

— Je reconnais que vous n'avez pas fait une déclaration d'intention en bonne et due forme. Mais votre corps disait très clairement ce qu'il avait à dire. Aucune parole n'était nécessaire.

Glissant les bras dans les manches de sa robe, Julia se rajusta en lui jetant un regard assassin. Son cœur battait si vite qu'elle en avait des étourdissements, et les pointes de ses seins restaient douloureuses parce que Michael avait cessé de les caresser. C'était absurde, presque malsain qu'un homme pour lequel elle n'avait aucune affection puisse la troubler physiquement à ce point ! Moins de douze heures plus tôt, Edward l'avait embrassée avec une certaine conviction, lui aussi. Et elle était restée de marbre. Alors que Michael n'avait eu qu'à poser ses lèvres sur les siennes pour que des sensations volcaniques se déchaînent en elle. Il y avait vraiment des moments où la vie manquait de la plus élémentaire logique ! C'était à désespérer d'y comprendre quelque chose.

Reportant sa colère sur Michael, elle le regarda reboutonner sa chemise et nota qu'il ne se donnait même pas la peine de la glisser sous sa ceinture. A la grande contrariété de Julia, ni son charme ni son allure ne pâtirent de ce laisser-aller. Michael n'avait l'air ni débraillé, ni échevelé et encore moins ridicule. Son élégance naturelle était telle qu'on aurait pu conclure en le regardant que le « top » de la mode masculine du moment consistait à se promener avec les cheveux en bataille et la chemise pendante sur le pantalon.

Julia, quant à elle, n'osait imaginer à quoi elle pouvait ressembler sans rouge à lèvres, décoiffée et avec une robe à demi défaite. Glissant les mains dans son dos, elle tira d'un coup sec sur la fermeture Eclair qui consentit à remonter de quelques centimètres avant de se coincer une fois de plus. Maudissant les robes jaunes, trop serrées, achetées pour des raisons aussi absurdes qu'inavouables, elle fit une seconde tentative, sous l'œil amusé de Michael.

— Vous avez peut-être besoin d'aide ? dit ce dernier en faisant sauter la languette d'une cannette de bière qu'il venait de sortir du réfrigérateur.

La sourde ironie qui pointait sous son ton de suave politesse la fit bondir.

— Non, merci. J'ai l'habitude de me débrouiller seule.

A la simple pensée qu'il aurait pu la toucher de nouveau, elle sentit un frisson la parcourir. Des sensations qui décidément n'avaient rien à voir avec celles suscitées par Edward à l'occasion de sa précédente panne de fermeture Eclair.

Cet épisode peu glorieux lui rappela soudain l'étrange justification de Michael lorsqu'il avait mis fin à leurs ébats.

— A propos, je ne vois vraiment pas ce qui a pu vous faire penser que j'étais amoureuse d'Edward Hillyard, lui lança-t-elle sèchement en continuant à s'escrimer sur sa robe. Je le connais à peine !

— Edward ?

Michael garda le silence quelques secondes avant de plonger son regard dans le sien.

— Ce n'est pas à Edward que je songeais, en l'occurrence, mais à Gabriel DeWilde.

Sous le choc, Julia renonça à se débattre avec sa fermeture Eclair. *Gabe*. Pourquoi son nom ne lui était-il pas venu à l'esprit lorsque Michael l'avait accusée d'être amoureuse d'un autre homme ? Gabe avait été à ce point absent de ses pensées qu'elle ne s'était même pas demandé si Michael ne faisait pas allusion à lui ! Comment expliquer un oubli aussi énorme ?

La réponse à cette question tomba comme un coup de massue.

— Je ne suis pas amoureuse de Gabriel DeWilde, déclara-t-elle calmement, en regardant Michael droit dans les yeux.

Stupéfaite de s'entendre proférer en toute sincérité ces paroles inconcevables, Julia ne put s'empêcher de les répéter pour achever de se convaincre :

— Non, murmura-t-elle pensivement, on ne peut vraiment pas dire que je sois éprise de Gabe DeWilde. C'est un garçon brillant et sympathique qui se trouve être le mari de ma meilleure amie. J'ai de l'affection pour lui, c'est vrai. Mais ça ne va pas plus loin.

Sourcils froncés, Michael écrasa la cannette vide entre ses mains.

— Vous *étiez* amoureuse de Gabe, en tout cas.

— Je l'ai été, en effet. Il y a longtemps. Mais c'est fini maintenant.

Il jeta l'emballage vide à la poubelle.

— Je suis ravi que vous ayez rectifié mon erreur.

Il prit appui contre le plan de travail. Son visage paraissait soudain détendu, presque serein.

— Et maintenant ? demanda-t-il en souriant. Etes-vous certaine de ne pas vouloir reconsidérer ma proposition ?

Les sourires de Michael étaient décidément redoutables, et Julia, en proie à un léger vertige, se demanda où il pouvait bien vouloir en venir.

— Une proposition d'aide? répéta-t-elle stupidement. Pour quoi faire?

Il s'approcha d'elle en riant et lui agita les doigts sous les yeux.

— Pour votre fermeture Eclair. J'ai ici dix outils spécialisés dans le maniement des épingles, agrafes, boutons et fermetures en tous genres. Je les mets à votre entière disposition, chère madame.

— Ah, ça, je ne doute pas que ces doigts-là aient une riche expérience, marmonna Julia.

Cela dit, elle ne parviendrait pas à remonter sa fermeture toute seule. Et elle n'avait personne d'autre à qui s'adresser. Résignée à accepter son offre, elle alla se placer de dos devant lui en relevant ses cheveux d'une main pour lui faciliter la tâche. Michael s'en acquitta avec dextérité et n'effleura sa peau qu'une seule fois, lorsqu'il fit passer la fermeture Eclair sur le crochet de son soutien-gorge. Malgré la brièveté de ce contact, elle sentit monter en elle un nouvel afflux de désir. Ce fut comme une onde brûlante, un délicieux frisson de plaisir. Alors que dans des circonstances en tout point analogues, Edward n'avait réussi, lui, qu'à lui donner froid dans le dos! Julia se demanda s'il existait une cause rationnelle et scientifique à ces étranges phénomènes : pourquoi réagissait-elle de façon aussi différente, alors que les deux hommes s'étaient trouvés derrière elle, invisibles l'un et l'autre? Quel était le subtil et invisible processus qui déterminait ces attirances purement physiques?

Prudente, Julia s'écarta dès que Michael eut terminé.

— Merci, murmura-t-elle sèchement.

— Mais je vous en prie.

Trop mal à l'aise en sa compagnie pour laisser le silence s'installer entre eux, elle enchaîna sur le premier sujet d'ordre pratique qui lui vint à l'esprit.

— Je suppose que vous n'avez pas eu le temps de dîner et que vous êtes mort de faim. Voulez-vous que je vous prépare quelque chose ?

— C'est gentil de me le proposer, mais je peux me confectionner un sandwich moi-même. Et vous ? Vous avez pu trouver un moment pour manger ?

— Bien sûr. Nous avons dîné tout à fait luxueusement, même. Avant que Tate et Edward ne repartent pour Londres, Edward nous a fait une brillante démonstration de ses talents culinaires en sauvant in extremis les magrets de canard en voie de carbonisation. Pour les haricots, il n'y avait malheureusement plus rien à faire, mais il a réchauffé le riz sauvage et préparé en un tour de main une salade absolument sublime. Ce qui ne l'a pas empêché de nous aider à faire la vaisselle après le dîner. N'est-il pas extraordinaire, ce garçon ?

— C'est un véritable concentré de vertus, en effet, marmonna Michael tout en se coupant un morceau de fromage.

— On ne lui connaît aucun défaut, effectivement.

Michael posa deux tranches de pain sur une assiette.

— Mmm... Avez-vous remarqué à quel point la compagnie des gens parfaits était assommante ? demanda-t-il nonchalamment.

Julia se mit à rire.

— J'ai constaté cela, en effet. Surtout depuis que je connais Edward.

Michael la dévisagea avec surprise.

— Le rire vous va bien, Julia. Vous devriez le pratiquer plus souvent.

— Voilà un conseil admirable. Ce sera donc ma grande résolution du mois : je rirai dorénavant quoi qu'il arrive, que cela m'amuse ou non.

— Allez-y, ma belle : continuez à serrer les lèvres ainsi et à froncer les sourcils de cet air hautain. Dans quelques années, vous aurez un visage aussi austère et pincé que votre reine Victoria.

Interloquée, Julia commença par lui jeter un regard noir. Mais la colère n'était pas vraiment au rendez-vous et elle finit même par rire de bon cœur. Michael avait raison : elle avait tendance à monter sur ses grands chevaux au moindre prétexte et à faire un drame de trois fois rien. La preuve, son histoire avec Gabe... N'avait-elle pas passé une année entière à se complaire dans un rôle d'héroïne tragique, condamnée à endurer en silence son sombre destin ? Si elle ne s'était pas joué cette absurde comédie du martyre, elle serait déjà remise depuis longtemps de sa « grande passion » pour Gabe DeWilde.

Troublée par cette découverte, Julia songea que ce n'était pas la première prise de conscience de la soirée. En l'espace de quelques heures, Michael Forrest lui avait ouvert les yeux sur certains aspects d'elle-même dont elle ne soupçonnait même pas l'existence. La vie était vraiment étonnante. C'était précisément cet homme qu'elle croyait détester qui lui avait servi de révélateur.

Comme il s'attablait pour manger, elle tira une chaise en face de lui.

— Il est un peu tristounet, votre sandwich. Pourquoi ne l'agrémentez-vous pas de quelques tranches de concombre ?

Michael fronça les narines.

— Du fromage avec du concombre ? C'est un peu bizarre comme mélange, non ?

— Pourquoi bizarre ? C'est ce que nous mangeons régulièrement nous, les Britanniques.

Michael lui répondit par un silence si éloquent qu'elle se surprit à sourire une fois de plus.

— En tant qu'Américain, vous êtes mal placé pour faire des commentaires désobligeants sur nos traditions culinaires.

Il prit un air faussement meurtri.

— Quels commentaires désobligeants ? Ai-je prononcé un seul mot ?

— Votre mutisme n'était que trop parlant, Michael Forrest, commenta-t-elle d'un ton sévère. Et la critique ne sied guère à un peuple qui a coutume de consommer des crêpes au sirop d'érable accompagnées d'une tranche de bacon pour le petit déjeuner ! Sans parler de votre effroyable poulet frit au miel.

— Mmm... Quoi de plus appétissant qu'un bon pilon bien doré, pané à la farine de maïs et servi avec du miel et des biscuits ? Puisque nos mœurs culinaires semblent vous faire frémir, Julia, je vous propose un marché : j'accepte le concombre dans mon sandwich et en échange, vous vous engagez à prendre un petit déjeuner typiquement américain avec moi un de ces jours, lorsque je serai de passage à Londres. Ça marche ?

— Marché conclu, acquiesça-t-elle en se penchant pour sortir le concombre du réfrigérateur.

Michael lui jeta un regard soupçonneux.

— Je trouve que vous avez accepté avec une rapidité pour le moins suspecte.

— Croyez-moi, je n'ai pas l'intention de me défiler... Mais la fortune étant de mon côté, je doute que vous trouviez un restaurant à Londres où l'on serve d'authentiques petits déjeuners américains.

— C'est dire à quel point vous connaissez mal votre propre ville, commenta Michael doucement.

— Ma foi... Je prends le risque.

— Parfait. Je veillerai à vous rappeler à vos obligations.

Elle lui tendit son sandwich recomposé.

— En attendant que vous mettiez vos menaces à exécution, goûtez donc ceci et faites-vous une opinion. Je suis certaine que vous allez être agréablement surpris.

Il prit une petite bouchée prudente, mâchonna un instant d'un air sceptique, puis son visage s'éclaira.

— Je dois être vraiment très affamé pour dire ça, mais je dois reconnaître que ça passe très bien. Le concombre ajoute un petit côté craquant qui est plutôt sympathique.

Julia eut le triomphe modeste. Elle pouvait se permettre d'être généreuse, sachant que Michael oublierait leur stupide marché sur l'heure et qu'elle ne serait jamais amenée à ingurgiter d'infâmes crêpes au bacon en contrepartie. Michael Forrest, l'ami des stars et l'enfant chéri d'Hollywood, avait sûrement des occupations beaucoup plus excitantes lorsqu'il était de passage à Londres que de relancer une simple enseignante pour l'inviter à partager son petit déjeuner ! La pensée qu'elle ne le reverrait sans doute plus jamais après ce week-end aurait dû la réjouir. Alors pourquoi se trouvait-elle soudain en proie à une sensation de vide aussi poignante ?

Troublée, elle se leva soudain d'un bond.

— Gabe aurait déjà dû appeler, s'exclama-t-elle avec impatience. Il est minuit passé. Je ne me sens vraiment pas tranquille.

— Pour nous, le temps paraît long parce que nous n'avons rien d'autre à faire qu'à attendre. Mais il n'y a même pas six heures que les contractions de Lianne ont commencé. Ce qui n'est pas spécialement long, surtout pour une première naissance.

Julia soupira, se rassit et pianota du bout des doigts sur la table.

— Vous avez raison. Je ne devrais pas m'inquiéter comme ça, c'est idiot.

Michael posa la main sur la sienne.

— Pourquoi ne pas monter vous coucher pour prendre un peu de repos ? Je vous réveillerai dès que j'aurai des nouvelles.

— Merci, c'est gentil de me le proposer mais je suis trop tendue pour dormir. En tant que future marraine de cet enfant, je me sens un peu impliquée, moi aussi !

Michael finit d'avaler son sandwich.

— Tiens, c'est amusant. Ils m'ont demandé d'être le parrain. Croyez-vous que nous allons être apparentés, pour le coup ?

— Au Moyen Age, c'eût été le cas, car l'Eglise considérait que le parrain et la marraine d'un même enfant étaient unis par un authentique lien de parenté à cause de leurs responsabilités communes.

Julia s'interrompit et leva les yeux au ciel.

— Désolée, ne faites pas attention à ce que je vous raconte. Ce sont mes réflexes d'enseignante qui se déclenchent inopinément. J'ai la manie exaspérante de rebondir sur une remarque anodine, faite en passant, pour enchaîner sur une mini-conférence.

— Vous m'avez répondu par une simple phrase, pas par un discours de deux heures. Du reste, qui vous a dit qu'il s'agissait d'une manie exaspérante ?

— Mes frères, admit-elle avec un soupir. Ils sont ingénieurs tous les deux, et leur façon d'appréhender la réalité passe essentiellement par des diagrammes, des courbes et des tableaux statistiques. Ils ne supportent pas que je me lance dans de longs commentaires sur des sujets qui me fascinent et qu'ils trouvent, eux, parfaitement soporifiques.

— C'est leur problème, Julia. Pas le vôtre.

Michael se leva pour aller porter son assiette dans l'évier.

— Puisque nous allons bientôt être apparentés, vous et moi — au moins sur le plan spirituel —, il serait temps que nous fassions un peu plus ample connaissance, non ? Je propose que nous nous installions dans le salon et que nous nous racontions nos vies. Ça nous distraira de notre attente.

Connaissant les talents de conteur de Michael, Julia accepta sans se faire prier. Ses anecdotes hollywoodiennes lui changeraient agréablement les idées.

— Entendu, dit-elle. Je vous laisse commencer.

Michael secoua la tête.

— Ah non ! Vous d'abord. Je suis un homme terriblement traditionnel. Honneur aux dames en toute circonstance.

Avec un léger haussement d'épaules, Julia prit place sur un sofa.

— Si vous insistez... Mais je vous préviens que je ne vais pas vous tenir en haleine longtemps. Je suis née à Londres et j'y ai plus ou moins vécu toute ma vie. J'ai trente ans et j'ai l'intention de garder ce même âge pendant les trois ou quatre années qui viennent. J'ai deux frères plus âgés que moi, mariés l'un et l'autre, et deux nièces que j'adore. J'enseigne le français dans une école privée pour jeunes filles, la Kensington Academy... Voilà ! C'est à peu près tout. A vous maintenant !

— Hé là, pas si vite ! Je pense que votre biographie mériterait qu'on s'attarde un peu plus sur elle. Quel âge ont vos deux frères ?

— Trente-huit et trente-six. Je suis la petite dernière que personne n'attendait. Mais maman jure ses grands dieux qu'elle m'a accueillie à bras ouverts, ravie d'avoir enfin une fille, après toutes ces années passées en compagnie exclusivement masculine.

— Et vous vous entendez bien avec vos belles-sœurs ?

Julia roula un coussin en boule pour le caler dans son dos.

— Ce sont des femmes irréprochables l'une et l'autre.

Michael se mit à rire.

— Inutile d'en dire plus, j'ai compris : vous ne pouvez pas les souffrir.

— Je n'ai pas dit ça ! protesta-t-elle.

— Pas tout à fait, mais presque. Et je peux comprendre ce que vous ressentez. J'ai un beau-frère admirable. Il est chirurgien et sauve quotidiennement des vies par dizaines. Mais il a sûrement dû subir une ablation clinique du sens de l'humour lorsqu'il était en fac de médecine, car il est d'un ennui accablant.

— L'une de mes belles-sœurs a planté tout son jardin de fleurs en plastique. Elle trouve que les vraies font trop de saletés, dit Julia.

Michael et elle échangèrent un regard avant d'éclater de rire.

— Bon, ne perdons pas de temps à parler de nos tristes belles-familles. Dites-moi plutôt pourquoi vous êtes devenue enseignante. Ça a toujours été votre rêve?

— Plus ou moins. J'ai fait des études de langues et le français était mon point fort. Une fois mon diplôme en poche, j'ai passé une année dans le Midi de la France à faire des petits boulots. Ça a été une période formidable. Nous les Anglais, nous perdons un peu la tête dès que nous sommes exposés à des quantités de soleil inhabituelles. Je suis tombée éperdument amoureuse d'un jeune mathématicien français, un certain Jean-Paul Rossier. J'ai même été à deux doigts de l'épouser.

— Et qu'est-ce qui vous en a empêchée?

— Mon ange gardien, je crois. En vérité, ce garçon ne vivait que pour sa mère.

Michael rit doucement.

— Apparemment, vous l'avez échappé belle.

— Je ne vous le fais pas dire. Ayant fui Jean-Paul et sa vénérable maman in extremis, je suis rentrée en Angleterre où j'ai passé un diplôme d'enseignement. Puis j'ai trouvé mon premier poste.

— Dans le lycée où vous êtes maintenant?

— Non. En ce temps-là, j'avais encore des idéaux élevés et l'ambition de changer le monde grâce aux miracles de l'éducation. J'ai donc fait mes débuts dans le public, au sein d'un des quartiers les plus défavorisés de Londres.

Julia s'interrompit et fit la grimace.

— Ça n'a pas été une expérience facile. Pendant les deux premières années, j'ai failli craquer à plusieurs reprises. Je pensais que j'étais la « prof » la plus nulle que cette terre ait jamais portée. Au bout d'un certain temps, j'ai compris que je n'étais pas si catastrophique que ça, mais que je n'avais tout simplement pas les capacités requises pour compenser l'indifférence des parents ainsi que les défauts du système scolaire britannique.

— Alors vous avez décidé de vous reconvertir dans le privé ?

— Non, j'ai encore tenu quelques années dans le même établissement. Mais c'était une tâche totalement désespérée. Comment inculquer ne serait-ce que quelques bribes d'une langue étrangère à des élèves qui pour la plupart étaient incapables de distinguer un nom et un adjectif dans leur propre langue ? Mes cours s'embourbaient dans l'ennui, j'avais le sentiment de nager dans l'absurde.

— Vous n'étiez pas responsable de l'échec de tout un système, commenta Michael.

— Sans doute pas, non. Mais en regardant autour de moi, j'ai constaté qu'il y avait un ou deux enseignants dans ce même lycée qui réussissaient là où je n'avais cessé d'échouer. A force de patience, de conviction, de ténacité, ils parvenaient, malgré tous les obstacles, à éveiller l'intérêt de leurs élèves, à les motiver, à les faire avancer. En observant ces gens-là, j'ai vu que le miracle était possible. Mais qu'il me manquait tout bêtement le talent, l'énergie et l'inspiration nécessaires. Avec le temps, j'étais devenue quelqu'un de raisonnablement compétent dans mon domaine. Mais je n'avais pas le feu sacré.

Julia marqua une pause en se demandant comment elle en était venue à confier son sentiment d'échec à Michael. C'était un sujet qu'elle n'abordait pas d'ordinaire. Même avec Lianne, elle n'avait jamais parlé aussi ouvertement.

— Ça a été difficile à accepter pour moi, admit-elle. Croyez-moi, c'est un choc de découvrir que l'on n'excellera jamais dans la carrière que l'on s'est choisie.

Michael ne lui fit pas l'insulte d'affirmer qu'elle était sans doute une bien meilleure enseignante qu'elle ne voulait elle-même le croire. Il joignit les mains, appuya un doigt de chaque côté de la racine de son nez, et la dévisagea pensivement pendant quelques instants.

— Pour moi, cela pose une question évidente : pourquoi continuer à enseigner ? Ce ne sont pas seulement vos élèves qui méritent mieux, Julia. Vous vous faites également du tort en exerçant une profession où vous ne donnez pas le meilleur de vous-même. Vous êtes une femme intelligente et courageuse. Pourquoi ne pas prendre le taureau par les cornes et chercher un nouveau métier ?

Elle fit la grimace.

— Avec le taux de chômage que nous connaissons dans ce pays ? Je ne suis peut-être pas une excellente enseignante, mais je suis suffisamment bonne pour ne pas avoir honte de ce que j'apporte. Et puis j'aime bien mes élèves et mes collègues à la Kensington Academy.

— Ça, ce sont des excuses. Pas des raisons.

— Des excuses, peut-être, mais de bonnes excuses, s'emporta Julia. J'ai besoin de gagner ma vie comme tout un chacun. Mon père a dû prendre une retraite anticipée, et ma mère et lui ne disposent pas d'un revenu très élevé. Quant à mes frères, ils ont à subvenir aux besoins de leurs familles. Si encore j'avais fini de payer mon appartement ! Mais j'ai des échéances mensuelles importantes à verser. Je peux difficilement me permettre de tout envoyer promener et de m'accorder quelques mois de méditation transcendantale pour essayer de me réconcilier avec mon moi profond.

— O.K., O.K., j'ai compris le problème. Inutile d'aboyer comme un chien de garde prêt à passer à l'attaque.

Julia fit la moue.

— Désolée d'avoir réagi un peu vivement, mais vous avez mis le doigt sur un point sensible. C'est vrai que j'aimerais apporter certains changements dans ma vie, mais c'est une perspective angoissante.

— Le changement fait presque toujours peur.

— Mmm... Sans doute. Et à moi plus encore qu'à quiconque, admit-elle en nouant les mains autour de ses genoux. Pendant toute mon enfance, mes parents m'ont ressassé la même rengaine : prendre des risques, c'est se comporter en irresponsable. Toute personne sensée doit choisir une carrière sûre, avoir des horaires réguliers et travailler sans trop se poser de questions. C'est Lianne qui a ébranlé mes convictions dans ce domaine. Elle a débarqué des Etats-Unis avec son talent et sa détermination pour seul bagage. Non seulement j'ai admiré son courage mais j'avoue que j'étais un peu jalouse de la foi qu'elle avait en elle-même et dans la vie. Si j'avais été à sa place, j'aurais adopté une stratégie beaucoup plus prudente. J'aurais analysé le marché, calculé rationnellement mes chances, et je serais arrivée à la conclusion que ma démarche était trop risquée et que je n'avais aucune chance de réussir en tant que décoratrice débutante dans notre bonne vieille Angleterre. Lianne, elle, ne s'est pas posé tant de questions. Elle a choisi de foncer parce qu'elle savait qu'elle avait le talent nécessaire pour percer. Alors elle s'est accrochée, même dans les moments difficiles. Et la suite, vous la connaissez : elle a réussi brillamment.

— Lianne a également bénéficié de l'aide de ses amis, objecta Michael. Elle m'a confié que si elle avait pu manger à sa faim tous les jours, même pendant les périodes de vaches maigres, c'était essentiellement grâce à vous.

Julia sentit le feu lui monter aux joues.

— Dès l'instant où Lianne a décroché son job chez DeWilde, elle m'a tout remboursé rubis sur l'ongle.

— Attention. Je ne critique pas la démarche de Lianne, bien au contraire. Je voulais simplement souligner le fait que même les gens créatifs ont parfois besoin d'un coup de pouce. Et qu'il n'y a rien de honteux à accepter de l'aide dans les périodes de la vie où on se décide à prendre un risque et à se lancer dans le vide sans filet.

Julia sourit.

— Vous avez sans doute raison. Si, d'aventure, je me découvre un jour un talent quelconque, je me mettrai tout de suite en quête d'un sponsor. Et maintenant que vous m'avez arraché toutes ces confidences, parlez-moi donc un peu de vous, Michael Forrest !

— Vous savez déjà tout ce qu'il y a à savoir. N'est-ce pas vous qui me rappelez régulièrement que les journaux à scandale tiennent une chronique au jour le jour de mes palpitantes aventures ?

Une fois de plus, Julia fut frappée par le contraste entre les paroles désinvoltes de Michael et la tension qui transparaissait dans ses attitudes. Elle s'inquiéta soudain : et s'il avait été réellement blessé par l'un de ses commentaires sarcastiques ?

— Il est vrai que vous passez le plus clair de votre temps à flirter avec des top models à l'ombre des cocotiers ou à sabler le champagne en compagnie d'actrices célèbres. Mais j'imagine qu'il doit vous rester ici et là quelques instants de vie privée, rétorqua-t-elle d'un ton léger, le laissant libre de décider s'il voulait lui parler sérieusement ou s'il préférait la tenir à distance. Que faites-vous lorsque vous n'avez aucun paparazzi sur les talons, Michael ? Vous allez à la pêche ? Vous écoutez du jazz ? Vous faites de la plongée sous-marine ? Vous lisez Nietzsche, Platon et Shakespeare ?

Il haussa un sourcil.

— Un type comme moi, potasser du Platon ou du Shakespeare ? Vous plaisantez, je suppose ?

— Non, je ne plaisante pas. Au contraire.

— En vérité, je travaille, admit-il avec brusquerie. Onze à douze heures par jour, six jours sur sept. Deux à trois soirs par semaine, je m'affiche à une manifestation médiatique pour soigner la publicité de ma chaîne d'hôtels. C'est dans ces occasions-là, généralement, que les journalistes prennent leurs clichés. Quant aux dimanches, je me les réserve. Ils m'appartiennent.

— Et vous les occupez comment, vos dimanches ? demanda-t-elle avec curiosité.

Michael détourna les yeux.

— Je dors une bonne partie de la journée. Parfois je trouve le temps de passer quelques heures avec des amis. De vrais amis et non pas des fantoches qui ne vivent que pour la gloire douteuse d'apparaître en première page des magazines.

— Mais encore ?

— Je tapote sur mon piano, dit-il comme s'il s'agissait d'un secret honteux. Essentiellement du Bach et du Mozart. Je joue comme une casserole, mais je suis le seul à m'entendre, donc ça ne gêne que moi.

Pour un homme jeune, riche et célèbre que l'on voyait constamment entouré de femmes superbes, Michael Forrest menait une vie sacrément solitaire, songea Julia, déconcertée.

— Et pourquoi vous infligez-vous ce rythme de travail forcené ?

Il haussa les épaules.

— Depuis un an, je maintiens mes horaires par habitude. Mais avant cela, je me démenais par nécessité. Parce que les très célèbres et très élégants hôtels Carlisle Forrest étaient sur le point de sombrer, et de façon pas élégante du tout, croyez-moi.

— Les hôtels Carlisle Forrest ! s'exclama Julia, stupéfaite. Mais je croyais qu'ils étaient l'équivalent du Ritz à Paris et de l'hôtel Claridge à Londres : des valeurs inébranlables qui font plus ou moins partie du patrimoine national.

— Pour ce qui est du Ritz ou de l'hôtel Claridge, je ne peux pas me prononcer. Mais lorsque j'ai pris la direction de notre chaîne d'hôtels, nous étions plutôt dans la catégorie des chefs-d'œuvre en péril. Rien n'avait bougé depuis le jour où mon arrière-grand-père avait ouvert notre premier établissement à Chicago. Les chaussures des clients étaient cirées tous les jours et des dames très stylées servaient le thé à chaque étage, mais aucun ordinateur n'avait encore franchi le seuil des bureaux, et c'est tout juste s'il existait un télécopieur par hôtel ! Bref, tout cela était d'un archaïsme terrifiant et nous ne nous adressions plus qu'à un type de clientèle en voie de disparition. Il a fallu réagir rapidement et tout bouleverser pour attirer chez nous un public d'hommes d'affaires. Cela faisait déjà cinq ans que la chaîne fonctionnait avec des pertes énormes.

— J'imagine que vous avez dû vous battre pour imposer votre point de vue, et que la direction existante s'opposait à toute idée de changement, dit Julia.

Michael se leva de son fauteuil et se mit à arpenter la pièce.

— C'est exact. Sachant que la « direction » en question était essentiellement représentée par mon propre père.

Julia fit la moue.

— Aïe, aïe... Ça a été très violent ?

— Pire que cela, murmura Michael en glissant les mains dans ses poches. Mon père a eu une crise cardiaque une semaine après ma prise de fonction. Il est mort un an plus tard, et ma mère ne m'a plus jamais adressé la parole.

— Mais je parie qu'elle ne refuse pas pour autant d'encaisser son chèque de dividendes.

— Pari gagné.

Michael eut un sourire sans joie.

— Parmi les gens que je connais, elle est la seule à porter sur mon mode de vie un jugement encore plus sévère que le vôtre.

— Jusqu'à ce soir, j'ignorais complètement en quoi consistait le mode de vie en question, reconnut Julia.

— Vous étiez au courant de ma relation avec Cherie Lockwood. Et vous saviez pour Storm.

— Oui.

— Et vous désapprouvez mon attitude.

Julia choisit ses mots avec soin.

— Dans mon métier, on voit beaucoup d'enfants souffrant d'un syndrome d'échec parce qu'ils ont été négligés soit par leur mère, soit par leur père — quand ce n'est pas par les deux à la fois. Ils se dévalorisent en permanence parce qu'ils ont le sentiment de n'avoir pas été dignes de l'amour du parent défaillant. Peu m'importe quel type de relation deux adultes choisissent d'établir ensemble. Mais je crois qu'il faudrait éviter d'avoir des enfants lorsqu'on n'est pas prêt à les prendre en charge ; sur le plan matériel, bien sûr, mais avant tout sur le plan affectif.

Michael marqua une hésitation.

— Je verrais Storm plus souvent si Cherie tolérait ma présence auprès de lui. Mais Brad Stein ne veut pas en entendre parler.

La tristesse qui perçait dans la voix de Michael ébranla fortement Julia. Non seulement elle ne mit pas sa parole en doute, mais elle eut honte, soudain, de l'avoir jugé sur la base d'arguments aussi minces.

— Oh, Michael, je suis désolée. Dieu sait pourtant que je n'aurais pas dû être aussi crédule. Les paparazzi sont payés pour créer du sensationnel et ils font feu de tout bois en déformant impitoyablement les propos et les attitudes. Je regrette de m'être laissé aveugler par mes préjugés d'enseignante. J'aurais dû me douter que la réalité était beaucoup plus complexe que ce que les magazines ont choisi d'en montrer. Ma crédulité est d'autant plus impardonnable que ce sont les mêmes reporters qui annoncent régulièrement que le monstre du Loch Ness a encore dévoré le laitier du coin.

— Parce que vous mettez cette information en doute ? demanda Michael en ouvrant de grands yeux innocents.

Julia sourit.

— Bien sûr, voyons. Je suis sûre que notre amie Nessie préfère le saumon du loch à la chair de facteur ou de laitier.

Michael se planta devant le sofa et lui prit les mains.

— Merci, Julia. Ta confiance me touche, murmura-t-il en l'attirant doucement vers lui.

Il plaça ses deux paumes en corolle autour de son visage et la contempla avec, au fond des yeux, comme une pointe inexplicable de regrets.

— Tu es une femme extraordinairement belle, Julia. Tu en es consciente, n'est-ce pas ?

« Belle » était certainement le dernier adjectif qu'elle aurait songé à appliquer à sa personne. Mais la voix de Michael était si persuasive qu'il aurait sans doute réussi à la convaincre que la terre était plate et que les étoiles étaient de petits diamants scintillants.

— Quand tu me regardes comme ça, je suis presque tentée de le croire, chuchota-t-elle.

— Tu es magnifique. Tout le temps. Accepte de le voir, car c'est la vérité.

Il glissa la main dans ses cheveux en une lente caresse, et elle ferma les yeux pour savourer la magie de son toucher. Comme elle aurait voulu que cette nuit étrange puisse durer toujours ! Elle rêvait de revoir Michael, de lui parler encore pendant des heures, de se laisser bercer par le son de sa voix des nuits entières.

Elle rêvait aussi de faire l'amour avec lui. Ici. Maintenant.

Effarée par l'aveu qu'elle venait de se faire, Julia souleva les paupières. Michael avait cessé de la toucher, mais il n'avait pas pris ses distances pour autant. Ses yeux verts brillaient d'un éclat sombre, presque douloureux. Sans réfléchir, elle lui caressa la joue avant de s'inquiéter du sens qu'il risquait de donner à ce geste étonnamment tendre.

— J'ai pris plaisir à passer cette soirée avec toi, Michael, chuchota-t-elle. Merci.

— C'est à moi de te remercier.

Il détourna les yeux avant de plonger de nouveau dans le sien un regard incandescent.

— C'est regrettable, mais j'ai vraiment très envie de toi, Julia.

Sa voix était si caressante qu'elle sentit ses joues s'empourprer. La gorge sèche, elle demanda :

— Et qu'est-ce qui te retient?

— Ma conscience — ou en tout cas ce qu'il en reste, dit-il en dessinant le contour de ses lèvres du bout des doigts. Nous savons que cela ne peut que mal se terminer. A quoi bon nous rendre malheureux l'un et l'autre?

Le fait qu'elle ne puisse lui donner tort sur ce point n'atténua en rien la déception de Julia. Elle comprit brusquement que ce désir intense, presque irrépressible, avait fait cruellement défaut dans sa relation avec Gabriel DeWilde. Avec le recul, c'était une chance que Gabe ait pris conscience de ce manque avant qu'il n'ait été trop tard.

Ce qu'elle lisait dans le regard de Michael, en revanche, l'amenait à se demander si le plaisir de faire l'amour avec lui cette nuit ne pèserait pas plus lourd dans la balance que le chagrin d'une inévitable séparation...

Michael était si près désormais que son corps touchait presque le sien.

— Julia, murmura-t-il tout contre ses lèvres. Je ne suis pas un saint, tu sais. Sois charitable et arrête de me regarder ainsi.

— Comme tu voudras, acquiesça-t-elle dans un souffle en fermant les yeux.

Ce qui n'empêcha pas Michael de l'embrasser quand même. Avec une telle passion qu'il dut la prendre ensuite dans ses bras pour calmer le tremblement qui s'était emparé d'elle. Ce n'était pas étonnant qu'elle ait toujours été si tendue et irritable en sa présence, songea Julia, chavirée de désir et le cœur battant. Son inconscient avait senti venir le danger de loin, alors même que le reste de sa personne se cantonnait dans une attitude de rejet obtus.

Levant son visage vers Michael, elle lui offrit de nouveau ses lèvres. Et cette fois, il ne repoussa pas ses avances. Plus le baiser se prolongeait, plus Julia sentait fondre ses dernières réticences. Et tant pis si la note à payer le lendemain promettait d'être lourde !

Il lui fallut un moment pour comprendre que le bruit qu'elle percevait était réel et provenait de l'extérieur de la maison.

— Oh, non, Michael ! chuchota-t-elle en se dégageant. Il y a une voiture dans l'allée. Nous avons de la visite.

Il appuya son front contre le sien.

— Mmm... Et si on leur disait de retourner d'où ils viennent ?

— Ça me paraît délicat. Avec les lumières allumées, on peut difficilement prétendre qu'il n'y a personne.

— Si c'est ton copain Edward, ne compte pas sur moi pour lui faire bon accueil, bougonna Michael avec un soupir résigné. Retourne-toi, Julia, je ferais mieux de te remonter cette fichue fermeture une fois pour toutes, avant que nos visiteurs ne sonnent à la porte.

En fait de sonnerie, ils entendirent soudain une voix féminine au timbre agréable qui claironnait dans le vestibule tout proche.

— Hou hou ! Il y a quelqu'un ? C'est Grace DeWilde !

Julia jeta un regard horrifié à Michael. Si la mère de Gabe jugeait utile de s'annoncer ainsi en fanfare, il ne pouvait y avoir qu'une explication.

— Oh, mon Dieu ! Elle a dû entrer ici, nous surprendre, et ressortir discrètement, chuchota-t-elle, consternée.

Michael fit la grimace.

— Je crois que tu as raison... Entre, Grace, lança-t-il en élevant la voix. Nous sommes dans le salon.

Comme le sol refusait de s'ouvrir sous ses pieds, Julia

voulut se réfugier dans un coin sombre. Mais Michael lui glissa fermement un bras autour de la taille et refusa de la laisser s'échapper.

— Honnêtement, Julia, je ne crois pas que ce soit la première fois que Grace et Jeffrey voient un homme et une femme s'embrasser.

— Il y a embrasser et embrasser, marmonna Julia, écarlate.

Michael sourit.

— J'en conviens. Et il est clair qu'en l'occurrence, nous nous embrassions selon la seconde définition plutôt que la première.

Grace entra avant que Julia puisse riposter. La mère de Gabe avait changé de coiffure depuis la dernière fois qu'elles s'étaient vues et la coupe plus courte la faisait paraître plus jeune et plus douce. Jeffrey DeWilde, tout aussi rayonnant que son ex-femme, pénétra à son tour dans le salon.

Grace enveloppa le jeune couple d'un regard mi-complice mi-amusé avant d'aller embrasser Michael.

— Quel plaisir de te retrouver de ce côté de l'Atlantique, Michael ! Quant à vous, Julia, je vous remercie d'avoir pris tant de peine pour battre le rappel de toute la famille. C'est grâce à vous que Jeffrey a pensé à se mettre à ma recherche pour que nous fassions route ensemble jusqu'à Winchester.

— Oh ! Mon rôle a été plutôt modeste, murmura Julia, les joues en feu. Comment allez-vous, madame DeWilde ?

— Nous sommes sur un nuage, tous les deux, déclara Jeffrey en prenant la main de Grace pour la glisser sous son bras. Nous revenons de l'hôpital où nous avons vu la petite fille que Lianne a mise au monde peu après minuit. J'ai encore de la peine à y croire, mais ça y est : Grace et moi sommes devenus grands-parents !

— Félicitations ! s'exclamèrent Michael et Julia d'une seule voix.

Avec un large sourire, Michael se dirigea vers la cuisine.

— Je vais chercher le champagne, annonça-t-il pardessus l'épaule. Un tel événement mérite d'être fêté.

— Lianne doit être ravie, commenta Julia. Je sais que Gabe et elle espéraient une fille. Ils ont déjà choisi le prénom ?

— Elisabeth Gabrielle, répondit Jeffrey fièrement.

— Elisabeth Gabrielle... Voilà un joli prénom pour ma filleule. Vous avez été autorisés à la voir ?

Grace sourit aux anges.

— Juste quelques secondes avant que les infirmières ne nous jettent à la porte en nous disant de revenir demain matin. Elisabeth Gabrielle ne pèse pas loin de trois kilos, malgré son mois d'avance et elle est absolument superbe.

— Pour ma part, j'ai surtout remarqué qu'elle était presque chauve, commenta Jeffrey. Mais je suppose que ça va s'arranger avec le temps.

Grace leva les yeux au ciel.

— En tout cas, elle n'est ni rouge ni fripée. Et elle ressemble à Gabe de façon étonnante.

Jeffrey se mit à rire.

— Il faut être grand-mère pour voir ce genre de chose. En ce qui me concerne, elle m'a plutôt fait penser à Winston Churchill en version réduite.

Michael revint avec un plateau et quatre flûtes remplies à ras bord de champagne.

— Comment va Lianne ? demanda-t-il. Pas trop épuisée ? Mais c'est peut-être surtout de Gabe que je devrais m'inquiéter. Le jeune papa se remet-il de ses émotions ?

— Quand nous l'avons laissé tout à l'heure, il tenait toujours des propos incohérents, mais on sentait qu'il n'allait pas tarder à récupérer une partie de ses facultés mentales, commenta Jeffrey avec une lueur amusée dans les yeux.

Grace sourit à son ex-mari.

— Quant à Lianne, elle dort. Ils ont fini par lui faire une césarienne et elle était encore assez sonnée lorsque nous sommes passés la voir. Mais il n'y a pas eu de complications et elle devrait pouvoir quitter l'hôpital avant la fin de la semaine.

Jeffrey leva son verre.

— A Elisabeth Gabrielle ! La première d'une nouvelle génération de DeWilde.

— Je lui souhaite longue vie et beaucoup d'amour, déclara Grace.

Elle fit tinter son verre contre celui de Jeffrey et détourna les yeux. Ses joues avaient rosi, nota Julia, intriguée. Ils prirent le temps de boire leur champagne en commentant les péripéties de la naissance. Puis Grace reposa son verre.

— La soirée a été riche en émotions. Je poursuivrais bien les célébrations jusqu'à l'aube, mais je crois que nous ferions mieux d'aller nous coucher si nous ne voulons pas nous lever trop tard pour retourner à l'hôpital demain matin.

— Vous devriez prendre la chambre à coucher de Gabe et de Lianne, suggéra Michael. Vous aurez ainsi votre propre salle de bains. Et comme elle donne sur l'arrière de la maison, vous y serez plus au calme.

Jeffrey et Grace échangèrent un regard avant de baisser les yeux. Grace avait les joues en feu et Jeffrey ne semblait plus savoir quoi faire de lui-même.

Julia était horrifiée. Comment Michael avait-il pu commettre une bévue aussi grossière ? Il n'avait tout de même pas oublié qu'ils étaient divorcés !

— Naturellement, rien ne vous oblige à partager...

Elle se tut brusquement lorsque Michael lui écrasa le pied.

— Montez donc vous coucher tous les deux, enchaîna-t-il avec un naturel parfait. Julia et moi, nous nous chargerons de fermer la maison et d'éteindre.

— Merci. C'est très gentil de votre part, murmura Grace faiblement.

Jeffrey toussota et s'éclaircit la voix.

— Eh bien, bonne nuit, alors. Je vais prendre ton sac dans le vestibule, Grace.

Evitant leur regard, Grace se dirigea vers l'escalier. Jeffrey suivit avec un sac dans chaque main. Le son de leurs pas se fit entendre à l'étage supérieur, puis il y eut le bruit d'une porte qui se ferme.

Les yeux ronds, Julia se tourna vers son compagnon.

— Mais enfin, Michael, ils sont divorcés depuis trois mois ! Qu'est-ce que c'est que cette histoire ?

Il eut un rapide sourire.

— Cette histoire ? Je dirais qu'il s'agit peut-être du début d'un nouveau chapitre. Pourquoi pas ?

— Mais, d'après Lianne et Gabe, ils ont passé une année entière à se rendre mutuellement la vie impossible ! Ils n'ont pas arrêté de se torturer, de se dire des horreurs !

Le sourire de Michael se teinta de cynisme.

— Ma foi... Concluons que l'on peut s'aimer et se faire beaucoup de mal quand même. C'est beau l'amour, non ?

6.

Jeffrey tenta de se raisonner en grimpant l'escalier. D'accord : il montait se coucher avec son ex-femme sous le regard mi-sidéré mi-complice de deux jeunes gens qui avaient l'âge de ses enfants. Mais était-ce une raison pour rentrer la tête dans les épaules comme s'il venait d'être surpris à fureter dans le sex-shop du coin ? D'un point de vue rationnel, il voyait bien le côté désopilant de son aventure. Qu'un homme de son âge puisse se sentir aussi embarrassé à l'idée de partager la chambre d'une femme qui avait été la sienne pendant plus de trente ans relevait sans doute du registre comique, mais il était beaucoup trop impliqué sur le plan émotionnel pour apprécier l'humour de la situation. En vérité, toutes ses pensées tournaient autour de cette réalité hallucinante : Grace avait accepté publiquement de passer la nuit avec lui. Cette évolution inattendue le laissait déchiré entre le désir, l'espoir, l'attente et un sentiment de pure panique. Jusqu'à présent, il avait compromis chacune de leurs tentatives de réconciliation par son attitude stupide. Et si, cette nuit, il trouvait le moyen de tout gâcher une fois de plus ? Inutile de préciser qu'il n'avait préparé aucun stratagème un tant soit peu élaboré pour reconquérir le cœur de Grace. La seule stratégie qui lui venait à l'esprit était d'une pauvreté accablante : lui avouer qu'il l'aimait toujours et la supplier de lui pardonner. Mais il avait la sombre impression que ces aveux ne suffiraient pas à l'amadouer.

Il s'éclaircit la voix et jura tout bas. Bon sang. Grace allait finir par penser qu'il avait un problème de cordes vocales s'il continuait à toussoter comme ça.

— Gabe et Lianne ont fait un beau travail de restauration dans ce cottage, commenta-t-il en s'efforçant de ne pas regarder le lit. Cette chambre a l'air très confortable.

Il posa leurs sacs sur une banquette près de la fenêtre et chercha un endroit où accrocher ses vêtements. Grace étouffa un bâillement, se débarrassa de ses escarpins, et suspendit sa veste en lin sur le dos d'une chaise. Elle se retourna pour lui jeter un regard mi-affectueux mi-ironique. Ce n'était pas tout à fait ce qu'il avait espéré lire dans ses yeux, mais il jugea que cette expression raisonnablement bienveillante constituait déjà un net progrès par rapport à la colère et à la souffrance qu'il n'avait cessé de susciter chez elle au cours des deux années écoulées.

— Briarwood Cottage est une maison adorable, Jeffrey. Par certains aspects, elle me rappelle Kemberly. En version réduite, bien sûr.

Elle ouvrit son sac et en tira une trousse de toilette.

— Le lit n'est pas très grand, n'est-ce pas ? Mais il paraît confortable.

— Très confortable, répliqua Jeffrey avec raideur en songeant qu'il avait largement passé l'âge de rougir à la simple mention du mot « lit ».

Se retenant in extremis de toussoter, il demanda poliment :

— Tu veux passer dans la salle de bains la première ?

Grace s'étira en bâillant de plus belle.

— Non, je te laisse la place. Pendant ce temps, je finirai de défaire mon sac.

Elle avait l'air si peu affectée par l'étrangeté de leur situation ! Comme si c'était la chose la plus naturelle au monde que de se retrouver dans cette situation d'intimité, sur le point de partager un même lit. Une pensée alarmante traversa l'esprit de Jeffrey : et si Grace avait l'intention de dormir paisiblement à son côté, dans une proximité purement fraternelle ? Etait-ce pour cette raison qu'elle ne cessait de bâiller ? Pour lui faire comprendre qu'elle était trop fatiguée pour... ?

Grace lissa les plis de son peignoir de soie et le posa sur le lit.

— Souhaites-tu que je m'occupe également de ton bagage, Jeffrey ?

— Merci, je veux bien, si cela ne te dérange pas, acquiesça-t-il après une légère hésitation en prenant sa trousse de toilette.

Ils se comportaient comme deux étrangers polis, analysa-t-il sombrement en se lavant les dents. Il se passa un coup de peigne et constata avec soulagement que même si ses cheveux grisonnaient désormais aux tempes, il ne s'était pas trop dégarni depuis le départ de Grace. Il s'aspergea de lotion après rasage et s'examina dans le miroir. Par chance, il avait maintenu son rythme de trois séances de squash hebdomadaire, et ses muscles étaient restés d'une fermeté acceptable.

Le déclic survint lorsqu'il se surprit à faire saillir ses biceps devant la glace : Jeffrey recouvra enfin son sens de l'humour. Secouant la tête, il enfila son peignoir. Rien de tel que l'amour pour amener les hommes les plus raisonnables à se comporter comme de parfaits imbéciles.

Il regagna la chambre et s'immobilisa au milieu de la pièce, le souffle coupé à la vue de Grace. Elle s'était installée en tailleur sur le lit, entourée de coussins et d'oreillers, et lisait un magazine. Levant les yeux à son entrée, elle lui sourit, ôta ses lunettes, et les posa sur la table de chevet.

Pendant quelques secondes, il eut la sensation que son cœur avait réellement cessé de battre. Que dirait Grace s'il lui avouait que le spectacle familier qu'elle offrait ainsi, lisant le soir au lit, était de tous celui qui lui avait manqué le plus ?

Une expression préoccupée se peignit sur les traits de Grace.

— Jeffrey ? Que se passe-t-il ? Il y a un problème ?

— Non. Aucun, répondit-il d'une voix altérée. La salle de bains est libre.

— Merci. Mais je crois que je prendrai ma douche plus tard.

Plus tard ? Mais il était déjà 1 heure du matin ! Jeffrey hésita. Il se trouvait à présent face à un choix critique. Devait-il se coucher avec sa robe de chambre ? Ou l'ôter d'un geste désinvolte juste avant de se mettre au lit ? Dans les circonstances normales de la vie, il se flattait d'avoir un savoir-vivre irréprochable. Mais en matière de partage de couche avec une ex-épouse, ses notions de ce qui se faisait et ne se faisait pas restaient plutôt floues.

Grace se tourna pour lui faire face.

— J'étais justement en train de penser que nous avions un pari en cours, toi et moi, Jeffrey. Tu t'en souviens ?

S'il s'en souvenait ? Il n'avait pensé à rien d'autre depuis que Grace et lui avaient quitté l'hôpital.

— Mmm... Tu avais misé sur une petite-fille et moi sur un petit-garçon si mes souvenirs sont bons.

— Exact. Autrement dit, j'ai gagné, tu en conviens ? Pendant deux heures, tu devras te mettre entièrement à mon... service.

La façon dont elle prononça le mot « service » était tellement lourde de sous-entendus que Jeffrey manqua s'étrangler.

Avant de divorcer, ils avaient vécu en communauté de biens, si bien que parier de l'argent n'aurait eu aucun sens. Au cours des années, ils avaient donc mis au point un système où leurs mises se chiffraient en heures de « disponibilité ». Le perdant s'engageait à faire tout ce que l'autre lui demandait pendant une durée définie d'avance. C'était ainsi qu'il avait pu exiger de Grace qu'elle regarde un film d'action violent avec lui. Lui-même, en retour, s'était laissé entraîner à une de ces représentations de théâtre d'avant-garde qu'elle adorait et qu'il avait en horreur. Lorsque Grace lui avait assigné comme gage de tailler tous les rosiers de Kemberly, il avait attendu le pari gagnant suivant pour lui confier les comptes mensuels, une tâche qu'elle exécrait. Mais la plupart du temps, leurs paris avaient pris la forme de jeux sensuels, où le perdant se pliait, toujours de bon cœur, aux fantasmes du gagnant. Le plaisir qu'ils tiraient de ces expériences avait toujours été mutuel, si bien qu'une fois la dette payée, il devenait difficile de déterminer qui avait été le payeur et qui le bénéficiaire...

Mais ce soir, les choses ne se passeraient sans doute pas de cette façon. Vu les circonstances, Jeffrey avait de la peine à imaginer que Grace choisirait de réclamer l'acquittement de sa dette sous forme de faveurs au lit...

Elle le dévisagea pensivement.

— Puisque nous voici réunis dans cette chambre, le moment semble choisi pour que je te donne ton gage.

— Euh... oui. Pourquoi pas ? Il faudra bien y passer tôt ou tard.

Elle eut un petit sourire tellement sensuel qu'il sentit son estomac se contracter dangereusement.

— Jusqu'à 3 heures du matin, donc, tu t'engages à faire tout ce que je te dirai ?

Il glissa les mains dans les poches de sa robe de chambre.

— Jusqu'à 3 heures, oui. Mais pas une minute de plus, entendons-nous bien.

Grace se leva.

— Cela va sans dire... Viens ici, Jeffrey.

Tenté de la renverser sur le lit sans autre forme de procès, il se fit violence pour l'approcher calmement.

— Gracie, chuchota-t-il en lui ouvrant les bras. Oh, Gracie... Tu m'as tellement manqué !

Elle se rejeta en arrière, échappant in extremis à son étreinte.

— Aurais-tu oublié les consignes qui s'appliquent au perdant, Jeffrey ? Tu n'es pas autorisé à dire un mot. C'est la règle.

Il prit une brève inspiration.

— O.K.

— Quand je dis, pas un mot, c'est pas un mot, le reprit-elle sévèrement.

Curieux de ce qui allait suivre, il acquiesça d'un signe de tête.

— La deuxième règle, c'est que tu ne bouges que si je t'en donne la permission. Et je compte sur toi pour jouer le jeu, d'accord ?

Jeffrey voulut demander ce qui se passerait s'il transgressait ces interdits. Mais la main de Grace se posa sur sa joue en une lente et intime caresse et il décida de se taire dans un premier temps. Les doigts de Grace vinrent se poser sur ses lèvres où ils hésitèrent un instant. Lorsqu'elle glissa son index dans sa bouche, il lutta stoïquement pour rester passif sous la torture. Mais si elle continuait sur ce mode, la limite de ses capacités serait vite atteinte.

Après avoir fait aller et venir doucement son doigt contre sa langue, Grace abandonna ce premier angle d'attaque et entreprit de lui passer doucement les mains sur la poitrine en s'attardant au niveau de la ceinture de sa robe de chambre.

— Y a-t-il quelque chose que tu aimerais que je te fasse, Jeffrey ? s'enquit-elle d'une voix douce comme de la soie.

Il ferma les yeux, serra les poings et réussit à garder le silence.

— Mmm... J'apprécie tes efforts pour respecter les

règles que je t'ai fixées, commenta-t-elle en abandonnant sa tête contre sa poitrine.

Là, ce fut plus fort que lui : il l'entoura de ses bras, une main sur ses hanches et l'autre enfouie dans ses cheveux. Pendant quelques délicieuses secondes, elle l'autorisa à la serrer ainsi contre lui. Puis elle regarda sa montre.

— Quatre minutes, Jeffrey... Tu as toujours eu du mal à honorer tes dettes envers moi, mais là tu dépasses toute mesure.

Il faillit lui répondre qu'il était homme et non pas pierre. Et que c'était déjà un miracle qu'il ait tenu quatre minutes sans se jeter sur elle comme le dernier des sauvages. Grace sourit comme si elle avait deviné ce qu'il avait réussi à taire. Déposant un baiser léger sur son torse, elle s'éloigna pour s'immobiliser au milieu de la pièce. Faisant mine de ne pas remarquer le regard fasciné qu'il tenait rivé sur elle, Grace défit la ceinture de cuir de son pantalon avec des gestes que n'aurait pas désavoués une strip-teaseuse professionnelle. Jeffrey sentit sa température corporelle s'élever de quelques degrés supplémentaires. Si elle espérait le punir ainsi, elle se trompait de tactique. C'était un véritable tourment qu'elle lui infligeait, certes, mais certains tourments pouvaient être divins...

Grace chercha son regard et une lueur malicieuse brilla dans ses yeux. Elle était manifestement ravie de l'effet qu'elle exerçait sur lui. Se dégrafant d'un geste précis, elle se débarrassa de son pantalon avec un mouvement d'ondulation des hanches qui le laissa à court de souffle. Deux vérités s'imposèrent alors à l'esprit de Jeffrey : premièrement, il ne résisterait pas à ce stupide pari deux minutes de plus ; deuxièmement, pour une femme encore déterminée à divorcer de lui trois mois plus tôt, Grace n'affichait pas un comportement trop farouche.

Ce petit jeu avait assez duré ! Grace était la femme qu'il aimait, qu'il aimerait sa vie durant. Et cette phase de sombre abstinence devait cesser. Il la désirait si éperdument qu'il la rejoignit, l'enveloppa dans ses bras et l'embrassa dans un débordement immodéré de passion.

Une joie sauvage dilata le cœur de Jeffrey lorsqu'elle lui rendit son baiser avec une ardeur égale à la sienne. Elle frottait contre le sien son corps encore merveilleusement élancé et souple et gémissait son nom de cette voix douce, rauque et émouvante qu'elle n'avait que dans l'amour et qu'il avait craint de ne plus jamais entendre. Nouant les bras autour de lui, elle lui caressa les épaules et enlaça ses doigts aux siens pour l'entraîner jusqu'au lit.

Jeffrey, cette fois, n'eut aucune difficulté à lui laisser prendre les commandes. Il tomba à la renverse sur le matelas, sans lâcher Grace qui se retrouva allongée sur lui. Quelques baisers plus tard, il voulut basculer pour inverser leurs positions, mais il s'aperçut avec stupéfaction qu'il ne pouvait bouger son bras droit. Grace roula sur le côté et il se redressa tant bien que mal en position assise. Stupéfait, il constata qu'elle lui avait fixé des menottes au poignet pour l'attacher au montant du lit !

— Hé ! Mais qu'est-ce que ça veut dire ? s'exclama-t-il, incrédule, en reconnaissant le bracelet en métal doublé de velours qui avait servi à Grace lors de la livraison des bijoux.

Elle eut un sourire malicieux.

— Franchement, Jeffrey, tu exagères. Tu avais promis de garder le silence pendant deux heures. Et maintenant, tu ne parles pas, tu cries !

— Il y a tout de même des limites à ce que je peux accepter d'endurer ! rugit-il.

— Pourquoi ? Tu as enfreint mes règles, donc j'ai sévi. Tu sais que je prends toujours nos paris très au sérieux.

Ce qu'il ne fallait pas entendre !

— Mais bon sang, Grace ! Tu me prends pour quoi, au juste ? Pour un saint ? Combien de temps crois-tu que j'aurais pu tenir ainsi à te regarder te tortiller devant moi ? Je suis un homme, merde ! Pas un bloc de marbre !

Grace ne parut pas le moins du monde repentante.

— J'espère que Gabe et Lianne ont prévu une bonne isolation phonique pour cette chambre. Michael et Julia risquent de penser que nous avons une relation pour le moins bizarre.

— Ils n'auraient pas tort. Notre relation n'est pas seulement bizarre, elle est absurde ! Allons, Grace, tu ne crois pas que cette plaisanterie a assez duré ? Détache-moi, et vite !

Grace croisa les bras sur la poitrine.

— Non, répondit-elle froidement.

Il tenta de lui attraper une cheville mais elle fut plus rapide que lui.

— Non, sérieusement, c'est de la folie furieuse ! vociféra-t-il en luttant vainement pour maîtriser son exaspération. Si tu n'as pas envie de faire l'amour avec moi, Grace, tu n'es pas obligée de me ligoter comme un chien ! Tu n'as qu'un mot à dire et je te laisserai tranquille. Je serais déçu, bien sûr, mais je suis encore capable de maîtriser mes pulsions. Pour l'amour du ciel, que crois-tu que je sois devenu ? Une espèce de monstre ?

— Je ne crois pas que tu sois devenu quoi que ce soit, Jeffrey. J'ai plutôt l'impression que tu es ce que tu as toujours été : un homme fier et entêté.

Il explosa :

— Je ne suis absolument pas entêté. Et qui te dit que la fierté est nécessairement un défaut ?

Obéissant à un élan instinctif, il voulut saisir Grace dans ses bras, mais les menottes arrêtèrent son mouvement. Il jura copieusement.

— Bon, très bien, s'il faut supplier, supplions : Grace, s'il te plaît, libère-moi de ce truc-là.

— Si j'accepte, essayeras-tu de me faire l'amour ?

Il hésita.

— Non. Je t'ai déjà dit que non. Pas contre ta volonté, en tout cas.

Elle fit osciller sous son nez la petite clé en métal qui pendait au bout de sa chaîne en argent.

— Je ne sais pas quelle sera ma volonté. Cela dépend, en fait.

— De quoi ?

— A ton avis ? De toi, Jeffrey DeWilde. Uniquement de toi. As-tu idée au moins des souffrances que tu m'as infligées au cours des dix-neuf derniers mois ? Commences-tu à prendre la mesure du mal que tu m'as fait ?

Jeffrey n'eut pas besoin de réfléchir à sa réponse.

— Je mesure d'autant mieux le mal que je t'ai fait, Grace, que cette souffrance se retournait chaque fois contre moi avec une égale intensité. S'il y avait moyen de récrire le passé, je serais prêt à donner tout ce que j'ai pour revenir en arrière et rectifier mes erreurs. Mais c'est hélas impossible. Je peux seulement te dire à quel point je regrette mon comportement et te demander de me pardonner d'avoir fichu notre mariage en l'air.

Suspendue au doigt de Grace, la clé se balançait toujours, décrivant un mouvement régulier.

— Je t'ai quitté et non pas l'inverse. C'est moi qui suis partie à San Francisco.

— C'est l'impression que nous avons pu donner de l'extérieur. Mais nous savons l'un et l'autre que ce n'est pas toi qui m'as abandonné, Grace. Je te rendais la vie infernale et tu as fini par craquer.

— Il y a encore six mois, je crois que j'aurais donné ma vie pour t'entendre prononcer ces paroles, Jeffrey. Mais, aujourd'hui, exprimer des regrets ne suffit plus.

Accablé, il ferma les yeux. Sa réaction lui faisait mal, mais il ne pouvait lui en vouloir de son intransigeance.

— Ne suffit plus à quoi ? demanda-t-il d'une voix sourde.

— A reconstruire un avenir. Pour toi. Pour moi.

Il nota que Grace tremblait. Le cœur battant, il comprit

qu'elle était beaucoup moins sûre d'elle qu'il n'avait pu le croire jusque-là.

— O.K., Jeffrey, nous arrivons à la question cruciale. Je suis prête à te la poser ce soir. C'est la première fois, ce sera aussi la dernière. Alors maintenant, voici : allons-nous passer le reste de nos vies ensemble ou séparés ?

— Je n'en peux plus de cette existence sans toi, admit-il, tête basse, en se raccrochant au faible espoir qu'il existait peut-être encore un moyen pour lui de se racheter. Bon sang, Gracie, je n'ai pas d'autre souhait que de te retrouver, te chérir de nouveau, reprendre la vie commune avec toi.

— Tu voudrais que nous nous mariions de nouveau. C'est ce que tu es en train de me dire ?

Que Grace soit sienne de nouveau, lui passer une alliance symbolique au doigt... Encore une fois, Jeffrey ferma les yeux. Son désir d'une réconciliation définitive était si intense qu'il osait à peine le formuler.

— Oui, finit-il par murmurer.

— Pourquoi ? demanda-t-elle d'une voix tremblante. Il faut me dire pour quelle raison tu souhaites m'épouser de nouveau, Jeffrey. J'ai besoin d'entendre les mots.

Grace le connaissait trop bien. Elle savait à quel point il avait toujours eu du mal à exprimer ce qu'il éprouvait, à montrer sa vulnérabilité au risque d'être rejeté par la personne qui comptait le plus pour lui au monde. Elle savait qu'il aurait été infiniment plus simple pour lui de lui faire passionnément l'amour, puis de reprendre le cours de leur relation en gardant un silence pudique sur son amour, ses regrets, son besoin d'elle.

Ce que Grace ignorait, en revanche, c'est qu'il avait évolué au cours des mois écoulés. La souffrance avait été son lot quotidien et, émotionnellement, il était ressorti grandi de l'épreuve. Une des principales leçons qu'il avait apprises était que l'amour, librement offert, ne se donnait jamais en pure perte. Même si Grace rejetait le sien, ce serait une délivrance intérieure pour lui d'en faire l'aveu.

Il la regarda dans les yeux et les mots venus du cœur jaillirent d'eux-mêmes :

— Si je veux t'épouser de nouveau, c'est tout simplement parce que je t'aime. Tu es mon émerveillement et ma joie. Tu es l'amie, la sœur, l'amante et la meilleure part de moi-même. Je ne mérite pas ton pardon mais si tu acceptes d'être de nouveau ma femme, Grace, mon amour, ce serait le plus magnifique cadeau que la vie puisse encore m'accorder.

A sa profonde consternation, Grace fondit en larmes.

— Gracie, non. Je t'en supplie, mon cœur, ne pleure pas ! Je ne voulais pas te faire de la peine. Si tu n'as pas envie de te remarier avec moi, rien ne t'y oblige.

Il réussit tant bien que mal à se mettre à genoux et découvrit qu'en étirant son bras gauche au maximum, il parvenait tout juste à lui effleurer les joues. Il tenta d'endiguer le flot de larmes.

— Gracie, ma chérie, ne sois pas triste. Ne me dis pas que je t'ai encore fait souffrir, je ne pourrais pas le supporter.

Elle lui prit la main et appuya sa joue au creux de sa paume.

— Tu ne me fais pas souffrir, idiot... Oh, Jeffrey, aurais-tu déjà oublié qui je suis ? Je pleure toujours lorsque je suis heureuse.

« Heureuse » ? Elle était heureuse ! Un tel soulagement l'envahit qu'il resta un instant sans force.

— Tu pleures peut-être lorsque tu es heureuse, mais tu pleures aussi lorsque tu es triste ou désespérée. Comment sommes-nous censés faire la différence, pauvres mâles simplistes que nous sommes ?

Grace tira un mouchoir en papier de la boîte placée sur la table de chevet.

— Je ne sais pas, Jeffrey. Pour les femmes, ces

nuances-là coulent de source, alors qu'il vous faudrait toujours un mode d'emploi pour tout. Je...

Elle s'interrompit net.

— Hé, mais, Jeffrey ! Qu'est-ce que tu fabriques ?

— A ton avis ? Je me débarrasse de ces fichues menottes, bien sûr, annonça-t-il triomphalement en brandissant la clé qu'il lui avait dérobée.

Grace se précipita sur lui pour tenter de reprendre son bien.

— Jeffrey DeWilde, crois-tu que ce soit une attitude digne d'un gentleman de m'enlever subrepticement cette clé alors que tu faisais mine de me consoler ?

Comme elle tentait de lutter, il se laissa basculer en arrière sous son poids, si bien qu'elle se retrouva allongée de tout son long sur lui.

— Gracie, ma chérie, ce n'était peut-être pas tout à fait digne d'une dame non plus de m'enchaîner en douce à ce montant de lit, lui murmura-t-il à l'oreille.

Il la sentit frissonner contre lui. Elle se débattit un peu pour la forme, mais sans faire le moindre effort pour échapper à son étreinte. Jeffrey la saisit fermement dans ses bras, roula sur le côté et réussit à l'immobiliser sous lui.

— Aurais-tu, par hasard, l'intention d'abuser de moi, Jeffrey ? demanda-t-elle, haletante.

Plongeant son regard dans le sien, il lui sourit.

— La ferme intention, oui.

Nouant les doigts dans sa nuque, elle attira sa bouche contre la sienne et chuchota contre ses lèvres.

— Ah, quand même... Il était temps !

7.

Julia dormit d'une traite jusqu'au lendemain matin. Réveillée par les neuf coups sonnant au clocher de l'église toute proche, elle se passa rapidement la brosse dans les cheveux, enfila un peignoir et descendit dans la cuisine. Une agréable odeur de café frais embaumait la pièce. Michael griffonnait des annotations sur un dossier, un journal encore plié posé à côté de lui. Des tableaux, des organigrammes et des comptes rendus jonchaient la table.

Elle le salua d'un sourire en se versant un café.

— Déjà au travail, un dimanche matin ?

Michael frotta son menton hérissé d'une barbe d'un jour.

— Autant tirer le meilleur parti de mes insomnies. J'ai ouvert un œil à 5 heures et après cela, plus moyen de me rendormir. J'ai un peu de mal avec le décalage horaire, depuis quelque temps.

Il avait le visage ravagé par la fatigue, constata Julia. Elle était prête à parier que son insomnie n'était pas due seulement à une perturbation de ses biorythmes. Ayant elle-même passé une année plutôt difficile, elle identifiait sans mal les symptômes : la vie pour Michael Forrest ne devait pas être tout à fait aussi simple qu'il voulait s'en donner l'air...

— Les insomnies du petit matin sont les plus redoutables, commenta-t-elle d'un ton délibérément léger. Il n'y a rien de pire que de se sentir fatigué, en manque de sommeil, et de ne pas pouvoir se rendormir.

Michael haussa les épaules.

— Les réveils à l'aube sont inévitables lorsqu'on traverse un peu trop fréquemment l'Atlantique. Au bout d'un moment, le corps se met en grève.

— En tout cas, nous sommes aujourd'hui dimanche et je te rappelle que c'est le jour que tu réserves, par principe, à des occupations non-professionnelles, dit Julia en désignant les piles impressionnantes de dossiers qu'il avait entreposées devant lui. Ces plannings et ces schémas ne s'envoleront pas. Tu les retrouveras demain matin.

Michael marmonna quelque chose qui tenait plus du grognement que d'une réponse proprement dite. Mais il fit néanmoins disparaître sa paperasse dans une serviette de cuir. Songeuse, Julia prit place à table et versa une goutte de lait dans son café. Elle s'était réveillée perturbée, ne sachant que penser de ce qui s'était passé entre Michael et elle la veille. Et l'attitude parfaitement neutre qu'il affichait ce matin ne lui était pas d'un grand secours pour clarifier ses positions ! Mais elle savait d'ores et déjà que cette soirée marquerait un tournant dans son existence. Physiquement, la rencontre avait été explosive, bien sûr. Mais il n'y avait pas eu entre eux qu'une simple attirance sensuelle. De fait, Michael l'avait touchée dans tous les sens du terme. Ils avaient réussi à communiquer d'emblée sur un plan profond. Comme s'il y avait eu entre eux une complicité immédiate et secrète, une proximité qui se passait de mots...

Se surprenant à partir dans de dangereuses rêveries, Julia se reprit en main : à présent que « l'épisode Gabe » était enfin clos, il serait absurde de retomber dans une nouvelle passion encore plus dévastatrice. Quant aux baisers qui lui avaient fait si grande impression la veille, que représentaient-ils pour Michael ? Une aventure parmi d'autres ? Une expérience plaisante mais banale, comme il en vivait régulièrement ? Autant se rendre à l'évidence : s'il avait été bouleversé par leurs étreintes, il ne le montrait guère ce matin. Elle réprima un soupir. Il ne lui restait qu'une seule chose à faire : calquer son comportement sur le sien et s'en tenir sagement à une attitude de camaraderie détachée.

— Grace et Jeffrey sont déjà partis pour l'hôpital ? demanda-t-elle en reposant sa tasse.

— Penses-tu, ils ne sont même pas encore levés. Je suppose que leur nuit a dû être passablement mouvementée et qu'ils dorment encore.

— Une nuit mouvementée ? Tu ne crois tout de même pas que... ?

Julia s'interrompit en voyant le sourire amusé de Michael.

— O.K., O.K., oublie cette question. S'ils ont partagé une même chambre, ce n'était sûrement pas pour se regarder dans le blanc des yeux, en effet. Mais quand même... ils sont tout ce qu'il y a de plus officiellement divorcés, non ?

Michael se pencha vers elle et chuchota avec des airs de conspirateur :

— Autrement dit, ils ont « fauté » ? C'est ça ? Mais, chut... Si tu n'en parles à personne, je serai muet comme la tombe de mon côté.

Julia se mit à rire.

— J'avoue que je suis tombée des nues lorsque tu leur as proposé de prendre la chambre de Gabe et de Lianne. Comment as-tu deviné qu'ils avaient envie de passer la nuit ensemble ?

— Oh, je n'ai pas eu besoin de consulter ma boule en cristal. Il suffisait de les voir pour comprendre.

— Mais ils ne se regardaient même pas !

— Justement. C'était un signe.

Julia secoua la tête.

— Tu sais quoi, Michael ? Je ne comprends vraiment rien à tous ces rebondissements dans la vie de couple de Grace et de Jeffrey. Trente ans de mariage sans histoire et, tout à coup, la belle façade qui paraissait inébranlable se lézarde, se fissure et, finalement s'effondre. On les considérait comme un couple modèle et, brusquement, c'est la guerre ouverte chez les DeWilde : ils s'entre-déchirent et se rendent coup sur coup. Les choses s'enveniment à un point tel que le divorce devient la seule solution acceptable. Et voilà qu'hier soir, ils débarquent ici comme deux adolescents timides qui rêvent de faire l'amour ensemble, mais n'osent franchir le pas. Tu trouves que ça tient debout, toi ?

— Qu'est-ce qui te fait penser qu'une attirance sexuelle entre un homme et une femme doive nécessairement relever d'une logique quelconque ?

Vu comme elle avait réagi dans les bras de Michael la veille, Julia reconnut que la question méritait d'être posée. Mais tout de même...

— S'ils avaient l'âge de mes élèves, je pourrais comprendre qu'ils se montrent tâtonnants, indécis, irrationnels. Mais Grace et Jeffrey ont passé plus de la moitié de leur vie ensemble. Il me semble qu'ils ont eu largement le temps de mettre leur amour à l'épreuve, non ?

Michael se leva pour leur resservir un café.

— Avec des enfants devenus adultes, un couple aborde un tournant difficile. Et il arrive qu'une spirale négative s'installe. Lorsque ça devient vraiment trop difficile, une phase de séparation peut devenir nécessaire. Ne serait-ce que pour prendre du champ et réviser un peu les perspectives.

Julia hocha pensivement la tête.

— Ce qui me sidère le plus, au fond, c'est que Jeffrey et Grace aient une relation aussi... torride. Vus de l'extérieurs, ils avaient l'air de fonctionner si paisiblement. Et regarde Jeffrey ! Il est si calme et pondéré, avec cet humour extraordinairement sec et incisif. J'ai toutes les peines du monde à concevoir qu'un homme comme lui puisse perdre le contrôle d'une situation au point de tomber dans des règlements de compte passionnels.

Michael repoussa son journal d'un geste brusque.

— Méfie-toi de l'eau qui dort, Julia. Tu veux que je te donne un conseil ? Sois prudente avec les hommes qui cachent leurs sentiments sous une façade trop policée. Ce sont parfois des émotions violentes qui se dissimulent sous des dehors parfaitement maîtrisés.

Michael était bien placé pour en parler, car Jeffrey et lui avaient des personnalités très proches. Julia fut étonnée d'avoir mis si longtemps à le comprendre. Michael était moins courtois, plus cynique que Jeffrey DeWilde. Il était plus provocant et moins retranché dans sa dignité, mais ils jouaient l'un et l'autre le même jeu. Michael avait appris à se protéger des médias, non pas en les fuyant, mais en offrant une image délibérément fausse de lui-même. Jusqu'alors, elle n'avait connu que le personnage public : brillant, superficiel et cynique. Mais depuis qu'il lui avait laissé entrevoir certaines facettes de sa véritable personnalité, elle brûlait de curiosité d'en apprendre plus sur ses blessures secrètes. Cédant à la tentation, elle le regarda droit dans les yeux.

— S'agit-il d'une mise en garde, Michael ? Tu te considères comme de « l'eau qui dort », toi aussi ?

Il laissa passer une fraction de seconde de silence et elle comprit qu'il ne se laisserait pas aller à de nouvelles confidences. Pas dans un premier temps, en tout cas.

— Pourquoi cette question ? Je croyais que nous parlions de Jeffrey DeWilde ?

Avec un art consommé de l'esquive, il enchaîna aussitôt sur l'une de ses éternelles anecdotes :

— Je crois que j'ai été un des rares à ne pas tomber des nues lorsque Grace et Jeffrey se sont séparés.

Lorsqu'on travaille comme moi dans l'hôtellerie, on découvre que l'être humain reste à jamais imprévisible. Dans notre hôtel de Chicago, s'est tenue récemment une réception de mariage. La mariée avait soixante-dix-huit ans et le marié soixante-quinze. Leur divorce le plus récent a duré six ans et c'était la troisième fois qu'ils se juraient amour et fidélité.

— Et chaque fois avec le même partenaire ?

— Tout à fait. Je suis d'autant mieux placé pour le savoir qu'ils se sont mariés chez nous les trois fois. Je crois qu'à la quatrième, je leur ferai cadeau du champagne. Une telle fidélité mérite récompense.

Julia secoua la tête.

— Honte à toi, Michael, pour tes pronostics pessimistes ! On dit toujours que la troisième fois est la bonne, non ?

— Espérons-le. De fait, le marié semble confiant en l'avenir. Il est venu bavarder un moment avec moi au moment de régler l'addition et il m'a expliqué que leur différence d'âge avait toujours posé problème mais qu'ils estimaient avoir définitivement surmonté l'obstacle.

— A soixante-dix et quelques années ? Il était temps !

Michael sourit.

— L'une de mes grands-mères, une immigrante polonaise, avait coutume de philosopher à coup de maximes et de proverbes. Elle en avait une incroyable quantité en réserve. Un de ses adages préférés était que l'homme vieillit trop vite et atteint trop lentement la sagesse. Elle n'avait pas tout à fait tort, si ?

— O.K., Michael, tu as gagné, admit Julia en riant. J'ai eu tort de décréter que les DeWilde devraient être parfaitement au clair sur eux-mêmes sous prétexte qu'ils ont trente malheureuses années de mariage derrière eux. Vu sous cet angle, il leur reste encore un bon quart de siècle pour s'assurer qu'ils sont vraiment faits l'un pour l'autre.

Michael prit le stylo en or qu'il avait fait rouler distraitement sous ses doigts et le rangea dans sa serviette.

— Parlant de Grace et de Jeffrey... Ils seraient peut-être heureux d'avoir la maison pour eux seuls, vu les circonstances. Je crois qu'ils étaient passablement gênés par la situation hier soir. Je te propose donc de libérer les lieux et de filer à Winchester pour rendre une petite visite à nos deux jeunes parents et à Mlle Elisabeth Gabrielle.

— Excellente idée. Nous pouvons laisser un petit mot à Grace et à Jeffrey pour qu'ils ne se demandent pas où nous sommes passés.

Julia sourit à Michael. Malgré les sentiments compliqués qu'il lui inspirait, elle se sentait le cœur léger. Il y avait longtemps qu'elle n'avait pas attaqué une nouvelle journée avec autant d'enthousiasme. Pendant quelques secondes, Michael la fixa en silence. Puis il se leva d'un mouvement brusque, comme s'il avait hâte soudain de prendre un peu de distances.

— Je monte remettre de l'ordre dans les chambres. Tu t'occupes de la cuisine, O.K. ?

— Pas de problème.

— Parfait, acquiesça-t-il en lui tournant résolument le dos pour se diriger vers l'escalier. On s'arrange pour partir dans une demi-heure...

Ayant vu ses parents se persécuter mutuellement toute leur vie durant, Michael ne tenait pas l'institution du mariage en haute estime. Il n'avait jamais adhéré à l'opinion, encore très répandue dans certains milieux, que rester ensemble envers et contre tout était un choix plus responsable qu'une séparation en cas d'échec. Quant aux relations passionnelles, il en était revenu également. Depuis son expérience avec Cherie Lockwood, il estimait que l'humanité avait tout à envier aux amibes et qu'il était grand temps que l'homme apprenne à se reproduire autrement qu'en suivant les voies traditionnelles.

Le prix à payer pour une relation dite « amoureuse » était infiniment plus élevé que les maigres avantages que l'on pouvait en retirer. C'est du moins ce qu'il avait compris après la naissance de Storm. Fort de cette leçon, il avait pris soin, au cours des trois années écoulées, d'éviter l'attachement sous toutes ses formes. Il ne menait pas la vie décousue que lui attribuait la presse à scandale, mais lorsqu'il choisissait une compagne occasionnelle, il vérifiait toujours au préalable qu'elle n'attendait rien de plus de lui que le peu qu'il avait à lui donner. En matière de relations homme/femme, il optait désormais pour des contrats brefs, superficiels, et clairement énoncés. Pour se garantir de toute mauvaise surprise, la formule était imparable.

L'ennui, c'est qu'avec Julia Dutton, la tentation de renoncer à ses principes devenait plus forte d'heure en heure. Si seulement il parvenait à comprendre pourquoi la sensualité naïve de la jeune femme lui titillait la libido de façon aussi insistante !

L'idée qu'il puisse être devenu blasé au point d'avoir besoin d'innocence pour réveiller ses appétits fatigués le désolait. Ce serait la porte ouverte aux pires complications. Il ne pouvait décemment se permettre d'avoir une brève aventure avec une fille comme Julia Dutton. Elle était trop fraîche, trop délicieusement simple pour comprendre à quel genre d'individu elle avait affaire. Du reste, l'idée de la faire souffrir lui était insupportable.

Sourcils froncés, Michael reprit le volant de sa voiture. Il était dans un état d'esprit bizarre depuis l'arrivée de Julia à Briarwood Cottage, la veille. Quant à sa visite à la maternité, elle l'avait troublé à un degré qui confinait à l'absurdité. Voir la petite Elisabeth dans son berceau avait réveillé des souvenirs de Storm qu'il aurait préféré laisser en sommeil. Autant le reconnaître : il avait été pris d'un véritable accès de sentimentalisme. Ce qui paraissait plutôt étrange pour un homme fermement décidé à ne pas imposer sa progéniture à une planète déjà surpeuplée.

— La petite est adorable, non ?

Avec un sourire radieux, Julia prit place à côté de lui. Michael ne put s'empêcher de tourner la tête dans sa direction. Elle avait les joues légèrement rosies par l'émotion ; une joie sans mélange brillait dans ses yeux, et le soleil allumait des reflets de cuivre dans ses cheveux. Il sentit une tension caractéristique au creux de ses reins et jura intérieurement. Cette fille était vraiment la tentation personnifiée.

Julia lui paraissait d'autant plus fascinante qu'elle ne semblait pas se rendre compte de l'effet qu'elle produisait sur lui. Il la regarda repousser en arrière les cheveux qui lui tombaient sur les yeux et ajuster sa ceinture de sécurité. Dès leur première rencontre, il avait remarqué que la compagnie de Julia exerçait sur lui un effet incroyablement calmant. Elle ne faisait pas partie de ces personnes agitées, continuellement en représentation, qui avaient toujours besoin de tripoter quelque chose ou d'attirer l'attention sur elles. Sitôt installée, elle laissa reposer ses mains fines sur ses genoux et lui dédia un second sourire.

— Je suis du même avis que Grace, pas toi ? Je trouve qu'Elisabeth tient de son père. Et tu as vu ses doigts minuscules ? Les mains des nouveau-nés me font toujours craquer.

Un soupçon de nostalgie perçait dans sa voix et il avait une furieuse envie de l'embrasser. S'il n'avait écouté que ses bas instincts, il se serait arrêté devant le premier hôtel, pour la séquestrer dans une chambre avec un lit géant et un service d'étage assuré vingt-quatre heures sur vingt-quatre. Le pire, c'est qu'une certaine tendresse venait désormais se mêler à ce qui n'avait été au début qu'une attirance sexuelle. Le sentiment lui était à ce point étranger qu'il se pencha pour régler la ventilation afin d'éviter de lui rendre son sourire.

— Lianne avait l'air plutôt en forme, non ? demanda-t-il, bien décidé à ramener la conversation sur un terrain moins sensible.

— Oui, elle paraît se remettre très vite. Et Gabe est redevenu à peu près normal, par chance.

Michael haussa un sourcil.

— Relativement. Il a tout de même passé dix minutes à essayer de définir avec Lianne s'il était préférable d'inscrire Elisabeth à Harvard ou à Oxford. Cette pauvre gamine n'a même pas encore eu le temps d'ouvrir les yeux sur le monde qui l'entoure qu'ils sont déjà en train de parler de ses études universitaires.

Julia éclata de rire.

— Tu oublies à quel point notre filleule est précoce. D'après Lianne, elle sourit déjà, rappelle-toi.

— Mmm... Je n'avais pas entendu cette perle. Elle a dû la laisser échapper au moment où Gabe m'expliquait avec le plus grand sérieux que sa fille reconnaissait déjà le son de sa voix.

— Et qu'est-ce qui te prouve que ce n'est pas le cas, vieux grognon cynique ? répliqua Julia en lui tapotant le genou.

Tenté de lui prendre la main et de la remonter le long de sa cuisse, Michael agrippa le volant avec force.

— Tu as raison. Je suis toujours d'une humeur de chien lorsque la faim me tenaille.

— On le serait à moins. Tu n'as rien avalé depuis le sandwich d'hier soir. Arrêtons-nous pour déjeuner quelque part. Je crois qu'il y a un restaurant correct pas trop loin de l'autoroute.

Michael songea qu'il avait suffisamment de documents à faxer pour s'occuper jusqu'au soir. Sans parler des trois heures qu'il avait prévu de passer à plancher avec Clive Browne. Mais à quoi bon perdre du temps à faire semblant d'hésiter alors que sa décision était prise ? La veille déjà, il avait formé le projet de conduire Julia à Ashby Hall.

— Il y a un endroit où j'aimerais t'emmener déjeuner. Mais cela nous obligerait à faire un détour. Tu es pressée de rentrer à Londres ?

— Pas spécialement. Je n'ai aucun projet pour ce soir et ma journée de cours ne débute qu'à 10 heures demain matin.

— Parfait.

Michael fit demi-tour sur place, négocia un rond-point et prit la direction de Weyhill.

— Où m'emmènes-tu, comme ça ? demanda Julia. Enfin... je pose la question, mais, au fond, peu m'importe. Il fait tellement beau que n'importe quel coin de campagne fera mon bonheur.

— Je te conduis à Ashby Hall. C'est à une vingtaine de kilomètres d'ici environ.

— C'est un restaurant ?

— Mieux que cela. Il s'agit d'un manoir du XVIIIe siècle reconverti en hôtel.

— Un manoir ? Génial ! J'ai un faible marqué pour les vieilles pierres. Comment en as-tu entendu parler ? Apparemment, c'est perdu en rase campagne.

— C'est Grace qui m'a fait connaître Ashby Hall, il y a quelques années. Les jardins d'Ashby sont très connus des amateurs de roses, et elle voulait admirer une variété très rare et très ancienne dont j'ai oublié le nom depuis. Elle espérait en obtenir un pied pour les jardins de Kemberly.

— Ils le lui ont donné ?

— Pas tout de suite, non. Mais ils l'ont jugée digne d'être placée sur liste d'attente. Ce qui, d'après Grace, constitue un honneur insigne.

— C'est rare que l'on cultive des roses aussi précieuses dans un hôtel, non ?

— Oh, il n'y a pas que la roseraie à Ashby Hall. Tu verras, une fois sur place. Je suis persuadé que tu vas adorer les jardins. Quant au manoir proprement dit, il a également une histoire. Son premier propriétaire, un lord, n'a pas eu d'enfants ; la propriété est donc revenue à un neveu qui, resté lui-même sans descendance, l'a léguée à un cousin. Lequel cousin n'a pas eu lui non plus d'héritier... Et comme le phénomène se reproduisait ainsi sur plusieurs générations, la conclusion a été qu'une étrange malédiction pesait sur le lieu. Lorsque le manoir a été mis en vente, en 1860, personne n'en a voulu. Jusqu'au moment où un dénommé Blodget, un industriel enrichi par la fabrication de boîtes en fer blanc, a sauté sur l'aubaine. Il était déjà père de dix enfants, donc j'imagine que le spectre de la stérilité ne l'effrayait pas outre mesure.

Julia rit doucement.

— Blodget ! Quel nom extraordinaire ! Ça me fait penser à un personnage de Dickens. Dis-moi que l'histoire se termine bien et que les dix enfants ne sont pas morts l'un après l'autre d'une maladie mystérieuse !

— Pour autant que je sache, les dix petits Blodget ont vécu des vies longues et heureuses. Mais, il n'y a pas eu, en revanche, de onzième enfant. Même le prolifique Blodget, apparemment, n'a pas réussi à surmonter la « malédiction ». A moins que Madame ait eu tout simplement la sagesse de lui interdire sa chambre à coucher ! Quoi qu'il en soit, notre cher Blodget n'avait pas plus tôt signé l'acte de vente qu'il entreprenait déjà d'apporter des « améliorations » artistiques à sa nouvelle demeure.

— Mmm... Je frémis. Laisse-moi deviner : il a ajouté des fausses tourelles à toutes les cheminées.

Michael sourit.

— Bien sûr. Sans parler de la tour centrale de style gothique, des fausses voûtes du salon, et des vitraux en nombre suffisant pour décorer une cathédrale entière.

— Mon Dieu...

— Attends la suite. Pour parfaire ses aménagements, Blodget a fait venir un artiste d'Italie pour peindre des chérubins sur tous les plafonds ainsi que des paysages chinois sur les battants des portes.

— Il a demandé à un peintre italien d'exécuter des scènes chinoises? demanda Julia en ouvrant de grands yeux.

— Apparemment. Mais à l'époque victorienne, on considérait qu'un étranger en valait un autre, non? Chinois, Italien, quelle différence?

— Aucune, bien sûr. Un mangeur de nouilles en vaut un autre!

Michael se mit à rire et constata qu'il avait ri plus souvent avec Julia en l'espace de vingt-quatre heures qu'avec qui que ce soit d'autre au cours des six mois écoulés.

— Ne soyons quand même pas trop durs avec ce pauvre M.Blodget. Il faut préciser à sa décharge qu'il a remis les canalisations en état et amélioré toutes les installations de plomberie. Il a même fait construire une salle de bains au grenier pour les domestiques. Ce qui était révolutionnaire pour l'époque.

— Rendons hommage à M. Blodget pour sa générosité. Mais il n'en reste pas moins qu'une génération entière semble avoir été brutalement privée de son sens de l'esthétique, à cette époque. Certains aristocrates ont abattu de magnifiques demeures anciennes pour construire de coûteuses monstruosités à leur place.

— Il est vrai que leur attitude confinait au vandalisme, reconnut Michael. Mais heureusement pour la postérité, M. Blodget s'est trouvé à court de fonds avant d'avoir réussi à transformer Ashby Hall en musée des horreurs. Ses descendants ont continué à occuper les lieux jusqu'à la Seconde Guerre mondiale, puis ils ont été obligés de vendre à leur tour et le manoir a été transformé en hôtel.

— Qui a fini par être racheté par un grand groupe hôtelier, je suppose?

— Il y a environ cinq mois, il appartenait toujours à cette même famille qui en avait fait l'acquisition après guerre. L'établissement ne rapportait pas grand-chose, mais le but de ces gens n'était pas de gagner de l'argent. Le jardinage constituait leur seule véritable passion et les quelques clients qu'ils accueillaient leur permettaient de rentrer à peu près dans leurs frais tout en se consacrant à la taille, au marcottage et à la sélection des espèces. L'année dernière, cependant, les trois propriétaires d'origine sont décédés l'un après l'autre et le reste de la famille n'a pas eu le courage de maintenir l'activité. En apprenant qu'Ashby Hall était en vente, j'ai décidé de l'acheter sur un coup de tête.

Julia ouvrit de grands yeux.

— Au nom de la Carlisle Forrest Corporation ?

Il secoua la tête.

— Non. Il s'agit d'une acquisition à titre personnel. Un véritable coup de folie. Remarque que je ne risque pas grand-chose, précisa-t-il avec un sourire lugubre. Dans quinze ans, si tout va bien, je ne devrai plus à la banque qu'un petit million de dollars...

Michael avait pensé que ses projets pour Ashby Hall intéresseraient Julia. Mais il n'en fut pas moins surpris par l'expression presque douloureuse qui se peignit sur ses traits.

— Je t'envie, tu sais. C'est un projet extraordinaire. Redonner vie à un lieu marqué par le passé... Tu dois être fou d'enthousiasme !

Fou d'enthousiasme ? Ce n'était pas le terme qui lui serait venu spontanément à l'esprit. Mais il ressentait en effet une forme d'excitation, même si elle était tempérée par un continuel sentiment de frustration. Son poste de P.-D.G de la chaîne Carlisle Forrest exigeait déjà de lui cinquante heures de travail hebdomadaire en moyenne, ce qui ne lui laissait qu'un minimum de temps à consacrer à Ashby Hall. Pour que son projet hôtelier « décolle », il aurait fallu qu'il passe un mois entier en Angleterre au lieu de faire des sauts de trois jours chaque fois qu'il parvenait à dégager un moment dans son emploi du temps. Mais il avait à peu près autant d'espoir de se libérer pendant un mois entier que de trouver un homme honnête parmi les innombrables amants de sa mère !

— Dans un sens, je suis content, c'est vrai. Mais j'ai surtout une peur bleue.

Ce qui était l'exacte vérité, même s'il ne s'était jamais ouvert de ses craintes à qui que ce soit. Julia avait un talent étonnant pour lui arracher les plus surprenantes confidences.

— Une peur bleue ? Toi ?

La jeune femme paraissait sidérée.

— Si quelqu'un a fait ses preuves dans l'hôtellerie, c'est pourtant bien toi. Tu devrais te sentir comme un poisson dans l'eau, sur ce genre de projet.

— Je me sens plutôt comme quelqu'un qui s'apprête à faire un grand saut dans le vide et qui a de grandes chances de louper son atterrissage.

Julia secoua la tête en souriant.

— Dans ce cas, tu devrais emprunter un parachute à l'une de tes copines top model. Les atterrissages ratés ne sont pas vraiment ton style, Michael Forrest.

Une fois de plus, il se surprit à rire.

— Je ne peux pas me permettre d'échouer, Julia. Or je prends des risques énormes.

— Tu as déjà su mettre au point une stratégie gagnante. Si ça a marché une fois, pourquoi pas la seconde ?

Michael soupira.

— J'étais jeune et inconscient lorsque j'ai pris la direction de Carlisle Forrest. Je ne mesurais pas vraiment les difficultés et j'ai foncé tête baissée. Mais avec l'âge, je suis devenu moins naïf et je sais à quoi je m'expose. L'industrie hôtelière est une communauté finalement assez restreinte. Si j'échoue sur le projet Ashby Hall, ça se saura très vite. Et les rumeurs négatives ne m'affecteront pas seulement sur le plan personnel. Elles risquent de remettre en question mon statut de P.-D.G. Les actionnaires de Carlisle Forrest m'attendent au tournant. Au premier signe de faiblesse de ma part, ils ne se priveront pas d'exprimer leurs doutes au sujet de mes compétences et d'exiger ma démission.

— Mais c'est absurde ! Sur quoi s'appuieraient-ils pour critiquer ta gestion ? Tout le monde s'accorde à dire que tu diriges brillamment ta chaîne d'hôtels.

La confiance de Julia était aussi touchante qu'irréaliste.

— On ne dirige pas une grosse société comme Carlisle Forrest sans commettre des erreurs, Julia. Si certains de nos actionnaires décident de me créer des ennuis, ils trouveront toujours quelque chose à me reprocher. Songe que lorsqu'on occupe une position comme la mienne, on est amené à prendre des dizaines et des dizaines de décisions importantes par jour. Ma politique consiste à trancher systématiquement, au risque de commettre des erreurs, plutôt que de laisser les problèmes non résolus en suspens. Mais cela me met en position de vulnérabilité. Certains actionnaires étaient déjà là du temps de mon père, et ils ne demanderont pas mieux que de m'enfoncer s'ils me voient en mauvaise posture.

— Autrement dit, il s'agit réellement pour toi d'une entreprise risquée, conclut Julia pensivement. Cela me fait une raison de plus pour t'envier.

Surpris, Michael quitta la route des yeux pour tourner la tête dans sa direction.

— Pourquoi ?

— Pour la même raison que j'envie Lianne. Vous êtes capables de braver la peur de l'échec en vous lançant à fond dans une voie qui correspond à votre désir profond. Tu es courageux, Michael.

— Entêté plutôt.

Julia sourit.

— O.K. Courageux et entêté, alors. La définition te va ?

— Elle est flatteuse. Merci.

Michael se sentait étrangement rasséréné. Au cours des mois écoulés, le doute l'avait effleuré bien des fois sur le bien-fondé de son entreprise. Mais l'enthousiasme de la jeune femme agissait de façon communicative.

— Pour revenir aux choses sérieuses : si tu es aussi affamée que moi, j'ai une très bonne nouvelle. Nous arrivons à destination.

Il entendit Julia pousser une exclamation admirative lorsqu'ils s'engagèrent dans l'allée ombragée qui menait au manoir, mais elle ne fit aucun commentaire, se contentant de regarder autour d'elle en ouvrant de grands yeux. Sans un mot, elle descendit de voiture et se tourna dans la direction d'où ils étaient venus. Michael la suivit en silence.

— Ce lieu est une merveille, dit-elle enfin. Les marronniers qui bordent l'allée sont vraiment magnifiques. Je n'en avais jamais vu d'aussi hauts.

— Il faut dire qu'ils ne sont pas tout jeunes. Quant aux chênes que tu vois là-bas, ils ne sont pas loin de fêter leur centième anniversaire. Les hêtres pourpres sont plus récents, en revanche. La plupart datent des années cinquante.

— Tu disais que les jardins étaient appréciés par les amateurs de roses, mais je ne m'attendais vraiment pas à quelque chose d'aussi grandiose. Je crois que j'ai rarement vu des aménagements paysagés aussi parfaits.

— Attends d'avoir vu l'étang aux nénuphars. Sans parler de la fameuse roseraie, bien sûr. Comme bien des aristocrates de l'époque, le propriétaire d'origine avait recours aux services de Lancelot « Capability » Brown, le roi du jardin dit « naturel ». Même notre ami Blodget n'a pas eu le cœur de saccager les lieux en les remodelant à sa façon.

— Mais par quel miracle pourras-tu réussir à financer l'entretien des jardins sans que cela pèse trop lourd sur le budget de l'hôtel ?

— C'est une excellente question.

Julia lui jeta un regard inquiet.

— Tu n'as pas l'intention de les laisser à l'abandon, au moins ? Ce serait criminel ! Même si je n'ose demander combien de jardiniers vous devrez embaucher à plein temps pour entretenir une telle surface de terrain.

— Moins qu'on ne pourrait le penser, en fait. Comme le manoir est bâti sur un promontoire, les abords paraissent plus vastes qu'ils ne le sont réellement.

— Mais quand même. Il reste que ce sont des frais supplémentaires à assumer. Je commence à comprendre qu'Ashby Hall représente un défi à tes yeux.

Michael passa le bras autour des épaules de Julia et l'entraîna en direction de l'hôtel.

— Le parc coûte cher mais il constitue également un atout. Ce n'est pas un si mauvais calcul que de chercher à attirer des amateurs de jardins dans un pays comme l'Angleterre. Mais je te parlerai de mes projets plus en détail pendant le déjeuner. Si je ne m'alimente pas rapidement, je vais finir par brouter les delphiniums.

— Alors, mangeons, déclara la jeune femme en riant. Ces massifs sont tellement beaux qu'il serait dommage de les abîmer.

En écoutant les commentaires de Julia sur les détails architecturaux de l'entrée, Michael comprit que Lianne n'avait pas exagéré ses talents. Les connaissances de la jeune femme étaient plus étendues que celles de la plupart des décorateurs professionnels qu'il avait été amené à rencontrer.

Il la regarda se pencher pour respirer le parfum d'un bouquet de roses d'une délicate couleur crème. Julia se redressa, lui sourit en constatant qu'il l'observait, puis alla se placer tranquillement devant la fenêtre pour admirer la vue sur les jardins. Une intense sensation de plaisir envahit soudain Michael. A redécouvrir ainsi Ashby Hall à travers le regard ébloui de Julia, il sentait renaître un enthousiasme oublié. En même temps que le plaisir, un sentiment de détente agréable s'insinuait en lui. Il avait une serviette bourrée de dossiers urgents sous le bras. Quelle importance ? S'il parvenait à faire de Ashby Hall l'hôtel dont il rêvait, il trouverait bien un moyen pour rattraper le temps perdu.

Jane, la réceptionnaire, le salua d'un sourire discret.

— Soyez le bienvenu à Ashby Hall, monsieur Forrest... Je préviens M. Browne de votre arrivée, annonça-t-elle en décrochant son téléphone.

Clive Browne ne les fit pas attendre longtemps. Moins d'une minute plus tard, il s'avançait à leur rencontre. C'était un homme d'une cinquante d'années, trapu, au teint bistre, au crâne légèrement dégarni. Il avait été engagé pour assurer une gérance provisoire, au moment où les précédents propriétaires avaient décidé de vendre. A l'origine, Michael l'avait maintenu à son poste pour la simple raison qu'il ne disposait pas du temps nécessaire pour procéder à un nouveau recrutement. Mais le hasard l'avait bien servi. Clive n'avait pas de diplôme universitaire et n'avait jamais dirigé un grand hôtel, néanmoins, il était l'un des meilleurs directeurs avec qui Michael ait jamais été amené à collaborer.

Clive lui serra la main, cordialement mais sans effusions inutiles.

— Heureux de vous revoir, Michael. Vous n'avez pas eu trop de circulation pour venir de Londres ? Avec ce beau temps, les routes ont tendance à être encombrées le week-end.

— Nous ne sommes pas venus de Londres, en fait. Julia et moi avons passé la nuit à Winchester.

Michael était parfaitement conscient de l'impression qu'il produisait par ces paroles. Et néanmoins, il les avait prononcées. Il nota que Clive jetait un regard intrigué en direction de Julia et en conçut une légère irritation.

Clive, cependant, avait beaucoup trop de tact pour

manifester ouvertement sa curiosité, même si c'était la première fois que Michael se présentait à Ashby Hall avec un ami, homme ou femme. Inclinant poliment la tête en guise de salut à Julia, il désigna du menton la salle de restaurant.

— Je vous ai réservé une table au cas où vous désireriez déjeuner avant de vous mettre au travail.

— Nous allons certainement prendre le temps de nous restaurer. Nous mourons de faim, l'un et l'autre.

Michael passa le bras autour de la taille de Julia et ce geste possessif lui procura une intense satisfaction. Une réaction pour le moins incohérente alors que ses relations avec Julia étaient promises à un avenir incertain...

— Julia, je te présente Clive Browne, le directeur d'Ashby Hall. Clive, voici Julia Dutton.

Il ne fournit pas plus de précision. Essentiellement parce qu'il ne savait quelle étiquette accoler à sa compagne. Une simple connaissance ? Une amie ? La femme qu'il avait envie de mettre dans son lit, mais à qui il n'osait pas faire l'amour ?

— Soyez la bienvenue à Ashby Hall, mademoiselle Dutton, déclara Clive en serrant la main de Julia.

La jeune femme fronça les narines.

— Oh, je vous en prie, appelez-moi Julia, sinon j'aurai l'impression d'être encore en cours avec mes élèves.

— Vous êtes enseignante ? demanda Clive en les escortant jusqu'à la salle de restaurant.

— Je donne des cours de français, à la Kensington Academy de Londres, en effet.

— Au lycée, j'avais toujours des notes désastreuses en français, commenta Clive. Ce qui est étonnant, c'est que lorsque je suis parti travailler deux ans en France, je n'ai eu aucun problème pour apprendre. Et je continue, d'ailleurs, à m'exprimer presque couramment dans cette langue.

Julia leva les yeux au ciel.

— Les langues étrangères sont enseignées de façon désastreuse dans ce pays. Mais ne me lancez pas sur ce sujet, Clive, sinon je vais vous assommer pendant deux heures avec mes théories sur la question.

— Si j'avais eu une enseignante aussi attirante que vous, j'aurais peut-être été un peu plus attentif en classe, répliqua Clive en l'honorant d'un de ses rares sourires. Quoique... rien n'est moins sûr. J'étais un adolescent plutôt pénible. Et maintenant, si vous voulez bien me suivre, je vais vous montrer votre table. J'espère que vous serez satisfait de notre nouvelle décoration, Michael.

— Vous en êtes content, vous, Clive ?

— Plus que content. Quant au restaurant, il commence à attirer une clientèle essentiellement locale. Grâce au bouche à oreille, principalement. Mais c'est la meilleure publicité, bien sûr.

La dernière fois que Michael était venu à Ashby Hall, la « Terrace Room » était encore en pleins travaux. A présent, le triste papier peint datant des années 50 avait été retiré et remplacé par un élégant motif de style Regency, aux rayures bordeaux, or et ivoire. Les chérubins en marbre avaient disparu de la cheminée qui avait retrouvé la belle sobriété de son architecture d'origine, ainsi que les magnifiques panneaux de bois sculpté qui ornaient le dessus du manteau.

Michael examina les lieux en réprimant un sourire. Non seulement la salle ainsi rénovée avait pris beaucoup d'allure, mais elle était comble. Ce qui, de tous les changements, était de loin pour lui le plus agréable ! Une trentaine de personnes au moins se trouvaient assises là pour le déjeuner. Une première victoire, et pas des moindres ! Michael poussa un soupir de soulagement. Il avait pris le pari d'embaucher un jeune chef plein de talent et ce choix avait apparemment été payant.

— C'est encore plus réussi que sur les photos que

vous m'avez envoyées, Clive. Et les parquets sont superbes, ainsi restaurés.

— Je suis content que ça vous plaise.

— Et le chef ? Qu'est-ce qu'il donne ?

— Sur le plan personnel, c'est un ours. J'ai rarement connu quelqu'un d'aussi peu loquace. Mais sa cuisine parle pour lui. Vous avez misé juste, là encore, Michael.

Clive les conduisit à une table placée près des portes-fenêtres donnant sur la terrasse principale. Puis il leur tendit deux menus.

— Je vous envoie un serveur pour prendre la commande. Faites-moi signe, Michael, lorsque vous serez prêt à vous mettre au travail. Je vous attendrai dans mon bureau.

8.

Clive repoussa sa chaise et regarda sa montre.

— Bon sang, Michael, vous avez vu l'heure ? Julia ne me pardonnera jamais de vous avoir retenu aussi longtemps.

— Pardon ?

Michael se détourna à contrecœur du tableau affiché à l'écran et cligna des yeux. La pendule accrochée au-dessus du bureau de Clive affichait 19 h 30. Presque l'heure du dîner !

Il se leva d'un mouvement brusque.

— Sept heures et demie ! Bon sang, Clive, pourquoi ne m'avez-vous rien dit ? Cela fait plus de cinq heures que nous travaillons sans lever le nez de cet écran !

— Je n'ai rien dit pour la bonne raison que je ne m'en suis pas rendu compte moi-même, dit Clive. Désolé, Michael, mais il ne faut pas compter sur moi pour surveiller l'heure une fois que je suis lancé. Deux bourreaux de travail ensemble, ça ne donne jamais rien de bon, croyez-moi.

Michael ferma son programme et éteignit son ordinateur portable. Il se demandait bien comment il allait expliquer à Julia qu'il avait perdu la notion du temps, alors que Clive et lui s'efforçaient de mettre au point une nouvelle stratégie promotionnelle pour Ashby Hall. L'abandonner pendant une heure pour régler quelques détails urgents avec Clive était une chose, et Julia s'était déclarée ravie d'avoir un moment devant elle pour visiter tranquillement les jardins, mais de là à la laisser seule un après-midi entier !

— On s'y remet demain matin à la première heure, proposa-t-il en se tournant vers Clive. Si on résume la situation, le restaurant est le seul point positif dans un tableau d'ensemble plutôt morne, et la moyenne d'occupation des chambres est largement insuffisante. Il faut que nous trouvions un concept de marketing qui nous assurera des réservations régulières toute l'année. Et ce n'est pas gagné d'avance. Ashby Hall n'a ni terrain de golf, ni courts de tennis à proposer. Et nous n'avons malheureusement pas la place d'aménager une salle de conférences. Inutile d'espérer attirer des séminaires.

Clive se frotta le front.

— Je regrette, Michael, mais pour le moment, j'en suis au degré d'inspiration zéro. Peut-être qu'une bonne nuit de sommeil relancera la machine.

Il marqua une légère hésitation.

— Si vous avez l'intention de passer la nuit ici avec Julia, vous aurez l'embarras du choix en ce qui concerne les chambres. Il nous en reste quinze de libres, malheureusement.

— Non, nous filons sur Londres. Mais je serai de retour pour demain matin 7 heures. Ça vous va ?

— Aucun problème, lui assura Clive en se penchant pour récupérer une serviette bourrée à craquer de documents. Par contre, si vous n'avez plus besoin de moi, Michael, il vaudrait mieux que je rentre sans trop tarder pour tenter de négocier un cessez-le-feu avec mon épouse. Je viens de me souvenir que nous avions rendez-vous à 17 heures pour jouer au bridge avec les voisins.

Michael fit la grimace.

— Dans ce cas, il ne me reste plus qu'à vous souhaiter bon courage. J'imagine que vous aurez du mal à vous faire pardonner un oubli aussi grossier.

Il fourra dans une pochette les quelques dossiers sur lesquels il comptait travailler plus tard dans la soirée, une fois qu'il aurait raccompagné Julia chez elle.

— Dites-moi, Clive, comment faites-vous pour concilier une vie de couple avec les horaires que vous vous infligez ? demanda-t-il soudain.

Le sourire qui se dessina sur les lèvres de son directeur manquait singulièrement de gaieté.

— Christina est ma quatrième femme, laissa-t-il tomber, laconique.

— Ah !

— Oui, comme vous dites. Cela se passe de commentaires, n'est-ce pas ? La seule bonne chose que j'ai faite dans la vie, c'est de ne jamais avoir d'enfants.

En deux courtes phrases, Clive avait résumé le problème. Michael se dirigea, songeur, vers le hall d'entrée pour tenter de retrouver Julia. Travailler soixante heures par semaine, passe encore ! Mais lorsqu'on occupait tout son temps soi-disant libre à essayer de résoudre des problèmes professionnels, il ne restait pas beaucoup de temps pour la vie de famille. Aucun couple ne résistait à pareil régime. Il avait déjà observé ce phénomène chez ses grands-parents. Sans aller jusqu'à divorcer, son grand-père et sa grand-mère avaient très vite mené des vies séparées tout en maintenant tant bien que mal les apparences. Aujourd'hui encore, Michael frissonnait chaque fois qu'il se remémorait l'atmosphère glaciale qui avait toujours régné chez les parents de son père. Le même schéma s'était reproduit, sous une forme beaucoup plus destructrice, dans le couple de ses parents. Son père avait alterné des phases où il travaillait jusqu'à l'obsession, avec de courtes périodes de remords excessifs, où il couvrait femme et enfants de cadeaux et d'attention. Pour combler le vide laissé par un mari toujours absent, sa mère avait enchaîné les liaisons, ponctuant ses excès adultérins de scènes de réconciliations dramatiques avec son époux lui-même repentant.

Adolescent, Michael trouvait les tentatives pathétiques de son père pour s'intéresser à sa famille encore plus insupportables que les périodes où il oubliait leur existence. Quant à sa mère, elle était si occupée par ses amours clandestines qu'il ne lui restait guère de temps à consacrer à ses enfants.

Pendant quelques mois, Michael avait vécu dans l'illusion qu'il pourrait casser ce schéma et rompre avec le poids du passé en construisant une vie de couple normale. Mais ses déboires avec Cherie Lockwood lui avaient ouvert les yeux : il existait une incompatibilité fondamentale entre les hommes de la famille Forrest et le mariage. Même si la solitude n'était pas toujours facile à vivre, c'était le prix à payer pour éviter de s'engager sur des bases faussées dès le départ.

Michael jeta un coup d'œil dans le bar, puis dans la bibliothèque : pas de Julia. Peut-être avait-elle perdu patience et pris un taxi jusqu'à la gare pour rentrer en train à Londres ? Parvenu à la réception, il fit un effort sur lui-même pour parler calmement à l'employé. Après tout, il ne pourrait s'en prendre qu'à lui-même, si Julia avait pris ses cliques et ses claques en le traitant sans doute de tous les noms.

— Je suis Michael Forrest et je suis à la recherche d'une amie, Julia Dutton. Savez-vous où je peux la trouver ?

— Mlle Dutton ? Elle vous a laissé un message, en effet.

Le jeune réceptionnaire consulta son carnet de notes.

— Elle est venue ici à 16 h 15 pour vous dire de passer la prendre dans la suite Salisbury dès que vous seriez prêt à reprendre la route pour Londres.

Quatre heures et quart. Il y avait donc plus de trois heures et demie que Julia était toute seule dans une chambre, à attendre qu'il veuille bien se manifester... En son for intérieur, Michael pria pour qu'une âme charitable ait eu la bonne idée de lui indiquer la bibliothèque. Qu'au moins, elle ait trouvé un peu de lecture pour tuer le temps ! Il se demanda comment il avait pu se laisser ainsi absorber par son travail, au point d'oublier qu'il n'était pas venu seul à Ashby Hall. Aux prises avec un désagréable sentiment de culpabilité, il prit la clé que lui tendait l'employé et poursuivit son chemin.

La spacieuse suite Salisbury avait été aménagée dans les anciens appartements particuliers de M. et Mme Blodget. Par chance, Julia n'avait pas été reléguée dans une des chambres exiguës du troisième étage, qui n'avaient pas encore été rénovées. Dédaignant l'ascenseur, Michael gravit l'escalier quatre à quatre, frappa un coup bref à la porte avant d'introduire sa clé. Bien décidé à s'excuser platement, même si elle lui faisait une scène, il pénétra dans la pièce.

Julia était installée dans un fauteuil, le dos à la fenêtre, un carnet d'esquisses sur les genoux. Une vingtaine de feuilles froissées jonchaient le sol à ses pieds. Elle avait un crayon à papier dans la bouche, un autre derrière l'oreille et un troisième dans la main. Absorbée dans ses tâches mystérieuses, elle ne leva même pas la tête à son entrée.

Michael s'approcha et murmura doucement :

— Julia... je suis désolé de t'avoir fait attendre, ma chérie.

Les mots trop tendres lui étaient tombés des lèvres sans qu'il y prenne garde. Il serra les dents, regrettant déjà de s'être exprimé comme un amoureux transi. Mais il avait tort de s'inquiéter : non seulement Julia ne réagit pas à ses excuses, mais ce fut à peine si elle parut l'entendre.

— Salut, Michael, murmura-t-elle distraitement, sans lâcher le crayon qu'elle mordillait avec application.

Quelques secondes s'écoulèrent ainsi avant que la réalité de sa présence ne fasse son chemin jusqu'à sa conscience.

— Michael !

Elle reposa le crayon et lui adressa un de ces sourires rayonnants qui avaient le don de le mettre sens dessus dessous.

— Tu es de retour.

— Je suis de retour, oui, acquiesça-t-il d'une voix rauque. Je pensais que tu m'attendais avec impatience. Il n'est pas loin de 8 heures.

— Oh, mon Dieu, déjà ! Tu ne m'en veux pas trop, j'espère ? s'exclama-t-elle en se levant de son fauteuil pour ramasser précipitamment les feuilles froissées tombées à terre. Je ne me doutais pas qu'il était si tard. Je regrette de t'avoir fait perdre ton temps.

Julia regrettait de lui avoir fait perdre son temps ! Si sa réaction n'avait pas été aussi inattendue, Michael aurait éclaté de rire. Il s'était préparé à trouver une femme au bord de la crise de nerfs. Or elle semblait à peine s'être aperçue de son absence ! Pour une leçon de modestie, c'en était une belle !

— Ce serait plutôt à moi de m'excuser, protesta-t-il en secouant la tête. Je suis heureux que tu aies trouvé à t'occuper, Julia, mais je n'aurais pas dû t'abandonner ainsi tout l'après-midi et une bonne partie de la soirée. Je suis désolé, réellement désolé. Clive et moi avons tant travaillé que je n'ai pas vu le temps passer.

— Je savais que tu avais une masse de problèmes à régler avec Clive. Et je t'avais dit que je n'étais pas particulièrement pressée de rentrer à Londres. Si je n'avais pas eu envie de t'attendre, j'aurais trouvé quelqu'un pour me déposer à la gare. Si je suis restée, c'est parce que c'est un vrai bonheur pour moi d'être à Ashby Hall.

Julia paraissait sincèrement étonnée qu'il manifeste tant de remords. Comme si c'était la chose la plus naturelle au monde pour une femme d'attendre un homme cinq heures d'affilée dans un endroit inconnu !

— Comment as-tu réussi à t'occuper tout l'après-midi ? demanda-t-il. Brenda t'a fait visiter les jardins ?

— Oui. Et la maison aussi. Y compris les cuisines. Ashby Hall est un endroit merveilleux. Je crains d'être tombée amoureuse, Michael. Irrémédiablement.

Il lui jeta un regard interrogateur, pas tout à fait certain de comprendre où elle voulait en venir.

— Amoureuse de la maison, je veux dire.

— La maison a de la chance.

Pourquoi avait-il dit une chose pareille ? Rien ne justifiait cette remarque ! A croire qu'il accumulait les lapsus dès qu'il se trouvait en compagnie de Julia Dutton.

Une éclair de tristesse passa dans le regard de la jeune femme.

— J'ai l'impression que les histoires d'amour avec les vieilles pierres ont tendance à mieux se passer que les histoires d'amour entre êtres humains.

— Sans doute, oui, acquiesça-t-il gravement. A un détail près, tout de même : le côté sexuel de la relation peut se révéler assez compliqué à vivre.

— C'est un fait ! Mais les maisons donnent beaucoup d'elles-mêmes pour peu qu'on leur offre un peu d'amour et d'attention.

Au lieu de continuer sur le mode humoristique, Michael fit l'erreur alors de la regarder. Oubliant son sens de la repartie, il effleura une mèche qui lui tombait sur la joue.

— Tu as une trace noire dans le cou. Ne bouge pas, je vais te l'enlever.

Il se lécha le doigt et frotta doucement la marque.

— Voilà, c'est parti.

— Merci.

Elle détourna la tête.

— Je suis incapable de dessiner sans me mettre du crayon partout.

Cette remarque innocente lui offrait une porte de sortie. Il lui suffisait d'enchaîner en lui demandant ce qu'elle avait dessiné pour briser la tension qui était en train de monter entre eux. Mieux que cela même : il pouvait lui proposer de descendre dîner dans la salle de restaurant, publique et bien éclairée. S'attarder avec Julia dans une chambre à coucher équipée d'un lit à baldaquin était tout le contraire d'une bonne idée, se dit Michael en regardant autour de lui. Toutes sortes d'impulsions dangereuses pouvaient naître dans un tel contexte. Comme renoncer à la reconduire à Londres par exemple et passer une nuit entière à faire l'amour sous l'austère portrait de feu Mme Blodget.

Mais cette initiative serait désastreuse, il le savait depuis le début. Il aurait pu citer de tête au moins une dizaine d'excellentes raisons pour lui de ne pas partager le lit de Julia Dutton. Et largement autant de raisons pour elle de ne pas partager le sien. En bref, s'ils n'évacuaient pas les lieux sur-le-champ, ils couraient tous les deux droit à la catastrophe.

Mais en attendant...

Les doigts de Michael glissèrent sous le menton de la jeune femme. Ce qu'il lut dans les yeux de Julia accéléra les battements de son cœur. Les circuits d'alerte de son cerveau émirent un ultime signal d'alarme.

— Tu as faim ? demanda-t-il doucement.

— Oui, murmura-t-elle d'une voix aussi voilée que la sienne.

Il fit aller et venir son pouce sur ses lèvres, jouant un peu plus encore sur l'ambivalence de leurs propos.

— Moi aussi, j'ai faim... Une faim dévorante.

Les joues de Julia s'empourprèrent, et il sentit son souffle courir sur ses doigts. La sensation était si extraordinairement sensuelle qu'il pencha la tête et l'embrassa. C'était la troisième fois qu'il cédait à la tentation en l'espace de deux jours et, l'expérience aidant, il aurait dû être préparé au choc. Mais, comme chaque fois qu'il prenait Julia dans ses bras, il fut surpris par la violence de l'onde de choc qu'il ressentit alors. Dans un éclair de lucidité, il comprit qu'il n'avait pas réellement « oublié » Julia, cet après-midi-là. Il l'avait délibérément écartée de ses pensées. C'était dans le but inavoué de lui faire mal qu'il avait continué à travailler aussi tard. Pour lui jeter ses sales habitudes à la figure, lui montrer qu'il n'y avait rien à tirer d'un type de son espèce.

Mais sa stratégie semi-consciente n'avait pas fonctionné. Pour une raison inexplicable, Julia ne lui reprochait rien, ne le harcelait pas, ne cherchait pas à le culpabiliser. Au lieu de l'accabler de reproches, elle se montrait douce, consentante et passionnée. Et il ressentait une telle exhaltation à la tenir dans ses bras que c'en était terrifiant. Michael poussa sa langue contre ses dents, se fraya un chemin dans sa bouche, goûta la saveur fruitée de ses lèvres. Les yeux clos, Julia lui rendait son baiser, son corps souple pressé contre le sien. Il n'y avait ni crainte, ni timidité dans ses caresses. Jamais aucune femme ne s'était livrée ainsi à lui avec ce mélange d'ardeur, de générosité et d'abandon.

Difficile, dans ces conditions, d'écarter ce fichu lit à baldaquin de ses pensées. Il était là, immense, tentateur, pratiquement à portée de main. Glissant les doigts dans la superbe chevelure de Julia, il ferma les yeux pour ne plus le voir. Peine perdue. La vision très précise de leurs deux corps nus et enlacés ne fit que gagner en intensité.

Pourquoi continuer à se raconter des histoires ? Ni Julia ni lui ne tenaient à s'arrêter à quelques baisers, même enflammés. La faim qui les tenaillait exigeait bien d'autres satisfactions. Renversant la tête de Julia en arrière, il scella ses lèvres à la peau délicate de son cou et glissa une jambe entre les siennes. Elle frissonna lorsque leurs deux corps s'épousèrent étroitement en un frémissement de pur plaisir où n'entrait pas la moindre part de résistance.

Michael laissa échapper un grognement où le plaisir se mêlait à la frustration. Julia représentait tout ce dont il avait toujours rêvé... et tout ce qu'il serait amené à regretter sitôt son désir satisfait. Ses baisers éveillaient en lui des pulsions intenses, primitives, plus profondes qu'une simple excitation physique. Ils étaient proches, mais il voulait être plus proche encore, faire partie d'elle. Contre le sien, il sentait le cœur de Julia battre à un rythme effréné sous sa peau brûlante. Un léger parfum de rose s'exhalait de ses mains et de son cou. Il l'imagina parcourant les jardins, froissant quelques pétales au passage, le visage offert à la caresse du soleil, emplissant ses narines de fragrances intenses. Il arracha plus qu'il ne retira la longue chemise que Julia portait sur un pantalon indien.

L'espace d'une seconde, son plaisir fut purement visuel, lorsqu'il découvrit la beauté de ses seins fermes. Si doux. Si parfaitement ronds. Les yeux clos, il pencha la tête pour y appliquer ses lèvres, goûtant et regoûtant la peau moite, aspirant l'une après l'autre leurs pointes délicates. Julia émit un gémissement incohérent et rauque. Il sentit ses doigts jouer avec sa fermeture Eclair, ses mains glisser à l'intérieur de son pantalon. Voilà à quoi devait ressembler le purgatoire, songea-t-il fiévreusement. Le paradis à portée de main, mais encore inaccessible. Et l'enfer à deux pas, si, par un caprice inexplicable, elle mettait fin à sa caresse...

Les piliers du lit, une fois de plus, lui apparurent, telles de géantes sentinelles, gardiennes d'un sanctuaire interdit. Il s'imagina bravant le passage, tombant dans la douceur des édredons avec Julia, sombrant dans sa chaleur intime. Il se répéta qu'il existait au minimum dix excellentes raisons pour ne pas faire l'amour avec elle, mais aucune, étrangement, ne lui venait à l'esprit. Les ongles de Julia s'enfonçaient dans sa chair, son corps dansait avec le sien d'une manière de plus en plus insistante.

— J'ai envie de toi, chuchota-t-il contre ses lèvres.

— Maintenant, oui... maintenant... Fais-moi l'amour, Michael.

Son invitation signa sa défaite. Il la souleva dans ses bras pour la poser sur le lit, le corps brûlant, les oreilles bourdonnantes. Se débarrasser des vêtements qu'il leur restait fut l'affaire de quelques secondes. Michael avait toujours imaginé que l'amour avec Julia serait tendre, doux, presque aérien. Sans se douter qu'un élan primitif et sauvage pouvait s'y mêler inextricablement. Il découvrait en Julia une passion qui alimentait la sienne, une faim sensuelle dévorante qui précipitait leurs gestes. Mais au-delà du tourbillon, au-delà de l'urgence, il éprouvait une tendresse presque douloureuse comme s'il touchait du doigt une autre forme de rencontre possible, comme si l'inatteignable était soudain à portée de main.

Avec une sensualité gourmande, il laissa glisser ses lèvres sur la soie claire de son ventre, goûtant sous sa langue les doux soubresauts de son plaisir. Ce fut sa jouissance à elle qui le fit vibrer des pieds à la tête, le laissant à bout de souffle et déjà transporté, comme s'il avait atteint l'extase à travers elle. Le cœur battant, il contempla son visage brûlant, à demi enfoui sous l'oreiller.

— Regarde-moi, Julia, intima-t-il d'une voix pressante, sans savoir pourquoi il lui paraissait soudain vital et indispensable de plonger ses yeux dans les siens.

Elle souleva les paupières. Son regard était à la fois voilé par le plaisir, brûlant de désir, et confiant... Infiniment confiant. Il jura intérieurement. Comment pouvait-elle être assez naïve pour ne pas deviner qu'il finirait par la trahir ?

La regarder ainsi lui faisait mal. Il valait mieux l'embrasser encore et encore, fouiller sauvagement sa bouche, lui communiquer sa faim. Elle se donna sans réserve, arquée contre lui, offerte, refermant sur lui le fourreau de sa chair palpitante. Elle s'ouvrit, se noua à lui, le tint fermement, lorsque la jouissance l'emporta, entraînant la sienne. Il s'effondra, à bout de souffle, épuisé et — l'espace de quelques secondes — se laissa aller tout simplement à son bonheur.

Julia remua doucement sous lui. Ses cheveux étaient emmêlés, ses joues roses, son regard comblé. Michael la trouva si belle qu'il sentit sa gorge se nouer. Il était confronté à la onzième excellente raison qui aurait dû l'empêcher de faire l'amour avec elle...

Michael n'avait pas bougé. Il était toujours allongé immobile à côté de Julia, mais la jeune femme ressentait la barrière émotionnelle qu'il était en train d'ériger de nouveau entre eux, comme s'il s'était déjà levé pour quitter la pièce sans un mot. Etrangement, elle parvenait sans trop de peine à percevoir les émotions de Michael, alors qu'elle se sentait incapable d'identifier les siennes. En fait, depuis le début, rien n'était simple dans sa relation avec cet homme.

Elle s'assit sur le lit et noua les bras autour de ses genoux. Le silence entre eux était si pesant qu'elle le ressentait presque comme une douleur physique. Elle prit une profonde inspiration.

— Nous ne sommes peut-être pas obligés de rester ainsi sans rien dire ? suggéra-t-elle doucement.

Michael lui jeta un regard sombre.

— O.K. Tu es désignée volontaire pour t'exprimer la première.

Julia hésita. Ce qui venait de se produire entre eux avait été si intense qu'elle ne se sentait pas le cœur de mentir.

— Je ne sais pas très bien ce que tu as envie d'entendre, Michael. Disons que, pour moi, ça a été très fort. Et que je me sens merveilleusement bien.

Il lui prit la main et caressa nerveusement l'intérieur de son poignet.

— Julia, je ne suis pas l'homme qui te convient. Tu es

chaleureuse, équilibrée, généreuse, alors que je suis égoïste, compliqué et obsédé par mes soucis professionnels vingt-quatre heures sur vingt-quatre. Dans mes relations avec les femmes, je suis peu fiable, indisponible et effroyablement égocentrique. Je n'aurais jamais dû faire l'amour avec toi, ce soir. Je suis désolé.

Une bouffée de colère vint atténuer sa souffrance. Il n'était pas facile d'entendre Michael s'excuser ainsi d'une expérience qui l'avait tant bouleversée.

— Tu es effectivement très égocentrique, répondit-elle sèchement. A t'entendre, on croirait que tu as décidé seul ce qui s'est passé entre nous ce soir ! Je ne suis pas une poupée gonflable, Michael. Au cas où tu ne l'aurais pas remarqué, faire l'amour a été mon choix tout autant que le tien.

— Dans ce cas, nous avons commis une erreur l'un et l'autre.

— Une erreur que tu n'as pas trouvée trop désagréable, apparemment.

Michael eut la bonne grâce de sourire.

— C'est souvent le propre des erreurs d'être trompeusement délicieuses.

Julia aurait voulu protester que l'amour partagé avait été trop authentique, trop vertigineux pour mériter une étiquette aussi négative. Mais si elle examinait la situation d'un point de vue purement rationnel, elle ne pouvait que donner raison à Michael. Ce qu'ils avaient amorcé ce soir ne pouvait les conduire à rien de constructif. Ce qui équivalait à admettre qu'ils s'étaient trompés en tombant dans les bras l'un de l'autre. Comment trouver un terrain d'entente acceptable entre une paisible enseignante vivant dans la banlieue de Londres et le P.-D.G. d'une chaîne d'hôtels internationale ? Ils s'accordaient exceptionnellemnt bien sexuellement parlant, certes, mais cela ne constituait pas une base suffisante pour construire une relation.

Car Michael et elle ne partageaient pas les mêmes valeurs. Le fait qu'il puisse accepter de vivre séparé de son fils, par exemple, constituerait toujours pour elle un obstacle. En faisant l'amour avec Michael, elle avait tenté de surmonter le gouffre entre eux. Une manœuvre vouée à l'échec, et d'une grande arrogance. Comment avait-elle pu penser qu'il suffisait de partager le lit de Michael pour qu'il décide aussitôt de modifier sa vie de fond en comble ? D'ailleurs, était-elle seulement amoureuse de lui ?

Cette pensée la fit frémir. *Amoureuse ?* Non ! Elle refusait de passer une autre année à rêver d'un homme inaccessible. Anéantie, elle se pencha pour ramasser sa chemise. Glissant hâtivement les bras dans les manches, elle serra les deux pans contre sa poitrine. Elle n'avait ressenti aucune inhibition en faisant l'amour avec Michael, mais il lui était pénible, à présent, de se trouver nue devant lui.

— Julia, je suis désolé, murmura la voix de Michael derrière elle.

Il était si proche qu'elle sentait son souffle sur sa nuque. Elle se leva en hâte pour reprendre ses distances, partagée entre la crainte de pleurer et celle, plus humiliante encore, de retomber dans ses bras.

— Sois gentil, Michael, cesse de t'excuser, O.K. ? Souviens-toi que je ne t'ai demandé ni promesses ni engagement. Nous avons couché ensemble. Un point c'est tout. Tu sembles le regretter. Pour ma part, j'y ai trouvé beaucoup de plaisir. Et avant que tu n'ajoutes quoi que ce soit, sache que je ne me sens ni très « chaleureuse » ni très « équilibrée » en ce moment. Donc je te conseille vivement de te taire.

Récupérant au passage ses vêtements éparpillés, elle se dirigea vers la salle de bains d'un pas énergique.

— Je vais prendre une douche, Michael. Pendant ce temps, tu pourrais peut-être réfléchir à une solution qui me permettrait de regagner Londres. Je doute que tu aies envie de me raccompagner toi-même.

Lorsqu'elle sortit de la salle de bains une dizaine de minutes plus tard, Julia découvrit que Michael n'avait pas suivi son conseil. Assis sur le bord du lit, il étudiait attentivement les esquisses qu'elle avait tracées au cours de l'après-midi.

— Tu peux les mettre à la poubelle. Je me suis simplement amusée à jongler avec deux ou trois idées.

Julia le rejoignit en deux pas et commença à rassembler les feuilles qu'il avait étalées sur les draps. Elle n'était pas spécialement d'humeur à entendre ses commentaires sur ses concepts de décoration.

— Attends, dit-il en la retenant par le poignet. Ils sont très intéressants. Où as-tu appris à dessiner comme ça?

Elle haussa les épaules.

— Ici et là. C'est juste un passe-temps, rien de sérieux.

Se rasseyant sur le lit, elle examina distraitement la façon dont elle avait revu la décoration des fenêtres.

— C'est comme ça que j'ai rencontré Lianne, précisa-t-elle. Nous nous sommes connues à l'école de design de Londres.

— Tu suivais les mêmes cours que Lianne! Dans la même classe?

— Je faisais une formation en décoration d'intérieur. Mais le dessin reste le dessin, quelle que soit la spécialité.

Les sourcils froncés, Julia examina son dessin. Quelque chose n'allait pas, mais quoi?

— Tu envisageais un changement de carrière? demanda Michael avec curiosité.

Mais Julia n'écoutait plus que d'une oreille.

— J'ai passé bon nombre d'années à étudier en cours du soir. Et j'ai fini par obtenir mon diplôme d'architecte d'intérieur.

Elle plaça le dessin verticalement contre le montant du lit pour obtenir une meilleure perspective et cligna des yeux. Les panneaux en satin drapés qu'elle avait imaginés représentaient une amélioration évidente par rapport aux monstrueux rideaux en cretonne qui ornaient actuellement la pièce. Et pourtant quelque chose manquait. L'or ! se dit-elle soudain. Aucun intérieur de style Regency ne se concevait sans une touche de doré pour réchauffer l'élégance un peu froide des lignes et des teintes. Elle était en train de tendre la main pour prendre le crayon posé près du téléphone, lorsque le torse nu de Michael apparut soudain dans son champ de vision.

— Tu avais oublié ma présence, n'est-ce pas ? dit-il d'une voix légèrement amusée.

— Oublié est un grand mot. Je voulais simplement rectifier une erreur et...

Notant le sourire ironique de Michael, elle s'interrompit et haussa les épaules.

— O.K., c'est vrai, j'avais oublié que tu étais là. C'est mon côté obsessionnel. Quand je suis partie dans une idée de décoration, j'ai tendance à évacuer tout le reste.

— Qu'est-ce qui ne va pas dans le décor de cette chambre ? demanda-t-il en s'asseyant à côté d'elle pour poser un choix de dessins sur leurs genoux. Inutile de prendre des gants de crainte de me vexer. J'avais déjà remarqué que quelque chose « clochait » dans cette suite. A tel point que j'ai viré la décoratrice. Mais ni Clive ni moi n'avons réussi à mettre le doigt sur le problème.

— C'est tout le concept de départ qui est faux, en fait. La décoratrice a mélangé deux styles radicalement différents, dans l'espoir sans doute de rendre la chambre plus accueillante. Est-ce la même personne qui a travaillé sur la salle de restaurant, en bas ?

Michael secoua la tête.

— Non.

— Tout s'explique. Il y a une inspiration, une audace dans la Terrace Room que l'on ne retrouve pas ici.

— C'est si grave que ça de mélanger les styles ?

— Pas en soi, non. Mais les éléments de base sont inspirés du style Regency classique : panneaux rectangulaires aux murs, médaillon en feuille de vigne au plafond et blanc cassé des boiseries.

— La demande venait de moi, en fait. Je pensais qu'il serait intéressant de restituer au moins en partie l'aspect d'origine.

— C'est un excellent parti pris. Le style Regency est bien adapté aux proportions de la pièce. Le mobilier est également dans le ton. Il s'agit pour l'essentiel de reproductions du XVIIIe. Jusque-là, rien à redire. Mais ta décoratrice a jugé bon de mettre un tapis à sujet floral du plus pur style William Morris avec des rideaux assortis. Et pour couronner le tout, elle a ajouté une courtepointe d'inspiration victorienne.

— Mmm... Et où est le problème, exactement ? Tu as quelque chose contre William Morris ?

— Certainement pas. Au contraire même. Morris est un grand personnage qui a donné un souffle extraordinaire aux arts décoratifs. Le seul ennui, c'est que ce tapis, superbe au demeurant, n'a pas sa place dans cette pièce.

— C'est une question de date, alors ? On ne mélange pas les époques ?

— La question n'est pas là. Nous ne sommes pas dans un musée et on obtient souvent des effets extraordinaires en alliant le classique et le contemporain. Ce qui ne va pas dans cette suite, c'est que l'exubérance flamboyante des éléments de décoration William Morris se heurte à la classique sobriété du style Regency. Si bien qu'au bout du compte, les différents éléments paraissent diminués, sans vie. Y compris le portrait de Mme Blodget.

Michael jeta un coup d'œil en direction du tableau.

— Je pensais que la pauvre Mme Blodget affichait cet air insatisfait à cause de toutes ces allées et venues dans sa chambre.

Julia sourit.

— Les allées et venues la dérangent peut-être, en effet.

Mais il reste que l'ensemble du décor aurait dû être focalisé sur le portrait. Or on a l'impression que cette toile a été placée là dans le seul but de détourner l'attention des rideaux.

— Voilà un sort bien humiliant pour une mère de dix enfants et un pilier de l'empire britannique.

Michael se tourna vers elle en riant mais son expression se modifia brutalement lorsque leurs regards se croisèrent. Non ! songea Julia, prise de panique en se déportant sur la droite. Surtout pas cela. Une erreur, passe encore, et tomber un soir d'été dans les bras de Michael Forrest pouvait être qualifié à la rigueur « d'expérience » enrichissante. Mais renouveler ladite expérience, en revanche, tiendrait du masochisme pur et simple.

— Julia...

Michael murmura son nom et elle interrompit son mouvement de fuite. Lorsqu'il l'embrassa, elle voulut le repousser et finit par se raccrocher à ses épaules. Et quand il cueillit ses seins au creux de ses paumes, elle éprouva une excitation tout aussi violente que lorsqu'il l'avait touchée la première fois. Comment pouvait-elle le désirer avec autant de force alors qu'ils venaient tout juste de faire l'amour ?

— Julia ? chuchota-t-il encore en lui prenant le menton, la forçant à soutenir son regard.

— Quoi ? répondit-elle à contrecœur.

— Reste ici avec moi, cette nuit.

Comme elle hésitait, Michael l'embrassa une seconde fois. Avec passion, mais aussi avec une pointe de tendresse. Ce fut la nuance de tendresse qui signa sa perte.

— Oui, acquiesça-t-elle dans un souffle en lui offrant ses lèvres. Oui, Michael, je reste avec toi.

9.

Après quatre jours de temps superbe, de lourds nuages noirs en provenance de l'Atlantique étaient venus envahir le ciel de Londres durant la nuit. Par la fenêtre de son bureau, Jeffrey contemplait les toits en ardoise ruisselant de pluie et songeait à une autre matinée grise qui avait marqué le tournant le plus sombre de son existence. Bien des choses avaient changé depuis le lundi fatidique où il avait dû annoncer au reste du monde que Grace l'avait quitté. Il regretterait toujours d'avoir provoqué une crise aussi grave dans leur vie de couple mais, ce matin, il savourait cette joie bien particulière que l'on ne peut connaître qu'au sortir de longs mois d'épreuve.

A la joie de Jeffrey venait malgré tout se mêler une pointe d'inquiétude, comme s'il partait pour une expédition en terre inconnue. Bientôt, Grace et lui reprendraient la vie commune. Mais il doutait de retrouver un jour ses certitudes tranquilles au sujet du mariage. Plus jamais, il ne considérerait la vie conjugale comme un long fleuve tranquille.

Comme on frappait à la porte de son bureau, il quitta la fenêtre et vint vers son fils qui entrait, les bras chargés de dossiers.

— Monica m'a dit que tu voulais me voir d'urgence ?

Jeffrey sourit et lui désigna un fauteuil.

— Assieds-toi, Gabe. Il faut que je te parle, en effet.

— Que se passe-t-il ? Il ne s'agit pas d'une crise majeure, j'espère ? J'ai promis à Lianne que je serai de retour à Winchester en milieu d'après-midi.

— Pas l'ombre d'une crise à l'horizon, rassure-toi. Les affaires tournent presque toutes seules en ce moment. D'ailleurs, rien ne t'oblige à venir travailler cette semaine, Gabe. J'ai été surpris d'apprendre par Monica que tu te trouvais dans ton bureau. Le budget merchandising de l'année prochaine peut attendre. Consacre plutôt ton temps à Lianne et à ta fille.

— Telle est bien mon intention, en effet. Je suis juste passé aujourd'hui pour régler deux ou trois problèmes urgents avant que Lianne et Elisabeth ne sortent de l'hôpital demain.

Jeffrey haussa un sourcil.

— Demain, déjà ? Ce n'est pas un peu rapide, après une césarienne ? Elisabeth n'est âgée que de trois jours.

— Mais elles se portent comme un charme, l'une et l'autre. Et Lianne est impatiente de rentrer à la maison. Entre nous, je crois que l'équipe de soins ne sera pas fâchée de la voir quitter l'hôpital. J'ai une femme merveilleuse, mais je doute que ses médecins la considèrent comme une patiente facile, confia Gabe avec un léger sourire.

Jeffrey rit doucement.

— Je connais cela. Ta mère a fait un tel sacndale à la maternité lorsque vous êtes nés, qu'on l'a autorisée à quitter la clinique au bout de quatre jours. Ce qui était totalement inconcevable à l'époque. Surtout après avoir eu des jumeaux.

Le regard de Gabe se fit soucieux.

— Et vous n'étiez pas angoissés par vos nouvelles responsabilités, maman et toi ? Lianne a hâte que nous nous retrouvions tous les trois au cottage, et j'approuve sa décision, bien sûr, mais nous appréhendons quand même un peu le retour. Nous avons potassé consciencieusement tous les bouquins sur la question. Mais ça reste quand même assez abstrait. Quand je vois ce petit bout de bébé, si minuscule, si fragile, j'en ai parfois des sueurs froides. J'ai l'impression qu'un rien pourrait la briser.

— Bienvenue au club des parents, mon fils. Naturellement que nous avons connu la peur panique de mal faire, ta mère et moi. Il n'y a que les adolescents pour avoir la certitude d'être dans le vrai. Les parents sont généralement beaucoup plus humbles. Et le doute est leur lot quotidien.

— Tu veux dire que ça va continuer comme ça jusqu'à ce qu'Elisabeth ait vingt ans ? s'écria Gabe d'un air effaré. La vie ne sera plus qu'une succession de nuits blanches et de cas de conscience terrifiants ? Sucette ou pas sucette ? Trotteur ou pas trotteur ? Allaitement à la demande ou à heure fixe ?

Jeffrey se mit à rire.

— Mais non, rassure-toi. Petit à petit, les choses deviennent plus simples. Jusqu'au moment où ton enfant angélique se transforme en adolescent problématique. Là, tu verras, ce sera le retour aux insomnies garanti.

Jeffrey se leva pour donner à son fils une tape amicale sur l'épaule.

— Tu commettras des erreurs comme tout le monde et cela n'empêchera pas Elisabeth de grandir et d'être heureuse. Ne gâche pas ta vie et celle de tes proches en essayant de devenir un père modèle.

Gabe fit la grimace.

— Je ne vise pas la perfection. Si je parviens à être un père correct, ce sera déjà pas mal.

— Tu seras mieux que correct, Gabe. Tu aimes ta fille et pour le moment, c'est tout ce qui compte.

Jeffrey se rassit et croisa les mains sur son bureau.

— N'oublie jamais, en revanche, que les enfants grandissent toujours trop vite. On nous a fait la même réflexion lorsque vous êtes nés, Megan et toi. Et naturellement, ça nous a paru absurde. Mais un beau jour, nous nous sommes réveillés, ta mère et moi, et nous avons découvert que nous n'étions plus que deux à la maison. Vous aviez grandi tous les trois, sans que nous y prenions garde. La vie passe comme un soupir, Gabe. Te voici marié maintenant et père de famille à ton tour. Et j'ai parfois l'impression qu'hier encore, tu te promenais en culottes courtes...

Gabe secoua la tête en souriant.

— Ce récit pathétique m'arracherait presque une larme si vous ne vous étiez pas offert deux semaines de vacances au Bahamas pour fêter le départ de Kate à l'université !

— Ça, c'était pour noyer notre chagrin.

— A d'autres, papa ! Vous n'aviez pas l'air tellement à plaindre, tous les deux.

Jeffrey sourit à son fils. Gabe avait raison, bien sûr. Grace et lui avaient été heureux de retrouver une certaine forme d'intimité, et soulagés d'avoir mené leur tâche parentale à bien, après la traversée houleuse de l'adolescence. Mais ils n'en avaient pas moins connu une phase de nostalgie.

— Tu verras plus tard avec Elisabeth... Quoi qu'il en soit, Gabe, quand je te dis que les enfants grandissent trop vite, ce n'est pas pour me faire plaindre. Je te conseille juste de profiter de chaque phase que traverse ta fille plutôt que d'attendre avec impatience qu'elle passe à la suivante... Mais me voici déjà en train de donner de sages conseils de grand-père, constata Jeffrey en secouant la tête. Moi qui m'étais promis de ne rien dire et de vous laisser faire tranquillement votre apprentissage de la vie de parents !

Gabe se mit à rire.

— C'était une cause perdue d'avance, papa. Tu sais bien que depuis que nous sommes en âge de marcher, tu nous as toujours tenu de longs discours édifiants truffés de conseils et de morale. Et étrangement, avec le recul, on finit presque par y prendre goût. Mais revenons-en à nos moutons. Pourquoi désirais-tu me voir, au juste ?

— C'est au sujet de ta mère.

— De maman ?

Jeffrey croisa nerveusement les mains sur son bureau et s'efforça de prendre un air détaché. De ses trois enfants, Gabe avait été le plus marqué par leur divorce et il redoutait particulièrement sa réaction.

— Ou plus exactement au sujet de ta mère et de moi. Nous allons... euh... nous remarier.

Gabe releva la tête, l'air ahuri.

— Non ? Sérieux ? Figure-toi que Lianne le voyait venir, et que je ne parvenais tout simplement pas à le croire.

— Lianne est une jeune femme très perspicace, marmonna Jeffrey.

Visiblement sous le choc, Gabe se leva pour lui serrer la main.

— Eh bien... ma foi, félicitations. Je vous souhaite beaucoup de bonheur à tous les deux.

Aux temps anciens, avant sa séparation d'avec Grace, Jeffrey aurait pris ces vœux pour argent comptant et ne se serait pas inquiété de la raideur avec laquelle ils étaient prononcés. Mais plus maintenant. Il se renversa contre son dossier et regarda son fils dans les yeux.

— Tu n'as pas l'air très enthousiaste, Gabe, alors que tu viens de passer une année à te plaindre de notre séparation. Qu'est-ce qui te chagrine ?

— Rien du tout. Je suis ravi pour vous deux.

— Surtout ne te lance jamais dans une carrière d'acteur, Gabe. Tu mourrais rapidement de faim.

Tournant les yeux vers la fenêtre, Jeffrey se remémora la matinée grise de mai où il avait annoncé à son fils que Grace était partie définitivement à San Francisco. Gabe était entré dans une énorme colère et lui-même était resté muet de douleur. Il avait été incapable d'offrir le moindre soutien à son fils à l'époque, mais n'était-il pas mieux armé aujourd'hui pour l'aider à franchir ce nouveau cap ?

Il contempla l'homme qu'était devenu son fils aîné. Grand, intelligent et séduisant, Gabe aurait toujours de la peine à admettre qu'il cachait encore une vulnérabilité d'enfant blessé sous ses dehors d'homme adulte. Jeffrey savait désormais d'expérience que cet enfant qui subsistait au plus profond de chaque être mettait parfois très longtemps à grandir. Dans son cas, il lui avait fallu une bonne cinquantaine d'années, et le naufrage de son couple, pour comprendre l'attitude de son propre père, Charles DeWilde, qui avait jugé bon un jour de le laisser seul pour affronter un combat terriblement difficile.

Malgré la difficulté qu'il avait à exprimer ses sentiments, surtout devant son propre fils, Jeffrey insista :

— Il y a quinze mois, tu as fait irruption dans ce bureau en hurlant que cette séparation n'avait aucun sens et qu'on ne se quitte pas comme ça après trente années de vie conjugale réussie.

— Ça, c'était il y a quinze mois, marmonna Gabe. De l'eau a coulé sous les ponts depuis.

— C'est exact, mais le temps t'a donné raison : Grace et moi, nous nous sommes toujours aimés et nous nous aimerons sans doute toujours. Par chance, nous avons réussi à régler nos différends et nous en sommes désormais au point où nous pouvons reprendre la vie commune.

— Ah oui ? C'est merveilleux, dit Gabe d'un ton sarcastique. Et comment comptez-vous vous y prendre, au juste ? Vous n'avez pas emménagé dans des appartements voisins, que je sache. Maman vit désormais de l'autre côté de l'Atlantique.

— Simple problème de logistique.

— Pas si simple que ça, si tu veux mon avis. Professionnellement, je ne vois pas comment vous espérez vous organiser. Sans compter que ces questions-là, vous ne pourrez pas les régler simplement entre vous.

Jeffrey fronça les sourcils.

— Et pourquoi pas ?

— Cela fait un an maintenant que ma mère a cessé de travailler pour DeWilde. Et si tu crois qu'elle peut se contenter de reprendre tranquillement ses anciennes activités là où elle les avait laissées, vous vous trompez l'un et l'autre. Des restructurations ont eu lieu, et d'autres personnes ont été promues pour assumer les responsabilités qu'elle a abandonnées. Demande à Megan et à Ryder s'ils ont envie de demander l'autorisation à Grace chaque fois qu'ils auront une décision importante à prendre. Demande à Sloane DeWilde si cela l'enchante d'avoir de nouveau à s'en référer à elle alors qu'il commence enfin à s'intéresser au magasin de New York et à dégager des profits.

— Et toi, Gabe ? Car c'est bien de toi qu'il s'agit, en l'occurrence. As-tu envie de renoncer à ta position de vice-président et de te laisser superviser par ta mère, comme avant ?

D'un geste irrité, Gabe haussa les épaules.

— Non. Bien sûr que non ! Je sais qu'une rupture, c'est toujours complexe et que maman n'est pas nécessairement en tort sous prétexte que c'est elle qui est partie, mais...

— Tu le *sais* ? l'interrompit Jeffrey. Ou est-ce simplement un discours que tu tiens sans y adhérer vraiment ?

Son fils soupira avec impatience.

— J'ai eu une longue conversation téléphonique avec maman lorsqu'elle était dans le Nevada. Elle m'a aidé à comprendre qu'elle ne t'avait pas quitté comme ça sur un coup de tête. Mais votre vie de couple est une chose, le groupe DeWilde en est une autre. Et j'estime que maman n'avait pas à partir comme ça du jour au lendemain en laissant tout en plan, alors qu'elle avait des responsabilités professionnelles importantes à assumer. A mes yeux, elle ne mérite pas de retrouver ses anciennes fonctions.

Jeffrey fit un effort sur lui-même pour dominer sa colère.

— Félicite-toi que je sois de bonne humeur, Gabe. Cela nous laisse au moins une chance sur deux de terminer cette conversation sans que je t'envoie mon poing dans la figure. Premièrement, ta mère n'a jamais laissé DeWilde en plan. Il lui était impossible, compte tenu de mon attitude odieuse envers elle, de continuer à travailler ici, à Londres. Deuxièmement, c'est vraiment mal connaître ta mère que de croire qu'elle veut reprendre tranquillement son ancien poste sans se soucier de la nouvelle hiérarchie mise en place. Même si j'avais été assez stupide pour le lui proposer, ta mère aurait refusé.

Les joues en feu, Gabe se leva pour arpenter nerveusement la pièce.

— Désolé. Mes commentaires étaient déplacés. J'aurais mieux fait de me taire.

— Tout à fait, oui.

Gabe ne dit rien. Il était manifestement perturbé. Le cœur lourd, Jeffrey comprit qu'il n'avait toujours pas pardonné à sa mère. Intellectuellement, Gabe pouvait comprendre les motivations de Gabe. Mais émotionnellement, la blessure était restée ouverte : il avait vécu son départ comme un abandon.

Jeffrey soupira. A plusieurs reprises, au cours de l'année écoulée, il s'était demandé s'il devait révéler à son fils la *véritable* raison pour laquelle Grace avait fui aussi brusquement sa propre famille. Mais il avait abouti chaque fois à la conclusion qu'il valait mieux garder le silence plutôt que de dévoiler la sordide réalité à ses enfants. Et cela, pas seulement pour préserver sa propre image. S'il s'était tu jusqu'à présent, c'était surtout à cause de Grace. Il avait le sentiment qu'elle serait humiliée, salie si sa liaison avec Allison Ames devenait un sujet de discussion au sein de la famille.

Mais compte tenu de l'attitude de Gabe, il ne pouvait continuer indéfiniment à tenir sa langue. S'il voulait réparer les torts infligés à sa famille, confesser la vérité à son fils serait le prix supplémentaire à payer.

— Gabe, pour des raisons qui te paraîtront évidentes, j'aurais préféré ne jamais avoir cette conversation avec toi. Mais je crois qu'il est temps que tu apprennes certaines choses.

Gabe tressaillit.

— A quel sujet?

Jeffrey voulut soutenir le regard de son fils mais s'aperçut qu'il en était incapable. Que se passerait-il si en voulant réhabiliter Grace aux yeux du Gabe, il provoquait une rupture irrémédiable entre son fils et lui?

— Ta mère ne m'a pas seulement quitté parce que je m'étais comporté de façon inqualifiable avec elle pendant des mois. Elle a également découvert que je couchais avec... que j'avais une liaison avec une jeune femme qui était en âge d'être ta sœur.

Gabe accueillit cette déclaration dans un silence de mort. La tension entre eux était devenue presque palpable, lorsque Jeffrey trouva enfin le courage de tourner les yeux vers son fils. Il était livide.

— Je la connais?

— Non.

— J'ai du mal à croire que tu aies pu tomber dans ce genre de panneau, papa.

— Tout ce que je peux te dire c'est que j'aurais fait n'importe quoi pour effacer cet épisode de ma vie. Mais on ne revient pas sur ses actes, Gabe. On ne peut qu'essayer de les assumer tant bien que mal, aussi minables soient-ils.

Comme les mots paraissaient faibles pour exprimer ses

regrets ! Même le soir où Grace l'avait confronté à ses mensonges, il ne s'était pas senti aussi honteux qu'en cet instant, sous le regard de son fils.

— Je n'ai pas beaucoup d'excuses, Gabe. A part que la vie conjugale est une affaire sacrément compliquée et que tout n'est pas nécessairement acquis dans un couple sous prétexte qu'on a déjà passé une trentaine d'années ensemble.

Gabe secoua lentement la tête. Il paraissait effondré.

— Et dire que pendant tout ce temps, j'ai fait porter le chapeau à maman...

Secoué, Jeffrey se leva pour arpenter son bureau.

— Si j'ai gardé le silence sur cette liaison, ce n'était pas pour rejeter la responsabilité de notre séparation sur ta mère. Je me suis tu, car j'ai estimé que je ferais plus de mal à mes proches en divulguant ce secret que je ne m'en ferais en révélant la vérité.

— Et qu'est-ce qui t'a amené à changer d'avis aujourd'hui ? demanda Gabe d'une voix dure. Je ne suis pas sûr d'être enchanté de savoir cela.

— Je suis sorti de mon silence parce que je n'ai pas trouvé d'autre moyen de te faire comprendre que tu portais un jugement erroné sur ta mère.

— Sur toi aussi, je portais un jugement erroné.

La remarque de Gabe lui fit l'effet d'un coup de poing en pleine poitrine.

— En effet, oui, murmura Jeffrey. A moins que tu ne commences tout simplement à découvrir que tes parents sont des êtres humains comme les autres, avec leurs points forts et leurs faiblesses ? Tu m'as longtemps placé sur un piédestal, Gabe, et ce n'est peut-être pas une mauvaise chose que tu me voies réduit à mes justes proportions aujourd'hui.

Gabe poussa un profond soupir.

— Si ma mère a pu te pardonner, ce n'est pas à moi de te juger plus sévèrement qu'elle ne le fait. Cela dit, ce n'est vraiment pas étonnant qu'elle soit partie aussi brutalement, conclut-il d'un air sombre.

— Elle avait les meilleures raisons du monde de m'en vouloir, en effet.

Jeffrey était soulagé de constater que Gabe soutenait désormais sa mère, mais sa propre position était devenue pour le moins inconfortable, et son piédestal lui manquait déjà cruellement.

— Quand je pense à toutes les accusations que j'ai lancées à la tête de maman, dit Gabe d'un ton navré. Je me demande comment elle a pu les supporter sans rien dire.

— Grace est une femme généreuse, Gabe. Je suis bien placé pour le savoir.

Gabe lui jeta un regard noir.

— Tu as de la chance qu'elle ait accepté de renouer avec toi.

— J'en suis conscient. Mais j'espère que je ne suis pas en train de te perdre, Gabe, juste au moment où ta mère me revient.

Son fils le regarda droit en face.

— Non, tu n'es pas en train de me perdre. Il est vrai que ton aura en a pris un sacré coup, mais j'admire quand même ton courage. Ça n'a pas dû être facile pour toi de faire cette confession.

Jeffrey se surprit à respirer plus librement.

— Merci pour ta compréhension, Gabe.

Son fils se passa la main dans les cheveux.

— C'est O.K., papa. J'espère simplement que tu n'as pas d'autres révélations chocs à me faire pour aujourd'hui, car je crois que j'ai eu ma dose. Explique-moi plutôt ce que maman compte faire d'elle-même une fois que vous aurez repris la vie commune. Je ne la vois pas finir ses jours en dame patronnesse organisant des ventes de charité et des galas. Et encore moins en mami gâteau tricoteuse de layette.

— Tu sembles oublier que ta mère n'est pas restée inactive pendant notre séparation. Elle a son propre commerce, désormais, et elle n'a aucune intention de renoncer à sa boutique.

Gabe ouvrit de grands yeux.

— Ah bon ? Elle ne compte pas la vendre ?

Jeffrey se souvint de la réaction de Grace lorsqu'il lui avait innocemment proposé cette solution. Il avait eu droit à quelques réflexions acerbes sur les hommes qui, trente ans après le début de la révolution féministe, continuaient à croire que la carrière d'une femme se résumait à un passe-temps entre deux mariages. Par chance, il avait réussi à se faire pardonner sa maladresse, et leur réconciliation avait été le prélude à un nouvel intermède sensuel d'une rare intensité.

Un peu gêné, Jeffrey se dirigea vers le bar pour se verser un verre d'eau minérale.

— Ta mère pense que *Grace* pourrait être intégrée au sein du groupe et devenir la sixième boutique DeWilde.

Debout, les mains enfoncées dans les poches de son pantalon, Gabe réfléchit un instant.

— *A priori*, cela paraît être une bonne solution. Comment l'appellerions-nous ? DeWilde, San Francisco ?

— Non, nous avons déjà décidé que la boutique garderait son nom d'origine. Elle n'est pas encore implantée depuis suffisamment longtemps pour que nous puissions nous permettre de la rebaptiser dès maintenant. Pour le moment, nous nous contenterons de proposer les éléments principaux de la collection DeWilde en plus des produits existants.

— Mmm... Et concrètement, comment allez-vous faire ? Vivre en Angleterre et diriger une boutique à San Francisco semble relativement compliqué, sur le plan logistique, fit remarquer Gabe avec un petit sourire.

Jeffrey but une gorgée d'eau et décocha un clin d'œil à son fils.

— Disons que ces questions font actuellement l'objet de négociations prénuptiales serrées.

— A t'entendre, j'ai bien l'impression que vous allez vivre à cheval sur deux pays.

— Il est fort possible, en effet, que nous soyons amenés à naviguer fréquemment d'un côté à l'autre de l'Atlantique. Une chance que San Francisco soit de loin la ville nord-américaine que je préfère.

Les yeux de Gabe scintillèrent.

— Ma foi, ça promet d'être animé, tout ça. Vous allez peut-être inventer une nouvelle formule de vie commune tout à fait révolutionnaire. De quoi alimenter les conversations dans les réunions de famille, pendant les dix années à venir.

— Tu pourrais bien avoir raison. Je te conseille seulement de ne pas prendre de paris avec Lianne sur les résultats de toutes ces négociations entre Grace et moi. Je peux te garantir, Gabe, que ta femme gagnerait immanquablement.

Gabe vint passer un bras autour de ses épaules.

— Qu'est-ce que tu crois, papa ? Que je ne m'en étais pas encore rendu compte ?

Le sourire que Jeffrey échangea avec son fils acheva de le rassurer sur l'avenir de leur relation. Un « psy » aurait sans doute trouvé mille choses à redire sur la qualité de leur échange, mais la conversation qu'il venait d'avoir avec Gabe n'en représentait pas moins un net progrès par rapport à toutes leurs tentatives précédentes.

— Je ferais peut-être mieux de lever le camp d'ici avant que Lianne ne quitte sa chambre d'hôpital pour se mettre à ma recherche, déclara Gabe en récupérant les dossiers qu'il avait posés sur un coin du bureau. Juste une dernière question : où se trouve maman, en ce moment ?

— Elle a fait un saut à Paris pour voir Megan et Phillip. Mais elle sera de retour à Londres demain.

— Je lui passerai un coup de fil à l'appartement. Je tiens à la féliciter personnellement.

— Euh... pas à l'appartement, non. Grace a gardé sa chambre à l'hôtel Goreham.

— A l'hôtel ! Mais pourquoi ne s'est-elle pas installée chez toi ?

Précisément parce que leur appartement de Londres était devenu un « chez lui » et non plus un « chez eux », comme Gabe venait de le dire lui-même.

— Nous avons encore quelques petites questions pratiques à régler avant que Grace ne reprenne la vie commune avec moi, expliqua Jeffrey avec un faible sourire. Un dernier conseil, Gabe, si vous décidez un jour de divorcer, Lianne et toi, réfléchis bien avant d'entamer la procédure. Se séparer est une chose, mais recoller les pots cassés est un sacré travail !

Par combien de négociations serrées devraient-ils encore en passer avant que Grace accepte de rendre définitivement les armes ? C'est la question que se posait Jeffrey en rentrant chez lui, ce soir-là. Il suspendit son veston dans le dressing, puis alla dans sa chambre pour interroger le répondeur. Grace avait appelé pour confirmer son retour le lendemain et lui rappeler qu'elle l'attendrait au Goreham où ils dîneraient dans sa suite.

— Je t'aime, Jeffrey, concluait-elle. Et je suis impatiente de te revoir.

Il fit passer l'enregistrement trois fois avant de se résoudre à contrecœur à enchaîner sur le suivant. Il reconnut la voix de la décoratrice d'intérieur qui voulait savoir s'il avait pris une décision au sujet des échantillons de tissus qu'elle lui avait laissés, le samedi précédent. Le troisième message était de sa mère.

— Mon cher fils, je suppose que tu es mort et que le *Times* a oublié de faire paraître l'article nécrologique. Comment expliquer autrement ce silence obstiné qui se prolonge depuis près de trois semaines ?

Jeffrey sourit. C'était bien de sa mère de lui reprocher de ne pas donner signe de vie. Alors qu'il avait justement passé les deux dernières semaines à tenter de retrouver sa trace ! La dernière fois qu'il l'avait eue au téléphone, Mary séjournait à Boston chez des amis. Et depuis, elle avait disparu corps et biens.

Comme sa mère mentionnait le *Times* dans son message, Jeffrey décida à tout hasard de composer le numéro de son appartement de Londres. La chance lui sourit : à la troisième sonnerie, Mary décrocha.

— Mère ? C'est Jeffrey. C'est un miracle de vous trouver à votre domicile, pour une fois. Qu'est-ce qui nous vaut cet honneur ?

— Ah, Jeffrey ! Tu es donc encore en vie, apparemment. Rien ne t'oblige à me donner régulièrement de tes nouvelles, bien sûr, même si je suis ta mère — une frêle vieille dame de soixante-dix-neuf ans.

— Maman, nous savons l'un et l'autre que vous avez eu quatre-vingt-uns ans cette année et que vous êtes solide comme un roc. Où aviez-vous disparu, cette fois-ci ?

— En croisière. Direction : l'Alaska. Mais ce ne fut pas une initiative très heureuse, hélas. Le paquebot était fréquenté par un ramassis de vieillards séniles et d'adolescentes à peine pubères. Une compagnie particulièrement fastidieuse lorsqu'on n'appartient à aucune des deux catégories.

— La beauté des lieux a peut-être compensé ce petit problème ?

— J'ai vu défiler quelques paysages splendides, en effet. Mais j'ai résolu malgré tout de passer le reste de l'été à Londres. Figure-toi que je me suis réveillée un matin en pleine croisière, tenaillée par la nostalgie d'une promenade à pied dans un chemin de campagne bien anglais. Tu imagines ? J'ai vite pris deux aspirines pour tenter de calmer la crise, mais rien à faire. La triste vérité, Jeffrey, c'est qu'avec l'âge, je suis en train de devenir terriblement sentimentale.

— On a tous besoin d'opérer des petits retours vers nos racines.

Jeffrey réalisa alors que sa mère n'avait pas encore été informée — et pour cause — de la naissance d'Elisabeth Gabrielle. Mary serait ravie d'apprendre qu'une nouvelle génération de DeWilde avait vu le jour. Sur le point d'annoncer la grande nouvelle, il se ravisa. Il n'avait pas vu sa mère depuis une éternité. S'il dînait avec elle ce soir, il pourrait faire d'une pierre deux coups et lui parler à la fois de ses nouveaux projets avec Grace et de la naissance de sa petite-fille. Mary étant Mary, elle ne se priverait pas de lui assener deux ou trois réflexions mordantes sur son remariage avec Grace. Si sa mère se montrait trop incisive, il pourrait toujours échapper à ses remarques caustiques en ramenant la conversation sur la petite Elisabeth.

— Je dînerais volontiers avec vous, ce soir, mère, si vous n'avez pas d'autres projets.

— Excellente idée. Une invitation à dîner, c'est exactement ce dont je rêvais. Tu sais que j'adore le nouveau restaurant français qui s'est ouvert à Knightsbridge?

— Je pensais à une formule à la fois plus simple et plus intime, rétorqua Jeffrey en réprimant un sourire. Je connais un restaurant chinois qui vend des plats à emporter. Je viendrai chez vous avec le nécessaire. J'ai des nouvelles importantes à vous annoncer. De bonnes nouvelles, en l'occurrence.

— Et tu veux les fêter en mâchonnant de tristes protéines de nature indéterminée recouvertes de pâte à beignet dégoulinante de graisse, agrémentées de quelques pousses de soja transgénique? commenta Mary en soupirant. Sais-tu, Jeffrey, que ton père me manque parfois terriblement? Voilà un homme qui savait vivre!

Pour la première fois, Jeffrey perçut une pointe de fragilité dans la voix de sa mère — comme un premier signe annonciateur du grand âge.

— Père me manque aussi, répliqua-t-il avec douceur. Mais j'aimerais que nous puissions discuter tranquillement sans avoir à faire des politesses à la demi-douzaine de connaissances que nous ne manquerons pas de trouver dans un restaurant de Knightsbridge. Sans parler de la brochette de serveurs qui nous tournera autour en permanence pour s'assurer que la nourriture est bien à notre convenance. Et comme nous sommes incapables, l'un comme l'autre, de faire cuire ne serait-ce qu'un œuf, cela vous laisse le choix entre le chinois, une pizza ou un curry indien.

— Plutôt le chinois, alors, s'il faut absolument en passer par cette épreuve, trancha Mary d'un ton résigné. Tu sais, Jeffrey, il y a des circonstances où je regrette presque de n'avoir jamais appris à cuisiner.

— Je ne vous crois pas une seconde ! répliqua-t-il joyeusement. A dans trois quarts d'heure, alors.

— J'ai mis la table dans la salle à manger, annonça Mary en lui rendant son baiser. J'ai pensé qu'à défaut de consommer de la vraie nourriture, nous pourrions au moins utiliser de vraies assiettes et de vrais couverts.

— C'est une très bonne initiative.

Jeffrey lui emboîta le pas et disposa le riz cantonais, les légumes cuits à la vapeur et les fruits de mer cuisinés à la mode du Sichuan sur les plats que sa mère avait préparés. Puis il sortit la bouteille de champagne qu'il avait gardée au frais dans un sac isotherme.

— Vous avez une mine superbe, mère, dit-il en la prenant par les épaules. Votre croisière en Alaska semble vous avoir réussi.

— Sûrement, oui. Je n'ai pas besoin d'avoir vécu soixante-dix-neuf ans pour comprendre que tout ce qui est long, ennuyeux et pénible est généralement profitable à la santé.

Jeffrey se mit à rire.

— Voilà ce que j'appelle être lugubre. Mais j'ai une nouvelle qui va ensoleiller votre humeur.

Débouchant le champagne, il remplit deux coupes.

— Buvons à la santé d'un nouveau membre de la famille DeWilde : Elisabeth Gabrielle, née ce dimanche à deux heures du matin, pesant trois kilos et cent grammes et déjà pourvue d'une petite touffe de cheveux d'un roux indéniable.

Le visage de Mary s'illumina enfin d'un vrai sourire.

— Lianne et Gabriel ont eu leur bébé? Oh, Jeffrey, comme je suis heureuse! Tout s'est bien passé, j'imagine?

— Comme sur des roulettes, semble-t-il. La naissance s'est faite par césarienne, mais Lianne a très bien supporté l'opération. Quant à Elisabeth, elle ressemble à mes yeux à n'importe quel nouveau-né. Mais de nombreux observateurs au regard plus subtil que le mien s'accordent à dire qu'elle est adorable, belle comme un cœur, et que c'est le portrait craché de Gabe.

— Je meurs d'impatience de la voir! Tu te rends compte, Jeffrey? Je suis arrière-grand-mère! C'est une sacrée promotion dans la vie, non? Je me demande si je serai à la hauteur de la tâche.

— Pour cela, je vous fais confiance. Vous vous en acquitterez à votre façon, qui ne sera de toute manière pas celle de tout le monde.

Jeffrey tira une chaise pour sa mère et Mary prit place à table, les joues rouges d'excitation.

— Ah, Jeffrey, c'est merveilleux. Il faut que je trouve quelque chose à lui acheter. Une petite robe en organdi blanc avec des rubans de soie, même si ce n'est pas des plus pratiques...

Toute à ses projets, Mary se servit en fruits de mer, sans émettre la moindre critique. Le plan de Jeffrey avait si bien fonctionné qu'une demi-heure plus tard sa mère était encore en train de parler de la naissance d'Elisabeth, et qu'il n'avait pas réussi à placer un seul mot au sujet de Grace.

Une fois le repas terminé, Mary se renversa contre son dossier, plaça une cigarette dans un de ses filtres incrustés de pierres précieuses et ferma les yeux, inspirant voluptueusement la fumée.

— Mmm... Tu ne peux pas savoir comme je les apprécie depuis que je n'en fume plus que cinq par jour.

— J'imagine en effet, acquiesça Jeffrey distraitement.

Mary lui jeta un regard lourd de suspicion.

— Jeffrey ? Tu ne dois pas être dans ton assiette. Je ne me souviens pas d'un seul repas partagé avec toi depuis dix ans où tu ne m'aies pas sermonnée au sujet de ce que tu appelles mon « tabagisme ».

— Comme mes dix ans de sermon sont restés sans résultat, j'ai décidé de garder mes conseils pour des auditeurs plus réceptifs.

— J'aurais accepté cet argument de la part de n'importe qui d'autre. Mais pas d'un obstiné comme toi. Que se passe-t-il, Jeffrey ?

Il repoussa son assiette vide.

— Très bien, je vais vous le dire. Il s'agit d'une bonne nouvelle et je suis très heureux de vous l'annoncer.

— Jeffrey, tu vas finir par m'inquiéter sérieusement. Sois charitable et dispense-moi des préambules.

Il prit une profonde inspiration.

— Grace et moi, nous allons nous remarier.

Pendant quelques secondes, sa mère demeura parfaitement immobile. Puis un sourire rayonnant illumina son visage.

— Dieu merci, Jeffrey. J'ai eu tellement peur que tu finisses par la perdre pour de bon, bourrique comme tu l'es.

— Maman ? Vous pleurez ?

— Bien sûr que non, ne sois pas stupide, protesta

Mary en s'essuyant les yeux avec un coin de sa serviette. Mais où est Grace, dis-moi ? Pourquoi n'est-elle pas venue ici avec toi ?

— Elle est à Paris, chez Megan. Mais elle revient demain.

— Merveilleux. Et quand vous remariez-vous ? Le plus tôt possible, je suppose.

Jeffrey reposa la bouteille de champagne à demi vide.

— Je ne sais pas encore quand, exactement. Bien des choses ont bougé dans la vie de Grace en un an. Elle a ouvert sa boutique, noué de nouvelles amitiés, découvert qu'elle aimait vivre à San Francisco.

Mary hocha la tête en éteignant sa cigarette.

— Ça, je peux le comprendre. C'est la ville où elle est née et où elle a grandi. Sans ce divorce, elle n'aurait sans doute jamais reconnu qu'elle était tenaillée par le mal du pays...

— ... Mais le fait est qu'il y a eu cette séparation, compléta Jeffrey en se passant la main sur le front. Et que Grace est devenue beaucoup plus autonome. En apparence, nous n'avons que des détails matériels à régler, mais derrière chacun d'entre eux se cache un problème émotionnel de ce genre.

— De toutes les nouvelles de la soirée, voici celle qui me stupéfie le plus, Jeffrey. Mon fils, prêt à admettre que des questions sentimentales peuvent parfois prendre le pas sur la simple logique ! Je vais finir par penser que votre second mariage sera encore plus heureux que le premier.

Jeffrey se leva pour aller se placer devant les grandes portes-fenêtres et contempla la rue mouillée de pluie.

— Pour être tout à fait honnête, je me serais bien passé de tout ce fatras de complications — émotionnelles, sentimentales ou autres. Tout ce que je veux, c'est avoir de nouveau ma femme à mes côtés. Si seulement elle acceptait de revenir vivre avec moi sans trop tarder, nous aurions tout le temps par la suite de tout remettre à plat pour définir les paramètres de notre nouvelle relation.

— Grace n'adhère pas à ce programme ?

— Elle prétend qu'elle est encore de l'ancienne génération et qu'elle ne veut pas vivre dans le péché, même avec un ex-mari. Mais je crois que le vrai problème n'est pas d'ordre moral. Je pense surtout qu'elle se sent en meilleure position pour négocier tant que nous sommes encore séparés. Comme si elle avait peur que je balaye toutes ses objections pour la forcer à reprendre notre ancien fonctionnement, dès l'instant où nous serons de nouveau sous le même toit.

— Il est vrai que tu es un homme de pouvoir, Jeffrey, commenta Mary pensivement. Tu as une personnalité forte.

Jeffrey fronça les sourcils.

— Elle n'a pourtant aucun souci à se faire. Ce n'est pas le pouvoir qui m'intéresse, en l'occurrence. Je n'ai pas l'intention de lui imposer quoi que ce soit.

— Dans ce cas, la solution me paraît simple. Dis-lui que tu ne demandes qu'une chose : la voir heureuse. Elle n'aura plus aucune raison de se tenir sur ses gardes.

Jeffrey sentit renaître une bouffée d'espoir.

— Tu crois ? Nous avons prévu d'aller à San Francisco ce week-end pour commencer à nous organiser sur place. Mais je pourrais peut-être convaincre Grace de passer d'abord une journée ou deux à Kemberly ? Qui sait si la vue de ses chères roses ne l'aidera pas à hâter un peu sa décision ?

— Tu lui as demandé de t'épouser, au moins ?

Jeffrey tourna vers sa mère un regard surpris.

— Evidemment ! Je viens de vous expliquer que nous allions nous remarier.

— Sans doute. Mais as-tu formulé ta demande dans les formes ?

Décontenancé, Jeffrey balança son poids d'un pied sur l'autre.

— Vous ne croyez pas que ce serait un peu excessif, vu les circonstances, si je me lançais dans une déclaration ampoulée ?

Sa mère le contempla d'un air apitoyé.

— Ah, mon pauvre Jeffrey ! Tu as encore beaucoup à apprendre. Je te conseille de lui déclarer ta flamme, avec autant de passion et de sincérité que possible.

— C'est un peu compliqué, maman. Une demande en bonne et due forme s'accompagne généralement d'une bague. Or Grace tient beaucoup à celle que je lui ai offerte la première fois.

Mary réfléchit un instant en tapotant son fume-cigarette contre le bord du cendrier.

— Tu as raison, murmura-t-elle pensivement. Il te faut un bijou. Un bijou symbolique. Et je crois que j'ai exactement ce qu'il te faut.

Elle disparut quelques minutes dans sa chambre et revint avec un écrin à la main.

— Je ne pense pas t'avoir déjà montré cette pièce. Et Grace ne la connaît pas non plus. A mon avis, nous tenons là le présent idéal.

Jeffrey souleva le couvercle et découvrit une broche en or de style victorien. En forme de cœur et ouverte au centre, elle était incrustée de diamants à la pointe et deux chérubins ornaient les côtés. Le bijou était exécuté avec beaucoup de finesse, mais il ne s'agissait pas d'une pièce d'une grande valeur. Jeffrey connaissait les goûts de Grace. Comment sa mère pouvait-elle penser qu'elle serait séduite par cette broche à l'aspect exagérément sentimental ?

— Est-ce un de vos bijoux personnels, mère ? demanda-t-il avec diplomatie.

— Indirectement, oui. Je tiens cette broche d'Anne-Marie DeWilde, ton arrière-grand-mère. Tu sais que ses bijoux ont presque tous disparu au cours de la Seconde Guerre mondiale, n'est-ce pas ? Donc cette pièce est unique en son genre.

Jeffrey fronça les sourcils.

— Je n'ai jamais été très versé dans la mythologie familiale, mais j'ai toujours entendu dire que le mariage d'Anne-Marie et de Maximilien DeWilde avait été un échec. Symboliquement, cela ne me paraît pas être un choix de cadeau très heureux.

— Comme toutes les légendes qui courent dans la famille, celle de l'échec amoureux entre Anne-Marie et Maximilien ne correspond que partiellement à la réalité. Ces deux-là se sont aimés passionnément à leur façon.

Jeffrey se souvint que Mary avait connu personnellement Anne-Marie, juste avant son décès sous les bombes, aux tout débuts de la guerre.

— J'ai une idée, mère : pourquoi ne pas offrir cette broche à Elisabeth Gabrielle, en cadeau de naissance ? Je suis certain qu'en grandissant, Elisabeth s'attachera à ce souvenir d'une très lointaine aïeule.

— Je n'en doute pas. Mais je pense que Grace sera mieux à même d'en apprécier la valeur sentimentale. Apparemment, elle n'a pas encore eu l'occasion de te confier qu'elle avait lu les journaux intimes d'Anne-Marie au cours de son séjour dans le Nevada ?

Jeffrey songea à la façon dont Grace et lui passaient leur temps ensemble depuis leurs retrouvailles. Les écrits intimes de ses ancêtres se situaient à des années lumière de leurs préoccupations du moment...

— Nous n'avons effectivement pas encore eu le temps d'aborder ce sujet, elle et moi, admit-il en toussotant. Nous sommes très occupés à redéfinir notre relation.

— Je n'en doute pas. En position allongée et dans votre plus simple appareil, assurément.

Balayant d'un geste la protestation étranglée de Jeffrey, Mary enchaîna gracieusement :

— Si tu veux lire les cahiers d'Anne-Marie, je te les prêterai avec le plus grand plaisir. Grace me les a rendus ;

je sais qu'elle a été très touchée par l'histoire de ma grand-mère, ainsi que par l'amour que cette dernière portait à Maximilien. Ta femme a été sensible aux similarités existant entre l'histoire d'Anne-Marie et la sienne, apparemment. Je suis certaine qu'elle sera profondément émue si tu lui offres cette broche en précisant qu'il s'agit du bijou que Maximilien a offert à Anne-Marie à l'occasion de leur premier anniversaire de mariage.

Jeffrey hocha la tête et glissa la boîte dans sa poche.

— Dans ce cas, je suivrai votre conseil. En espérant que Grace le prendra comme un gage de bonne volonté de ma part et comme le symbole d'un renouveau.

— Merci de me faire confiance, Jeffrey.

Mary lui effleura la joue. Pour être bref, le geste n'en était pas moins empreint d'une réelle tendresse.

— En revanche, je retiens ton idée d'offrir un bijou de famille à mon arrière-petite fille. Mon Dieu, n'avons-nous pas passé une merveilleuse soirée ensemble, tous les deux, à la maison ? s'écria-t-elle soudain joyeusement en passant son bras sous le sien. Je suis sûre que nous ne nous serions pas amusés autant au restaurant. Tu vois que j'ai bien fait d'insister pour que nous restions manger ici !

10.

Maudit réveille-matin ! Comment pouvait-il sonner aussi bruyamment, alors qu'elle avait l'impression d'être encore dans son premier sommeil ? Les yeux clos, Julia chercha le bouton d'arrêt à tâtons. La sonnerie s'interrompit quelques secondes puis reprit avec insistance. Résistant à la tentation de se fourrer la tête sous l'oreiller, elle ouvrit un œil et constata qu'il était 5 h 47.

Se dressant péniblement sur son séant, elle se frotta les paupières en essayant de rassembler ses pensées. Pourquoi avait-elle programmé de sortir du lit à une heure aussi matinale ? C'était la dernière semaine de classe et son premier cours du mercredi débutait à 14 heures. Rien ne justifiait qu'elle s'arrache ainsi avant l'aube au refuge rassurant du sommeil. D'ailleurs, qu'avait-elle à faire ce matin ? Rien. Ou presque... Son programme de la journée lui semblait incroyablement vide en comparaison du week-end agité qu'elle venait de passer avec Michael Forrest. Refermant les yeux, elle se glissa de nouveau sous les couvertures, refusant d'affronter le lugubre quotidien.

Driiiiing...

Dans un éclair de lucidité, la jeune femme comprit que la sonnerie provenait en réalité de la porte d'entrée. Le ventre noué par l'angoisse, elle décrocha son peignoir et se précipita dans le couloir. Qui d'autre qu'un porteur de mauvaises nouvelles pouvait se présenter ainsi chez elle, avant 6 heures du matin ? Sur le point de débloquer les verrous, elle pensa à jeter un coup d'œil par le judas.

Michael Forrest se tenait sur le palier, le doigt scotché à la sonnette. En short de course à pied et T-shirt, il était en nage et plus irrésistible que jamais, même à travers la lentille déformante du judas.

Julia hésita. Le plus sage serait de tourner les talons et de retourner se coucher. Mais elle sentait sa légendaire volonté l'abandonner. Elle avait la bouche sèche et une curieuse sensation de vide dans l'estomac. Des symptômes qui cette fois n'avaient plus rien à voir avec la peur.

Le cœur battant, elle ouvrit la porte. Inutile de prendre un air furibond, alors qu'elle était follement heureuse de le voir ! Elle lui sourit donc, et Michael parut surpris de son accueil. Il respirait bruyamment, comme s'il était épuisé. Elle s'effaça pour lui céder le passage.

— Salut, Michael. Entre et reprends ton souffle.

Il ne répondit pas, se contentant de la fixer en silence. La lueur ironique qui dansait habituellement dans son regard brillait aujourd'hui par son absence. Son expression était déterminée, insondable. Alors qu'elle vacillait encore de sommeil une minute plus tôt, Julia ressentit en le regardant un émoi physique intense.

Il entra et, du bout du pied, referma la porte derrière lui. Toujours sans un mot, il la prit dans ses bras, lui renversa la tête en arrière et l'embrassa, bouche ouverte, sa langue cherchant la sienne. Julia se pressa contre lui, frissonnant au contact de ses vêtements trempés de sueur et de pluie. Un frisson qui, étrangement, n'avait aucun rapport avec une quelconque sensation de froid. Son corps entier brûlait, au contraire. Elle s'agrippa à ses épaules, se frottant contre lui, et soupira de soulagement lorsqu'il repoussa les pans de son peignoir pour caresser ses seins, son ventre et ses cuisses. Les jambes faibles, elle s'accrocha à lui, étonnée que son corps perde toute vigueur alors qu'elle se sentait, au contraire, si forte et si vivante. Elle tremblait, galvanisée par son désir et par le pouvoir qu'elle exerçait sur cet homme.

Les premières paroles de Michael furent chuchotées contre ses lèvres.

— Où est ta chambre ?

D'un geste, elle désigna le fond du couloir et il lui prit la main pour l'entraîner dans cette direction, sans cesser de l'embrasser en chemin. Julia tomba en arrière sur le matelas et Michael s'allongea sur elle, l'emprisonnant, l'étourdissant de caresses. Chavirée de plaisir, elle se mit à gémir, incapable de contenir la plainte étrange et lancinante qui montait de sa gorge.

Michael se dressa sur ses coudes, le regard rivé au sien, le visage tendu par l'intensité de la passion. Elle souleva les hanches en une invite muette, et il vint en elle avec force, déclenchant la montée progressive du plaisir, libérant une onde irrépressible de jouissance, tout en emprisonnant à jamais son cœur.

Le silence entre eux s'étirait presque douloureusement, lorsque Michael se décida à parler, le regard rivé au plafond.

— Je venais pour t'inviter à prendre le petit déjeuner avec moi, au fait. Au cas où tu l'aurais oublié, tu as une dette envers moi.

— Tu as une façon très particulière de formuler tes invitations, dit Julia en regardant en l'air elle aussi.

Roulant sur le côté, Michael se dressa sur un coude.

— J'aurais pu te téléphoner, c'est vrai. Mais j'avais peur que tu refuses.

— Et qu'est-ce qui te dit que je vais accepter maintenant ? Surtout si tu as l'intention de mettre ta menace à exécution et de m'imposer des saucisses au sirop d'érable ou Dieu sait quoi d'atroce de ce genre.

— Ne refuse pas, Julia. Passons la journée ensemble, proposa Michael d'une voix redevenue sérieuse.

Elle se dégagea et s'assit sur le lit.

— Je croyais que tu devais rentrer aux Etats-Unis aujourd'hui ?

— J'ai différé mon retour de vingt-quatre heures.

Julia tourna la tête vers lui.

— A cause de ton travail ?

— A cause de toi. J'étais fou sans toi, ces deux derniers jours.

Il y avait dans sa voix une pointe d'incrédulité mêlée d'exaspération. Julia se radoucit.

— Tu m'as manqué aussi, chuchota-t-elle.

Michael prit une profonde inspiration et mêla ses doigts aux siens.

— Viens à Chicago avec moi, Julia. J'ai envie de te montrer mes hôtels pour que tu me donnes ton avis sur la décoration. Je veux aussi que tu voies la splendeur du lac Michigan par la fenêtre de ma chambre. J'ai envie de m'endormir en te tenant dans mes bras et je veux te trouver à mon côté lorsque j'ouvrirai les yeux le matin. Viens me donner une raison de rentrer chez moi le soir et de quitter mon bureau à une heure raisonnable parce que je saurais que tu m'attends.

La voix de Michael se fit presque suppliante.

— Dis-moi oui, Julia. J'ai besoin de partager ma vie avec toi pendant... pendant un certain temps.

Un certain temps. En d'autres termes, jusqu'à ce qu'il se lasse de sa compagnie. Dans quelques semaines... Peut-être quelques mois si la chance était de son côté. Elle aurait dû repousser cette proposition avec horreur, pourtant son cœur imprudent n'aspirait qu'à accepter.

Détachant sa main de la sienne, Julia remonta le drap contre sa poitrine et se força à réagir en femme raisonnable qu'elle était :

— Merci pour ta proposition, Michael, mais je ne

peux pas accepter. Je suis trop exigeante pour faire une maîtresse acceptable, ajouta-t-elle avec un sourire contraint.

Sa protestation le fit rire.

— Toi ? Mais, Julia, ma chérie, tu es l'être le moins exigeant que cette terre ait jamais porté !

— Pour les petites choses, peut-être. Mais pas pour les grandes.

— Qu'est-ce que tu appelles les « grandes choses » ? demanda-t-il en posant la main sur sa cuisse.

— Je revendique tout ce que tu n'es pas disposé à investir dans une relation, Michael : l'amour, la fidélité, l'engagement de soi et également la liberté de déployer mes ailes et de me réaliser en me sentant soutenue par l'homme que j'aime.

— Je peux te donner toute la liberté de création dont tu auras besoin. Ainsi que des opportunités de carrière que tu ne trouveras avec aucun autre homme. Quel endroit mieux indiqué que mes hôtels pour démarrer comme décoratrice ?

Michael faisait miroiter devant elle des possibilités effroyablement tentantes. Julia s'imagina avec un chantier aussi prestigieux que le Carlisle Forrest de Chicago, libre de reprendre la décoration du hall d'entrée ou d'une suite ayant accueilli son lot de rois et de présidents. La perspective était vertigineuse, plaçant soudain ses rêves les plus fous à portée de main. Elle n'avait qu'un mot à dire pour qu'ils se concrétisent. Etait-ce vraiment important que Michael n'ait pas d'engagement durable à lui proposer alors qu'il lui apportait un pareil avenir sur un plateau ?

Se surprenant à former ces pensées, Julia mesura pour la première fois à quel point une personne qui se considérait comme honnête pouvait se laisser corrompre facilement. Se reprenant à temps, elle secoua la tête.

— Non, Michael. Une décoratrice inexpérimentée ne

fait pas ses débuts dans des hôtels aussi prestigieux que les tiens. Si elle y parvient, c'est généralement par des voies détournées. En couchant avec le P.-D.G, par exemple.

Michael se rembrunit.

— Je ne te le proposerais pas, si je ne m'étais pas rendu compte moi-même que tu as le talent et les compétences nécessaires.

— Talent ou pas talent, on ne décroche pas un contrat tel que celui-là, si on ne peut pas justifier de l'expérience requise. Si je dois vendre mon corps en échange de ce job, autant appeler les choses par leur nom.

Un muscle tressaillit à l'angle de la mâchoire de Michael.

— Très bien, appelons les choses par leur nom, s'il le faut. Est-ce que cela signifie que tu acceptes ?

— Non. Cela signifie que je ne suis pas encore prête à me prostituer. Même pour toi, Michael.

Il eut un geste désabusé de la main.

— Bon, laissons ta carrière de côté pour le moment. Je peux te garantir que tu passeras un séjour inoubliable, Julia. Chicago est une ville fascinante quoique mal connue ici en Angleterre. Nous pourrions passer des moments... très agréables ensemble.

Refuser de l'accompagner, c'était renoncer d'emblée à leur donner une chance. Pourquoi ne pas accepter le « bout d'essai » qu'il lui proposait en espérant qu'ils poseraient ainsi les premiers jalons d'une relation durable ? Michael ne finirait-il pas par s'apercevoir qu'il existait entre eux des affinités réelles et profondes ? Que sous leurs différences apparentes, ils étaient au fond incroyablement proches ?

D'un haussement d'épaules, Julia chassa ces arguments naïfs de ses pensées. Elle avait dépassé l'âge des illusions. A trente-six ans, Michael fonctionnait depuis des années selon un schéma bien établi : il collectionnait les liaisons brèves avec des femmes belles, intelligentes et célèbres. Des femmes comme Tate Herald ou Cherie Lockwood. Croire qu'elle pouvait le convaincre de changer relevait de la pure utopie. Comment espérer réussir là où d'autres, aux profils plus prestigieux que le sien, avaient échoué ? La routine s'installant, Michael commencerait inévitablement à s'ennuyer avec elle, il irait chercher auprès d'une autre l'attrait de la nouveauté, et elle se retrouverait seule à Londres, sans travail, sans amour, avec de nouvelles blessures à panser.

— Une fois que tu te seras lassé de ma compagnie, comment comptes-tu te débarrasser de moi, Michael ? Tu appliques une procédure standard, j'imagine ? Du type : une semaine tous frais payés dans un hôtel Carlisle Forrest de mon choix. Le tout accompagné d'un aller simple pour l'Angleterre ?

Le regard de Michael s'assombrit, trahissant l'irritation et la tristesse.

— Tu n'attends pas de moi que je réponde sérieusement à une question pareille, je suppose ?

Elle soupira.

— Non, tu as raison, excuse-moi. Mais je n'en persiste pas moins dans mon refus, Michael.

— Tu ne risques rien, pourtant. Je t'invite en tant... qu'amie, c'est tout. Je ne te demande pas de t'engager envers moi.

Si elle n'avait pas eu le cœur aussi serré, Julia aurait sans doute éclaté de rire. C'était précisément la nature « amicale » des sentiments de Michael qui constituait pour elle le principal obstacle ! Trop fière pour rétorquer qu'elle ne se sentait pas le courage d'affronter une nouvelle déconvenue sentimentale, Julia opta pour une semivérité :

— Je suis une simple enseignante élevée dans une famille tout ce qu'il y a de plus traditionnelle, Michael. Désolée d'être aussi terre à terre, mais je ne peux pas laisser tomber tout ce qui fait ma vie ici pour partir comme ça sur un coup de tête.

— Rien ne te retient de le faire pourtant, répliqua-t-il en la regardant droit dans les yeux. Il serait peut-être temps que tu te décides à quitter les sentiers battus, Julia. Depuis des années, tu suis le chemin que tes parents ont tracé pour toi. Mais il arrive un moment dans la vie, où il faut définir ses propres buts et la voie que l'on veut suivre pour y parvenir.

Julia se mordit la lèvre.

— Si j'avais eu un avenir autre que l'enseignement, ça se saurait. Regarde Lianne : nous avons le même âge et elle a déjà fait un parcours remarquable.

— Tout à fait. Mais soutenue par ses parents. Alors que les tiens ne jurent que par le fonctionnariat, les maris convenables et le train-train d'une vie parfaitement réglée. Pourquoi continuer à enseigner le français à contrecœur alors que tu débordes de créativité et de talents inexploités ? Pourquoi passer tes soirées avec de tristes rabat-joie comme ce pauvre Edward Hillyard alors que vous n'avez manifestement rien à vous dire ? Je ne vois qu'une seule justification à ce comportement : tu te plie au schéma familial.

Julia secoua la tête. Bien que fort pertinentes, les remarques de Michael étaient un peu trop dérangeantes à son goût.

— Tu parles comme si j'avais encore dix-huit ans ! Je suis moralement et financièrement indépendante depuis des lustres. Il y a longtemps que l'opinion de mes parents n'influence plus mes choix.

— Parfait. Puisque tu es libre, majeure et vaccinée, tu peux donc choisir de venir à Chicago avec moi. Sans angoisse, ni culpabilité.

— Michael, sois gentil... Laisse tomber, O.K. ?

Ce n'était pas par conformisme qu'elle refusait de l'accompagner, mais parce qu'elle avait une peur bleue de s'attacher irrémédiablement à lui. Mais comment le lui faire comprendre sans pour autant mettre son cœur à nu? Julia voulut se lever mais il la retint par le poignet et la plaqua contre les oreillers.

— Julia, tu es belle, intelligente, drôle et d'une compagnie plus que plaisante. Si tu n'avais réellement d'autre ambition dans la vie que de devenir épouse et mère, tu ne crois pas que tu l'aurais fait depuis longtemps?

Elle allait protester lorsque la vérité s'imposa à son esprit avec la force de l'évidence : Michael avait raison. A travers le personnage conventionnel qu'elle affichait, il avait vu le noyau rebelle. Epouser un homme « bien sous tous les rapports », avoir deux ou trois enfants et cultiver ses géraniums ne satisferait jamais ses aspirations profondes. Dans sa vie, il y avait toujours eu un défilé d'« Edward Hillyard » en tous genres, qu'elle avait fréquentés bravement tout en les gardant à distance, échappant ainsi avec une discrète obstination à l'avenir que sa famille avait voulu tracer pour elle. Avec le recul, Julia se demandait si au début son attirance pour Gabe n'était pas venue tout simplement du fait qu'il ne l'aimait pas, ce qui la mettait à l'abri d'un engagement éventuel.

Si elle se mariait un jour, ce ne serait pas parce que son mari était un homme honorable qui ferait un père fiable pour ses enfants. Elle voulait épouser un homme qu'elle aimerait passionnément et qui l'aimerait tout aussi passionnément en retour. Elle voulait un homme qui élargirait ses horizons ; un homme qui lui offrirait des possibilités neuves et excitantes ; un homme qui réveillerait sa sexualité, chasserait au loin toutes ses inhibitions et l'aiderait à devenir une femme au sens fort du terme.

Un homme comme Michael Forrest, par exemple...

C'était sans grande surprise que Julia prenait conscience de la vraie nature de ses sentiments pour lui. Ce qu'elle s'avouait aujourd'hui, ne le savait-elle pas déjà inconsciemment depuis des mois? Se complaire dans « l'immense chagrin d'amour » causé par sa rupture avec Gabe n'avait été qu'une façon de nier son attirance pour Michael. Parce qu'il lui était impossible d'admettre ses sentiments passionnés pour un homme qui ne correspondait en rien au paisible idéal masculin auquel elle se croyait obligée d'adhérer.

Michael prit son visage entre ses mains.

— Tu as l'air si triste, tout à coup, murmura-t-il.

Elle secoua la tête.

— Pas triste, non, mentit-elle. Je m'aperçois simplement que tu as raison : mon rêve n'est pas de mener une petite vie comblée de mère de famille dans une banlieue résidentielle quelconque.

Le visage de Michael s'éclaira.

— Tu vois ! J'ai toujours su que tu n'étais pas faite pour t'enterrer dans une existence aussi terne. Alors dis-moi que tu acceptes de venir à Chicago, Julia. Donne-toi une chance de commencer à vivre vraiment.

Respirer devenait soudain une épreuve.

— Michael, venir avec toi aux Etats-Unis, ce n'est pas « me donner une chance ». C'est comme si tu me demandais de plonger du haut d'un viaduc en priant pour que quelqu'un ait eu la bonne idée de m'attacher un élastique à la cheville.

— Je serai là pour veiller à ce que la corde soit bien fixée, promit-il en s'allongeant à son côté. Tu peux compter sur moi, Julia.

— Comme Cherie et Storm ont pu le faire ?

La protestation lui avait échappé malgré elle. Mais il était trop tard pour revenir en arrière. Dans le silence qui s'épaississait, le son de ces deux prénoms vibrait encore et l'air entre eux devenait irrespirable. Le visage fermé, Michael se redressa.

— Je t'ai déjà expliqué que nous nous étions séparés par consentement mutuel, Cherie et moi. Et je garde mes distances avec Storm parce que Brad Stein estime que c'est la meilleure solution pour nous tous.

— Storm a eu son mot à dire dans cet arrangement ?

— Non, répondit Michael sèchement. Son sort a été fixé par les adultes qui l'entourent. J'aurais préféré qu'il en soit autrement, mais c'est ainsi.

Julia se mordit la lèvre.

— Je regrette, Michael. Les dispositions que Cherie et toi avez prises concernant Storm ne me regardent pas.

Michael se rhabilla et, le dos tourné, se baissa pour lacer ses chaussures.

— Il y a trois ans que tout est fini, entre Cherie et moi. Et elle n'a rien — strictement rien — à voir avec ce qui se passe entre nous aujourd'hui. Je t'ai demandé de venir avec moi à Chicago, Julia. Et j'attends toujours ta réponse.

Elle ferma les yeux, incapable de le regarder.

— Non, murmura-t-elle. Non, je ne viens pas.

Prendre la décision juste aurait dû lui procurer un peu de satisfaction. Mais elle ne ressentait qu'une douleur sans nom, comme si elle venait de commettre une erreur aussi effroyable que définitive. Michael finit d'attacher ses tennis. Il se redressa et marcha en direction de la porte. Son expression ne trahissait rien, si ce n'est une vague indifférence.

— Eh bien, ciao, Julia. A la prochaine, alors ?

Le cœur serré, Julia perçut dans sa voix l'amertume qu'il cachait soigneusement. Une boule se forma dans sa gorge.

— Je te raccompagne, murmura-t-elle en enfilant un peignoir.

Parvenu près de la porte d'entrée, Michael se retourna pour lui caresser la joue.

— Prends soin de toi, ma belle. Et passe me dire un petit bonjour la prochaine fois que tu te trouveras dans les environs de Chicago.

— Oui, bien sûr, promit-elle faiblement.

— Encore une chose, Julia : change de métier. Fais-toi

confiance. C'est absurde de poursuivre une carrière d'enseignante médiocre alors que tu pourrais être une décoratrice hors pair.

Avec une tendresse inattendue, il effleura ses lèvres d'un baiser.

— N'oublie pas de fermer à clé derrière moi.

— Je n'oublierai pas. Au revoir, Michael.

Mais il était déjà parti.

11.

Grace l'accueillit d'un sourire lorsqu'elle lui ouvrit la porte de sa suite.

— Entre, Michael. Je ne t'attendais pas si tôt. Je pensais qu'il te faudrait au moins vingt minutes de plus pour arriver jusqu'ici.

— J'ai préféré prendre le métro plutôt que de rester coincé dans les embouteillages, à ronger mon frein à l'arrière d'un taxi.

Michael jeta un coup d'œil dans la pièce et entrevit les restes d'un plateau-repas sur la table près du téléphone.

— Mais j'arrive trop tôt, peut-être ? Tu étais en train de déjeuner ?

— Non, non, ne t'inquiète pas. Je viens juste de finir de grignoter une bricole. Jeffrey m'emmène au restaurant ce soir et je ne sais pas comment il s'y prend mais il parvient toujours à me persuader de prendre un dessert. Donc j'ai essayé de limiter les calories à midi.

En dépit de ses préoccupations personnelles, Michael fut frappé par les accents de bonheur dans la voix de sa cousine. Elle avait l'air tellement radieuse qu'il se risqua à la questionner :

— Alors ? La nuit vous a porté conseil, l'autre fois, à Briarwood Cottage ? Vous êtes de nouveau ensemble, Jeffrey et toi ?

Grace rougit violemment, mais ses yeux pétillèrent de joie.

— Que signifie cette question ? Tu veux savoir si ta scandaleuse manœuvre a porté ses fruits ? Eh bien, oui ! Tu vois. Ça a même tellement bien marché que nous avons décidé de tenter une seconde fois l'aventure du mariage.

Avec une exclamation joyeuse, Michael la prit dans ses bras et la fit tournoyer dans la pièce avant de lui planter un baiser sur chaque joue.

— C'est une superbe nouvelle, Grace. Jeffrey ne te mérite pas, bien sûr. Mais le pauvre homme a souffert un martyre, ces derniers mois. Et j'ai l'impression que tu as traversé deux ou trois phases pas franchement brillantes, de ton côté.

— Pas brillantes du tout, même, admit-elle joyeusement. J'étais tellement furieuse contre Jeffrey qu'il me fallait bien un océan entier entre lui et moi. Mais en même temps, j'étais si malheureuse sans lui que je lui en voulais mortellement de vivre aussi loin de moi ! Autrement dit, je faisais peser sur lui deux exigences radicalement inconciliables. Mais c'est parfois difficile de savoir ce qu'on veut dans la vie, n'est-ce pas ? conclut-elle en riant.

Jusqu'à présent, Michael n'avait jamais connu ce genre de doute existentiel. Il avait toujours poursuivi des buts clairement définis qui ne laissaient aucune place à l'ambiguïté ou à l'hésitation. Depuis l'adolescence, ses objectifs n'avaient pas changé : il voulait le pouvoir, la réussite et l'argent. Avec le temps, il avait pris conscience qu'à la racine de ses ambitions, se trouvait l'indifférence d'un père qui ne lui avait jamais prêté qu'une attention des plus distraites. Mais s'il avait identifié l'origine de sa volonté presque obsessionnelle de réussir, il n'avait pas été tenté de changer de cap pour autant.

Il savait de même que la mauvaise entente entre ses parents était la cause directe de son aversion pour le mariage. Mais comprendre le comment et le pourquoi du problème n'avait pas suffi à le guérir de ses préjugés. Quant à sa désastreuse expérience avec Cherie Lockwood, elle avait achevé de le conforter dans l'attitude cynique qu'il avait adoptée dès l'adolescence.

Un ensemble de facteurs qui rendait d'autant plus inexplicable la « déprime » dont il souffrait depuis le matin. Vu les schémas de comportement qui étaient les siens, qu'aurait-il fait de Julia à Chicago ? La simple logique aurait voulu qu'il se sente soulagé, voire euphorique. C'était une chance pour elle comme pour lui qu'elle ait eu la sagesse de mettre un terme à leur histoire, avant qu'ils ne commencent à se gâcher mutuellement l'existence. Il savait depuis toujours qu'il n'était pas fait pour la vie à deux. Et Julia n'aurait sûrement pas apprécié qu'il le vérifie à ses dépens...

Mais au lieu de se féliciter d'avoir échappé au pire, Michael se sentait d'humeur meurtrière. La pensée qu'il ne reverrait plus Julia, qu'ils ne riraient plus ensemble, qu'ils ne feraient plus l'amour lui restait en travers de la gorge comme une douleur sourde, persistante. En vérité, il s'était rarement senti dans un tel état d'esprit.

Grace et lui s'installèrent dans deux fauteuils placés face à une fausse cheminée où brûlaient des bûches factices.

— Tu veux boire quelque chose, Michael ? Je peux commander du café, si tu le désires ?

— Ça ira, merci.

Michael regarda autour de lui et songea à la façon dont Julia aurait apprécié la décoration du Goreham. Il sourit en imaginant la réaction de la jeune femme, puis jura intérieurement en constatant qu'elle monopolisait ses pensées une fois de plus. S'il était venu rendre visite à sa cousine, c'était précisément pour écarter Julia de ses préoccupations jusqu'à son départ pour Chicago, le lendemain matin.

— Je suis sincèrement heureux pour Jeffrey et toi que

vous ayez réussi à surmonter la crise. Vous n'étiez pas faits pour vivre séparés.

— Nous le savions l'un et l'autre depuis le début, je crois. Mais les émotions humaines sont compliquées. Et on arrive parfois à un stade où la peur d'être blessé par celui que l'on aime finit par dominer tout le reste. Vu de l'extérieur, mon comportement de ces quinze derniers mois devait paraître aberrant. Et pourtant, mes actes respectaient une logique. Tordue, certes, mais une logiquc quand même.

Michael sourit.

— Là, Grace, j'avoue que ton attitude constituait une énigme psychologique particulièrement obscure pour nous autres, observateurs ignorants ! S'il y avait une logique dans la façon dont Jeffrey et toi, vous vous êtes comportés cette année, elle est indéchiffrable pour moi. A moins que vous n'ayez été possédés par je ne sais quelle créature diabolique et qu'un exorcismc vous ait délivrés subitement.

— Figurc-toi que l'hypothèse de l'envoûtement m'a parfois traversé l'esprit, à moi aussi ! Mais dans mes rares moments de lucidité, j'étais consciente que si j'agressais Jeffrey, c'était essentiellement par crainte qu'il ne recommence lui-même à me faire souffrir. Si bien qu'à chaque fois qu'il faisait un geste vers moi, je sabotais ses tentatives de réconciliation.

— Tu frappais pour éviter d'être blessée, en somme ?

— C'est exactement cela. Mais dès le moment où j'ai compris qu'il agissait probablement selon le même principe de son côté, ça n'a pas été bien compliqué de remettre les choses à plat et de trouver le chemin de la réconciliation.

Michael se pencha pour prendre ses deux mains dans les siennes.

— Et tu crois que vous parviendrez à reconstruire quelque chose de solide ensemble ? Vous avez changé chacun de votre côté, Jeffrey et toi, cela ne va peut-être pas être facile. Ça ne t'effraie pas ?

Grace lui jeta un regard tellement surpris qu'il lui lâcha les mains pour se passer nerveusement les doigts dans les cheveux.

— Désolé, cousine. Oublie que je t'ai posé ces questions. C'est terriblement indiscret de ma part, je ne sais pas ce qui m'a pris.

— Ce sont des interrogations importantes, Michael. Et il faudra bien que j'y réponde, ne serait-ce que pour moi-même.

Le regard de Grace se fit pensif.

— De cette période de crise, j'ai retenu une chose : si une relation est suffisamment forte pour valoir la peine d'être vécue, il convient d'affronter sa peur du rejet et de la surmonter. Une fois que le divorce a été prononcé, j'ai compris que la vie sans Jeffrey était tellement triste que le risque de mettre mon cœur en jeu et d'être repoussée n'était pas plus intolérable que le fait de vivre jour après jour loin de lui. Sur le plan théorique, ça a l'air tout simple, mais pour passer à la pratique, il faut accepter de mettre sa fierté au rancard et d'avancer à visage découvert, ce qui, crois-moi, exige une bonne dose de courage. Surtout après une période de conflit comme celle que nous avons traversée.

Michael n'aurait pas dû se sentir concerné et pourtant les paroles de Grace apportaient sur sa vie un éclairage inattendu. Pendant ses trente-six années d'existence, il n'avait pas été amené une seule fois à se confronter à sa propre crainte du rejet. Il choisissait par principe des partenaires épisodiques pour affirmer ensuite avec un ricanement cynique que l'amour durable n'était qu'un mythe. Mais s'il ne prenait jamais le moindre risque sur le plan affectif, comment pourrait-il jamais toucher du doigt ce qu'était une relation homme-femme véritable ? Pour la première fois, Michael se demanda si ce n'était pas donner trop d'importance à ses parents que de leur accorder ce pouvoir négatif absolu sur son existence. Ils avaient formé un couple épouvantable, d'accord, mais était-ce une raison suffisante pour que lui-même se déclare inéluctablement voué au même sort ? Sa désastreuse expérience avec Cherie Lockwood l'avait conforté dans ses visions pessimistes, bien sûr. Mais il pouvait être intéressant de s'interroger sur les raisons qui avaient amené l'actrice à se servir précisément d'un homme tel que lui. Ne l'avait-elle pas choisi *justement* à cause de sa réputation de cynisme, parce qu'elle l'avait cru trop blasé pour s'attacher à elle, trop futile pour assumer la responsabilité d'un enfant ?

Soudain incapable de rester en place, Michael se leva pour arpenter la pièce.

— Vous étiez si heureux ensemble, Jeffrey et toi, dit-il songeusement. Je vous ai toujours admirés pour votre lucidité, votre intelligence. Comment avez-vous pu laisser la situation entre vous se dégrader à ce point ? Si vous n'avez pas réussi à surmonter votre crise de couple sans en passer par une guerre de tranchée suivie d'un divorce, quel espoir reste-t-il à tous ceux qui n'ont pas votre expérience et votre sagesse ?

Grace croisa les mains sur ses genoux.

— Nous avons commis une grave erreur, Jeffrey et moi, expliqua-t-elle après une légère hésitation. Nous avons tenté de rafistoler notre relation en surface alors qu'une faille s'était créée entre nous. Au lieu de poser le problème sur la table et de l'examiner, nous l'avons l'enfoui sous une couche épaisse de silence. Si bien que l'abcès a continué à se creuser par en dessous jusqu'au moment où nous nous sommes retrouvés avec une relation gangrenée en profondeur. Je crois que nous n'aurions jamais réussi à nous retrouver, Jeffrey et moi, s'il n'y avait pas eu ce temps de séparation. C'est en prenant des distances que nous avons pu nous définir clairement, à la fois chacun de notre côté et l'un par rapport à l'autre. Après trente-deux années de vie conjugale un peu trop fusionnelle, j'avais oublié qui j'étais en tant qu'individu. Une fois passé le gros de la dépression, j'ai compris que je n'arriverais nulle part tant que je n'aurais pas réussi à savoir qui j'étais vraiment, lorsque je ne me promenais pas sous l'étiquette « Mme DeWilde ». Je pense que je n'aurais pas pu revenir à Jeffrey si je ne m'étais pas prouvé d'abord que j'étais capable de m'en sortir seule. Cela paraît simple, *a posteriori*. Mais je peux t'assurer que lorsque je nageais encore en pleine crise, je ne comprenais rien — strictement rien — à ce qui nous arrivait... Mon Dieu, mon pauvre Michael, c'est peut-être complètement obscur, ce que je te raconte ? demanda Grace en levant vers lui un regard inquiet.

Il lui lança un sourire attendri.

— Je t'adore, Grace, répondit-il simplement. Et je vous souhaite tout le bonheur possible, à Jeffrey et à toi. J'espère être encore en vie lorsque vous serez célébrés dans les journaux comme le couple qui aura battu tous les records de longévité en Angleterre.

Les yeux de Grace s'embuèrent.

— Oh, Michael, c'est malin ! Il ne me reste plus qu'à prier pour que mon nouveau mascara soit réellement waterproof.

Michael resserra son étreinte.

— Nous voilà devenus terriblement sentimentaux pour deux personnes censées se rencontrer pour une discussion d'affaires !

— Tu as raison, déclara Grace en sortant un mouchoir de sa poche. Assez philosophé sur le mariage. Pour quelle raison voulais-tu me voir, déjà ? Tu m'as parlé d'un projet publicitaire qui devrait nous intéresser l'un et l'autre, je crois ?

— En effet, oui. Mais je crains que mon idée ne soit plus vraiment de circonstance. Maintenant que tout est arrangé avec Jeffrey, il ne te reste plus qu'à vendre *Grace*, je suppose ?

Grace haussa les sourcils.

— Michael, tu me déçois. C'est déprimant de constater que les cerveaux masculins fonctionnent — ou plutôt dysfonctionnent — tous sur le même mode. J'ai tout de même passé une année à travailler douze heures par jour, sept jours sur sept pour réussir à faire tourner ma boutique de mariage. Et je suis sûre que personne n'a pensé à demander à Jeffrey s'il comptait renoncer à ses fonctions à la tête du groupe DeWilde sous prétexte qu'il se remarie avec moi ! Je ne vois aucune raison pour me dessaisir de *Grace* alors que je commence tout juste à récolter les fruits de ce que j'ai semé. Il me semble que je viens de passer un bon moment à t'expliquer en long, en large et en travers que j'avais occupé l'année écoulée à apprendre à devenir une personne autonome. As-tu au moins écouté un mot de ce que je t'ai raconté ?

Michael rit de bon cœur.

— Laisse-moi deviner... Je parie que je viens de mettre le doigt sur un des points sensibles pour lesquels vous essayez désespérément de trouver un accord, Jeffrey et toi.

Grace soupira.

— La négociation a été délicate, mais des solutions semblent se dessiner. J'ai accepté que ma boutique soit intégrée dans le groupe DeWilde. Reste maintenant à déterminer comment nous allons partager notre temps entre San Francisco, Kemberly et Londres.

— Autrement dit, le moment n'est peut-être pas le mieux choisi pour te parler de mon projet publicitaire. Tu as sûrement d'autres chats à fouetter dans l'immédiat.

Grace lui jeta un regard scrutateur.

— Je ne te connaissais pas ces scrupules, Michael. Pour avoir déjà été en relations d'affaires avec toi, je te croyais capable de négocier un contrat n'importe où, que ce soit à un mariage, un enterrement ou dans une queue de cinéma.

— Tu plaisantes, j'espère? Je ne pense pas être obsédé à ce point.

— Mmm... Mais parle-moi de ton projet, Michael. Tes idées valent toujours la peine d'être entendues.

— C'est au sujet d'Ashby Hall. Je suis persuadé qu'il existe une clientèle potentielle pour l'hôtel, mais jusqu'à présent, je n'ai pas encore réussi à trouver la bonne formule pour amener les gens à y passer la nuit.

Deux plis pensifs creusèrent le front de Grace.

— Ashby Hall est situé trop loin des grands axes pour attirer des clients de passage. Je suppose que tu as fait la publicité nécessaire et que tu as procédé aux rénovations qui s'imposaient?

— Les travaux sont en bonne voie, en tout cas. Lorsque j'aurai trouvé un décorateur pour les chambres, le manoir sera à la hauteur des jardins. Ou presque.

— J'ai hâte de voir ça! Tu t'es lancé dans une entreprise passionnante, commenta Grace chaleureusement. Et en même temps, il s'agit d'un pari d'envergure, dans la mesure où ta réputation personnelle est en jeu. J'ai ressenti la même chose avec *Grace*. Réaliser un projet en son propre nom lorsqu'on a déjà « fait ses preuves » ailleurs suscite chez la plupart des observateurs une curiosité pas toujours très bienveillante. J'avais l'impression que tout le monde m'attendait au tournant pour voir comment j'allais me casser la figure. Ça n'a pas toujours été spécialement confortable.

— C'est exactement ça, admit Michael en riant. Comme si certaines personnes retenaient leur souffle en priant pour qu'on ramasse la gamelle du siècle. Mais en même temps, je trouve ce défi très tonique. Et je ne me souviens pas d'avoir jamais pris autant de plaisir à monter un projet. Avec les hôtels Carlisle Forrest, c'était différent. Ils étaient déjà mondialement connus lorsque j'en ai repris la direction. Je m'inscrivais dans une continuité, alors que la réputation d'Ashby Hall est entièrement à faire. C'est d'autant plus passionnant que l'argent sort tout droit de mon propre porte-feuille... Et de la banque, bien sûr, précisa-t-il en faisant la moue.

— Les affres du montage financier ? Je connais le problème, déclara Grace en levant les yeux au plafond. Donc, tu aimerais que je t'aide à mettre au point un projet publicitairc qui pourrait concerner à la fois *Grace* et Ashby Hall ?

Michael hocha la tête.

— Le cadre d'Ashby Hall se prête à merveille aux réceptions de mariage. Donc je pensais proposer un forfait global avec une suite nuptiale pour la nuit et quelques chambres destinées aux invités.

— Cela me semble un excellent concept.

Il fit la moue.

— Excellent oui. Mais pas franchement révolutionnaire. Heureusement, Julia a eu une idée beaucoup plus intéressante.

Une expression de surprise se peignit sur les traits de Grace.

— Julia Dutton ? Tu l'as emmenée à Ashby Hall ?

— Dimanche dernier, oui, en sortant de la maternité, répondit Michael d'un ton faussement désinvolte.

Grace savait qu'il avait pour principe de ne jamais conduire ses amies dans ses hôtels, et elle devait se demander pourquoi il avait fait une exception pour Julia. Une question à laquelle il aurait été lui-même bien en peine de répondre. Il s'éclaircit la voix.

— Nous avons échangé quelques idées, elle et moi, au cours du déjeuner et elle m'a proposé d'élargir mon concept publicitaire en l'étendant aux anniversaires de mariage. Julia a souligné, à juste titre, que si les jeunes mariés optent habituellement pour une formule mer-sable-soleil, un couple déjà installé, lui, penchera plus volontiers pour un week-end de luxe dans un hôtel promettant un service stylé, une nourriture de qualité et un cadre somptueux avec des jardins magnifiques.

— Un forfait « anniversaire de mariage », commenta Grace en se levant pour prendre un carnet et un stylo dans un tiroir. C'est un concept qui mérite d'être exploré, en effet. Le climat anglais vaut ce qu'il vaut, mais il offre quand même certains avantages. Avec une organisation judicieuse, on peut avoir des fleurs et des arbustes fleuris dans les jardins neuf mois sur douze.

— Et en décembre, lorsque les branches seront dénudées, nous offrirons une formule « nostalgie » qui jouera sur le thème un « Noël au Manoir ». Mais pour en revenir à *Grace*, j'ai pensé qu'il serait intéressant de faire connaître Ashby Hall aux Etats-Unis. Or ce concept « anniversaire de mariage » pourrait bénéficier aussi à ta boutique. Depuis le début, tu proposes une ligne de vêtements et de bijoux adaptés aux goûts des « moins jeunes ». Pourquoi ne pas lancer une campagne publicitaire destinée à des couples désireux de célébrer un anniversaire de mariage plutôt qu'un mariage proprement dit ? Il suffirait de mettre en vente une petite série de bijoux appropriés et de proposer à tes clients de participer à un tirage au sort. Le gros lot pourrait être deux aller-retour en première classe pour Londres et quatre nuits à Ashby Hall.

Grace cessa d'écrire.

— Attention. Même si nous faisons une publicité monstre, la clientèle de *Grace* restera essentiellement constituée de jeunes couples ou de personnes venues acheter un cadeau de mariage, et non pas de gens déjà mariés désireux de fêter leurs noces d'argent ou d'or.

— Aucune importance dans la mesure où le prix sera transférable à d'autres membres de la famille. La seule condition, c'est que le couple qui viendra à Ashby Hall ait un anniversaire de mariage à célébrer. Quatre ans, dix ans, cinquante ans... peu importe.

— Cela pourrait marcher, commenta Grace pensivement.

— Ça *va* marcher. Et si nous nous y prenons bien, la nouveauté du concept nous vaudra une bonne couverture médiatique. Une boutique de mariage qui s'intéresse au devenir du couple sur le long terme, ça devrait susciter des commentaires très positifs. Admettons, par exemple, que ce soit de jeunes fiancés qui gagnent le prix : ils pourront en faire cadeau soit à ses parents à elle, soit à ses parents à lui.

— Et si cela donne lieu à d'effroyables querelles entre les deux familles pour savoir lequel des deux couples de parents ramassera le gros lot ? Je vois d'ici le désastre : fiançailles rompues, conflits entre familles, déchirements divers...

Michael secoua la tête.

— Le cynisme, c'est mon rayon, Grace, pas le tien. Ton domaine à toi, c'est la pensée positive, alors imagine plutôt des histoires émouvantes de vieux couples prenant un nouveau départ dans la vie, grâce au prix qu'ils auront remporté. Tu pourrais afficher des posters d'Ashby Hall dans ton magasin et en profiter pour faire une campagne promotionnelle d'un mois style : « Fêtez votre anniversaire de mariage comme il le mérite », où tu proposerais des tenues, des bijoux et tout ce qui s'ensuit.

Pendant qu'il parlait, Grace n'avait cessé de griffonner fébrilement sur son cahier.

— Tu es en train de faire naître tout un nouvel enchaînement d'idées, Michael. D'un côté, nous devons être attentifs à ne pas trop toucher à notre image de marque, puisque *Grace* figure désormais comme *la* boutique de mariage haut de gamme de San Francisco. Mais de l'autre, je ne veux pas négliger un nouveau marché potentiel qui pourrait constituer une réserve de clientèle insoupçonnée. Même si les divorces se multiplient, le mariage reste, pour beaucoup, l'histoire de toute une vie.

Michael hocha la tête.

— Il va de soi qu'Ashby Hall prendra en charge tous les frais liés au deux premiers prix. Si tu décides d'introduire quelques lots de consolation de ton côté, le financement te reviendra. Et pour ce qui est du budget publicitaire, je propose de faire simplement moitié-moitié.

— Et quand pensais-tu lancer cette campagne ? demanda Grace en reposant son stylo.

— Le plus tôt sera le mieux, bien sûr. Mais ne nous encombrons pas l'esprit avec ce genre de détails. Si tu es d'accord sur le principe, nous avons des collaborateurs compétents l'un et l'autre qui sauront finaliser le projet.

Grace griffonna encore quelques lignes puis referma son carnet.

— Ton idée mérite d'être développée, Michael. Envoie-moi une proposition écrite et je la ferai passer à mon directeur de marketing en l'accompagnant d'une recommandation positive. Je n'oublierai jamais le soutien créatif que tu m'as apporté au moment de la campagne de lancement de ma boutique. Et je suis contente de pouvoir me rendre utile à mon tour.

— Parfait.

Michael se leva, luttant contre une envie ridicule d'appeler un taxi pour retourner à l'appartement de Julia et lui annoncer que sa suggestion serait bientôt mise en œuvre.

Chassant la jeune femme de ses pensées, il se pencha pour déposer un baiser sur les doigts de Grace.

— Au revoir, Grace. Lorsque tu verras Jeffrey ce soir, dis-lui bien de ma part que je le considère comme le plus chanceux des hommes.

Sa cousine se mit à rire.

— Je ne manquerai pas de lui transmettre le message, car il est toujours bon de rappeler à un mari à quel point il est privilégié. Mais je dois reconnaître qu'en l'occurrence, je me sens plutôt chanceuse moi-même. Je serais même d'humeur à faire du prosélytisme et à recommander amour et mariage à tous ceux qui m'entourent. A commencer par toi, Michael.

Accoutumé à ce genre de réflexion, il afficha le sourire de circonstance, accompagné de l'habituelle réponse standard :

— Autant te faire une raison : je suis un cas désespéré. Il faudra que je me résigne à rester vieux garçon. Apparemment, c'est écrit dans les astres.

Au lieu de sourire à son tour, sa cousine le dévisagea avec une gravité inattendue.

— Tu sais, Michael, que tu me fais souvent penser à mon ami Ian Stanley ? Je crois que tu as déjà eu l'occasion de le rencontrer ?

— Plusieurs fois, oui. C'est un homme intéressant. J'ai passé quelques bons moments en sa compagnie.

— Ça ne m'étonne pas. Ian est un charmeur. Il est beau, intelligent, travailleur et il a fait une très belle carrière. C'est le genre d'homme que l'on rencontre toujours dans les réceptions les plus brillantes, généralement escorté par la plus belle femme de la soirée.

— L'heureux homme, commenta Michael distraitement, en se demandant où Grace voulait en venir.

Elle secoua la tête.

— Je ne dirais pas cela. Ian a beau être sollicité de toutes parts, je pense qu'au fond de lui, c'est un des êtres les plus solitaires que je connaisse.

— Tu essayes de me faire comprendre quelque chose, Grace ? Je suis censé tirer une morale de ton histoire ?

— Oh, elle n'est pas bien compliquée, ma « morale » : comme Ian, tu es un garçon brillant, attirant et très prisé. J'espère simplement que tu ne vas pas te réveiller un beau matin pour découvrir que tu te sens aussi désespérément seul que lui.

Michael se força à sourire.

— Tout le monde n'a pas votre chance, à Jeffrey et à

toi. Quant à ton ami, Ian Stanley, si mes souvenirs sont bons, il s'est tout de même marié trois fois. Si tu veux mon avis, il se serait peut-être senti moins seul s'il était resté célibataire.

— C'est possible. Mais pour en revenir à ton cas, Michael, quand je t'ai vu avec Julia Dutton, ce week-end, j'ai eu l'impression que ça « marchait » plutôt bien entre vous.

Michael réussit à hausser les épaules avec l'air d'indifférence voulu.

— Julia ? Je la trouve très attirante, c'est vrai. Mais dans une semaine ou deux, je penserai sans doute la même chose d'une autre femme. Tu vas encore me dire que je ressemble à ton Ian Stanley, mais je crois que je tiens plutôt de mon propre père. Je peux m'investir en affaires mais l'affectif n'est pas mon domaine.

— Toi, Michael ? Mais tu n'as *strictement* rien à voir avec ton père ! J'ai rarement vu deux hommes plus différents que toi et lui. Ce serait également une erreur de penser que le couple que formaient tes parents est représentatif de la vie conjugale dans son ensemble. Ton père et ta mère n'auraient jamais dû s'épouser, c'est tout.

Michael aurait pu lui fournir une longue liste de relations et d'amis dont la vie de couple était tout aussi sinistre que celle qu'avaient connue ses parents. Mais il ne tenait pas à prolonger inutilement une conversation qui ne pouvait les mener qu'à une impasse.

— Envoie-moi un carton d'invitation à ton mariage, Grace, et je te promets de danser toute la nuit. Mais ne me demande pas de me lancer dans ce genre d'aventure de mon côté.

— On ne sait jamais de quoi demain sera fait, répliqua-t-elle avec un sourire qui se mua en grimace. Oups ! Désolée pour le cliché, Michael. Je n'aime pas m'exprimer à coup de formules toutes faites, mais il n'empêche que la vie nous réserve parfois des surprises inattendues.

— Faites donc une halte à Chicago lorsque vous reviendrez de San Francisco, Jeffrey et toi. Je vous inviterai dans mon restaurant préféré pour fêter votre réconciliation.

Grace le raccompagna jusque dans le couloir.

— Volontiers, Michael. Si nous parvenons à nous libérer un soir avant de rentrer sur Londres, je te promets que nous sonnerons à ta porte. Bon retour, demain. Et sois prudent !

Le seul danger que courait Michael se trouvait à Londres. A tout moment, il pouvait obéir à une impulsion insensée, prolonger son séjour de quelques heures et se présenter de nouveau chez Julia pour essayer de la convaincre de venir à Chicago avec lui.

La tentation devint même si forte que Michael dut se boucler dans sa chambre d'hôtel, noyé sous des piles de dossiers, de faxes, de notes de service et de rapports, jusqu'à l'heure où il put enfin appeler un taxi pour se rendre à l'aéroport.

Le travail, décidément, était une bénédiction. Il n'y avait pas de meilleure façon d'oublier la solitude et le reste...

12.

Il avait fallu que Grace le quitte pour que Jeffrey s'aperçoive que les grandes joies de la vie provenaient essentiellement des petites choses. En roulant vers Kemberly, le vendredi soir suivant, avec Grace à son côté, il se sentit soudain submergé par une bouffée de bonheur qui lui coupa littéralement le souffle. Tout simplement parce qu'elle était là, présente dans sa vie, partageant son quotidien. Depuis leur départ de Londres, ils n'avaient pas abordé de questions cruciales, simplement évoqué les péripéties de la semaine écoulée, échangé des nouvelles des enfants, parlé de Mary et de sa croisière ratée en Alaska. Cette proximité retrouvée lui parut soudain infiniment précieuse, comme s'il venait de remettre la main sur un joyau rare dont il aurait toujours méconnu la valeur.

En proie à une émotion incontrôlable, Jeffrey ralentit, immobilisa la voiture sur le bas-côté de la route et attira Grace dans ses bras. Il l'embrassa passionnément, ne s'interrompant que lorsqu'un automobiliste qui arrivait en face klaxonna énergiquement pour exprimer son mécontentement.

— Eh bien... ! dit Grace, hors d'haleine, en reprenant sa place côté passager. Voilà qui était inattendu et tout à fait délicieux. Qu'est-ce qui me vaut ce soudain débordement de passion ?

— Nous avons beaucoup de temps perdu à rattraper, non ?

Jeffrey serra un instant sa main entre les siennes avant de remettre le contact.

— En fait, je crois que je suis tout simplement fou de joie de partager de nouveau les petites et les grandes aventures de la vie avec toi. L'appartement de Londres me paraissait vide en ton absence, mais ce n'était rien à côté de Kemberly. De temps en temps, je me forçais stoïquement à y passer un week-end. Mais j'aurais aussi bien pu m'enterrer au fond d'une grange à foin en pleine toundra arctique. La campagne sans toi, c'était pire que sinistre. Je suis tellement heureux que nous ayons différé notre voyage à San Francisco pour faire d'abord un petit pèlerinage dans la maison qui a abrité pendant tant d'années notre bonheur.

La main de Grace vint se loger à l'endroit familier sur son genou.

— Tu sais, Jeffrey, tu es devenu tellement doué pour exprimer ce que tu ressens depuis notre séparation que j'envisage de te quitter au moins une fois par an, juste histoire de te rendre l'âme un peu plus poétique.

Ses mains se crispèrent sur le volant.

— Ne me parle surtout plus de me quitter, Gracie. Mon sens de l'humour refuse de fonctionner lorsque tu prononces ce mot-là.

— Si je peux plaisanter à ce sujet, c'est précisément parce que je sais que je ne te quitterai pas, Jeffrey.

Une joie de petite fille se peignait sur les traits de Grace à mesure qu'ils approchaient de Kemberly.

— J'avais cru que je n'oublierais jamais à quel point les prés par ici étaient verts. Mais ils sont encore plus lumineux que dans mon souvenir. Oh, Jeffrey, c'est merveilleux d'être enfin de retour à la maison !

— Pas aussi merveilleux que de t'avoir de nouveau avec moi.

Jeffrey dut prendre sur lui pour ne pas s'arrêter au milieu de la route une seconde fois. Stoïque, il attendit d'avoir avancé la Rolls jusque dans la cour intérieure avant de la prendre de nouveau dans ses bras.

— Bienvenue chez toi, mon amour.

La femme de charge dut toussoter au moins cinq fois avant qu'il se rende compte qu'ils n'étaient plus seuls. Et le plus étonnant, c'est qu'il se fichait éperdument d'avoir été surpris à embrasser son ex-femme sans retenue sur le siège avant.

— Bonsoir, madame Milton, dit-il sans même prendre la peine de lisser ses cheveux en bataille. Comment allez-vous par cette délicieuse soirée d'été ?

— Je vais d'autant mieux que notre chère Mme DeWilde est de retour ici. Vous nous avez manqué, à Kemberly.

Grace embrassa la femme de charge.

— Vous m'avez manqué aussi, madame Milton. Et je ne vous parle pas de votre cuisine. Il me suffit de penser à vos pâtisseries pour avoir l'eau à la bouche.

La très digne et très sévère Mme Milton ne fut manifestement pas insensible au compliment.

— Dans ce cas, vous apprécierez la tarte à la rhubarbe que j'ai préparée pour vous ce soir. J'ai également prévu une mousse au saumon. Je sais que c'est votre plat favori.

— Madame Milton, vous êtes un ange ! Mais vous n'auriez pas dû vous donner tant de peine alors que nous ne sommes que tous les deux ce soir. Vous me gâtez outrageusement.

— Je l'ai fait avec le plus grand plaisir, madame DeWilde. Le repas est prêt et il ne vous reste plus qu'à passer à table.

— Désolé, madame Milton, mais je vais devoir vous demander de garder le dîner au chaud une petite heure de plus. Grace et moi avons une affaire urgente à régler au préalable... Tu viens, Gracie ?

Royalement indifférent à l'expression horrifiée de la femme de charge, Jeffrey prit la main de sa future épouse et l'entraîna vers l'escalier pour disparaître quelques secondes plus tard dans leur chambre.

Une demi-heure s'était écoulée lorsque Grace, allongée nue dans ses bras, renversa la tête contre l'oreiller et se mit à rire tout bas. Jeffrey se pencha pour poser un baiser dans ses cheveux.

— Qu'est-ce qui t'amuse donc tant, Gracie ?

— Toi. Mme Milton. Je me demande lequel de vous deux était le plus ennuyé lorsque tu as décrété froidement que le dîner pouvait attendre et que tu t'es précipité au premier étage avec moi.

— Oh, j'étais de loin le plus intimidé. Il y a des années que Mme Milton m'impressionne. Ça a été une véritable révélation de découvrir que je n'étais pas obligé de renoncer à faire l'amour avec toi sous prétexte que la femme de charge avait d'autres projets pour nous deux !

Grace rit de nouveau. Puis elle s'étira paresseusement et se dressa sur son séant.

— Si nous ne voulons pas la vexer définitivement, nous ferions mieux de nous habiller et de descendre. Il va falloir la complimenter longuement sur sa mousse au saumon pour nous faire pardonner notre incartade.

— Aucun problème. Je me sens d'humeur généreuse, aujourd'hui. Je pourrais même me répandre en louanges sur une semelle de cuir bouilli s'il le fallait.

Jeffrey n'eut pas à se forcer pour apprécier le repas qui était délicieux. Mme Milton avait retrouvé son sourire, et la mousse au saumon n'avait en rien souffert du retard. Lorsqu'ils eurent repris l'un et l'autre une part de tarte à la rhubarbe, Grace proposa à Jeffrey d'aller flâner un moment dans la roseraie.

Ils prirent le temps de parcourir longuement les jardins, marchant main dans la main, savourant le silence partagé. Jeffrey revit le jour où il avait demandé Grace en mariage pour la première fois. C'était un dimanche d'été, tiède et ensoleillé. L'odeur des pétales de roses flottait dans l'air léger, bourdonnant d'abeilles. A l'époque, il était encore très jeune, très sûr de lui et grisé par la certitude de son amour. Emporté par l'émotion, il avait fait sa demande sans craindre de se donner en spectacle. Grace était assise sur un banc de bois blanc sous la tonnelle et il n'avait pas hésité à placer un genou à terre lorsqu'il lui avait passé au doigt la bague ornée d'un saphir qui faisait partie de l'héritage DeWilde.

Durant les jours sombres, lorsque Grace vivait à San Francisco, Jeffrey était revenu inlassablement sur cette scène, avec un sentiment de honte, de mépris et de mortification. La faille entre Grace et lui — qui avait été l'origine de sa liaison avec Allison Ames et qui avait fini, à terme, par les mener au divorce — s'était creusée le jour où elle lui avait avoué qu'elle avait accepté de l'épouser ce jour-là sans être réellement amoureuse de lui.

Aujourd'hui, lorsqu'il repensait à cet après-midi d'été dans la roseraie, il voyait toujours la même scène et les deux mêmes personnages. Mais sous un angle différent. Il avait été un jeune idiot romantique, certes, et Grace ne l'avait pas épousé dans un grand élan de passion comme il l'avait cru. Mais cet épisode n'en marquait pas moins le début d'un voyage à deux qui avait été riche, constructif et globalement passionnant. Côte à côte, ils avaient élevé trois enfants et connu tant de moments forts ensemble que le fait que Grace n'ait commencé à l'aimer qu'avec un peu de décalage paraissait, avec le recul, totalement insignifiant.

Jeffrey lui entoura amoureusement la taille et la fit asseoir sur le banc de bois qui avait été témoin de sa déclaration d'amour, trente-deux ans auparavant. Sous l'éclat de la lune, le visage de Grace paraissait extraordinairement jeune et lisse. Pour une femme qui venait de devenir grand-mère, elle était d'une beauté saisissante. Le cœur de Jeffrey se gonfla de joie à l'idée qu'elle serait bientôt de nouveau son épouse, sa partenaire et sa compagne de chaque instant. Pendant quelques minutes, ils demeurèrent assis en silence, respirant l'air tiède de la nuit, écoutant les mille sons nocturnes qui s'élevaient du jardin. Un oiseau lança son chant bref et un léger souffle de vent fit frémir les feuilles du hêtre qui surplombait le banc.

— C'est un rossignol, tu crois ? demanda Grace d'une voix rêveuse en laissant aller la tête contre son épaule.

— Je n'en ai aucune idée. L'année qu'a duré notre séparation m'a paru interminable, mais pas au point de faire de moi un homme entièrement nouveau, hélas. Je suis toujours aussi incapable de faire la différence entre un merle et un coucou.

Elle ferma les yeux et lui caressa doucement le visage.

— Tant mieux. Je crois que j'y tenais, au fond, à cet ancien Jeffrey, tout dépourvu d'oreille musicale qu'il est.

Depuis sa conversation avec sa mère, Jeffrey avait réfléchi à quantité de scénarios possibles pour sa seconde demande en mariage. Et aucun nc lui avait paru vraiment satisfaisant. Ce fut tout naturellement, pourtant, qu'il se détacha des bras de Grace pour s'agenouiller devant elle et serrer ses mains dans les siennes.

Grace souleva les paupières et chercha son regard. Ses yeux, dans le noir, paraissaient immenses.

— Jeffrey ? murmura-t-elle d'une voix légèrement rauque.

— Je t'aime, Grace. Et mille fois plus aujourd'hui que lorsque je t'ai demandé de m'épouser, il y a trente-deux ans. Je veux passer le reste de ma vie à ton côté, de jour comme de nuit, dans les moments heureux comme dans les moments difficiles. Tu es tout ce qui donne sens et couleur à mon existence, Gracie. Je sais maintenant que je ne peux rien t'offrir que tu ne sois capable de te procurer par toi-même — excepté mon amour, et mon amour t'appartient déjà. Me feras-tu quand même la joie et l'honneur de devenir ma femme ?

Les yeux embués de larmes, elle se pencha pour l'embrasser.

— Je t'aimerai dans la joie comme dans la peine, Jeffrey DeWilde, et la vie à deux que tu me proposes est celle à laquelle j'aspire de tout mon être.

De la poche de son veston, il sortit l'écrin contenant la broche que son grand-père Maximilien avait offerte à sa femme, Anne-Marie. Suite à sa conversation avec sa mère, Jeffrey avait emprunté la traduction des journaux intimes de son arrière-grand-mère et il l'avait dévorée en l'espace de deux soirs. Même si les révélations que contenaient ces carnets l'avaient ébranlé, il avait compris pourquoi Grace s'était sentie si proche d'Anne-Marie et pourquoi sa mère avait estimé que la broche constituait un cadeau de fiançailles particulièrement bien choisi.

— Voici pour toi, déclara-t-il en lui tendant l'écrin. Ce bijou appartenait à Anne-Marie DeWilde et c'est une des rares pièces venant d'elle qui soit encore en notre possession. Il s'agit d'un cadeau que Maximilien lui a fait en 1871, au début de leur mariage. Il n'était pas très riche, à l'époque, et il a dû économiser pendant des mois pour en faire l'acquisition. C'est par amour qu'il lui a offert cette broche, Grace, et c'est par amour que je la transmets à mon tour.

Grace ouvrit la boîte et contempla le bijou en forme de cœur. Une larme coula de sa joue et tomba sur le dos de sa main sans qu'elle paraisse y prendre garde.

— Maximilien était si profondément épris de sa femme, au début, commenta-t-elle d'une voix étranglée.

— Oui, je sais. J'ai lu le journal d'Anne-Marie.

Grace lui jeta un regard étonné.

— En entier ?

— Oui. Une fois que j'ai eu commencé, je n'ai plus pu m'arrêter. Je sais maintenant que les DeWilde ne sont des DeWilde que de nom, une information qui aurait fait scandale si la vérité était apparue au grand jour il y a soixante-dix ans. Aujourd'hui, cela n'a plus vraiment d'importance. Nous sommes ce que nous sommes, même si nous avons sans doute tous été marqués inconsciemment par cette histoire familiale compliquée qui est la nôtre. Ce qui m'a surtout frappé à la lecture de ces cahiers, c'est que Maximilien s'est comporté comme un parfait imbécile. En se retranchant dans sa morale étroite, il s'est interdit un bonheur qu'il aurait pu cueillir à pleines mains.

— Anne-Marie l'a trompé, rétorqua Grace. Pas une seule fois, mais deux. A son époque, tout le monde aurait considéré qu'elle était coupable et que Maximilien était dans son bon droit.

— Elle a eu tort de faire ce qu'elle a fait, quelles que soient les justifications que l'on peut lui trouver. Tout comme j'ai eu tort de trahir l'engagement de fidélité que j'avais pris envers toi.

D'un geste rassurant, Grace referma sa main sur la sienne. Jeffrey éprouva un immense élan de reconnaissance. Là où Maximilien s'était montré dur et intraitable, il trouvait chez Grace amour et pardon.

— Le journal d'Anne-Marie m'a beaucoup marqué, Grace. Etre fier, étriqué dans ses vues et sûr de son bon droit comme Maximilien ne conduit qu'à la solitude et au malheur. Anne-Marie aimait son mari, malgré ses défauts, et elle a attendu toute sa vie qu'il comprenne qu'en refusant de lui pardonner, il condamnait leur famille entière à une souffrance stérile.

Il prit la broche et la posa dans la paume de Grace, repliant ses doigts sur les chérubins.

— Prends cette broche, Gracie. Et si tu me surprends à retomber dans mes discours prétentieux, moralistes et ampoulés, rappelle-moi que tu ne veux pas finir tes jours avec un imbécile comme Maximilien.

Grace fixa la broche sur le revers de sa veste de tailleur avant de poser sa main contre sa joue.

— Il t'arrive d'être pontifiant, à l'occasion, mais tu n'as aucun trait commun avec Maximilien, Jeffrey. Tu es beaucoup plus aimant, plus juste, plus tolérant — un peu comme ton véritable arrière-grand-père, d'ailleurs.

— Merci, ma chérie.

Jeffrey se leva et épousseta son pantalon.

— Gracie, mon amour, il faut que je t'avoue, une chose : mon genou rongé par l'arthrite me fait souffrir le martyre. La prochaine fois que tu voudras que je te déclare ma flamme, il faudra que nous pensions à prévoir un coussin.

Avec un rire joyeux, elle glissa son bras sous le sien.

— Promenons-nous encore un moment avant de retourner à la maison. J'aime beaucoup mon appartement de San Francisco, mais j'ai été tenaillée, soir après soir, par la nostalgie des jardins de Kemberly.

— Et de moi, j'espère ?

Il vit ses yeux briller dans le noir.

— A ton avis ? Il va falloir que nous nous penchions maintenant sur les modalités pratiques de notre remariage, Jeffrey. Tu as pensé à la façon dont tu aimerais procéder ?

— Je propose une formule simple, rapide et discrète. Demandons une autorisation spéciale et marions-nous après-demain, sans tintouin. Je te veux auprès de moi sans attendre.

— Je reconnais que la solution est tentante. Mais il faut également penser à nos enfants. Notre séparation a été un cauchemar pour eux et je crois qu'il serait important de rassembler notre famille pour donner un vrai poids symbolique à notre réconciliation.

Jeffrey soupira.

— Tu as raison, bien sûr. Mais je commence à comprendre pourquoi Gabe et Lianne ont choisi de se marier en cachette. Si nous invitons les enfants, ce sera difficile de ne pas inclure ma mère. Et puis, il y a Ryder, qui est presque aussi proche qu'un fils. Mais si nous convions Ryder et Natasha, nous ne pourrons pas exclure Cutter et Maxine. Et à présent que nous avons enfin retrouvé les descendants de mon oncle Dirk, ce serait dommage de ne pas profiter de l'occasion pour réunir les différentes branches de DeWilde. De ton côté, nous avons ton frère Leland, Michael, bien sûr, et ta nièce Mallory qui est en plus ta filleule et qui sera sans doute mère d'ici là. Et...

— Stop ! protesta Grace en riant. Inutile d'aller plus loin, je vois le tableau. Soit nous décidons de nous marier en deux heures à Las Vegas, soit nous nous contentons d'un mariage « intime » en famille et nous nous retrouvons avec une liste d'invités qui ira chercher dans les deux cents personnes au bas mot.

Jeffrey secoua la tête. Pour rassembler tout ce monde, il faudrait compter au minimum six semaines. Et il ne se sentait pas la patience d'attendre jusque-là. Il voulait Grace dans son lit, dans sa vie. Et sans tarder.

— Euréka ! s'exclama-t-il avec un sourire de triomphe. Marions-nous ici, en toute intimité, à l'église de Kemberly. Et en septembre, nous organiserons une fête monstre où nous inviterons nos deux familles au grand complet, plus tous les amis qui souhaiteront venir. Là, nous ne lésinerons pas sur le nombre, ma chérie. Nous pourrons faire les choses en grand !

Le regard de Grace s'éclaira.

— Voilà qui me paraît être la solution idéale, en effet. Et je sais déjà où organiser la réception : à Ashby Hall, le nouvel hôtel de Michael. C'est un superbe vieux manoir avec des jardins éblouissants. Et on peut compter sur Michael pour nous organiser un buffet à faire saliver les plus fins gastronomes.

Si Grace lui avait demandé de recevoir tout leur petit monde à bord d'un sous-marin ou dans un hall de gare désaffecté, Jeffrey aurait acquiescé sans une hésitation.

— Ashby Hall est exactement ce qu'il nous faut, en effet. Et je demanderai au pasteur de Kemberly s'il peut nous marier le week-end prochain.

Le visage de Grace devint pensif.

— Même si nous n'invitons personne, il nous faudra malgré tout un témoin chacun, Jeffrey.

Bien qu'ils aient été séparés pendant un an, Jeffrey la connaissait suffisamment pour deviner la cause de son hésitation.

— Pour moi, le choix sera facile, déclara-t-il en se tournant pour lui faire face. Ian Stanley a été le témoin de mon premier mariage et comme c'est mon meilleur ami j'aimerais qu'il soit là pour le second.

Grace laissa reposer sa tête contre sa poitrine.

— Merci, Jeffrey, murmura-t-elle. Mon choix est simple également. J'aimerais demander à ta mère d'être notre second témoin. Si elle se tient à nos côtés durant la cérémonie, un peu de sa sagesse déteindra peut-être sur nous, qui sait ?

— Craignons plutôt qu'elle ne nous refile une de ses manies impossibles, commenta-t-il avec un sourire en coin. Tu crois qu'Ian sera dans le coin, le week-end prochain ?

— *A priori*, il ne devrait pas être trop loin. Il ne part pas en Chine avant la fin du mois... Mais pourquoi souris-tu comme ça, Jeffrey ?

— Je viens d'entrevoir Mme Milton, chuchota-t-il. Elle nous épie de derrière les rideaux du salon.

Une lueur malicieuse brilla dans le regard de Grace.

— Mmm... Si c'est du spectacle qu'elle veut, tâchons de ne pas la décevoir. Qu'est-ce que tu en penses ?

Jeffrey ne se fit pas prier pour la prendre dans ses bras.

— Offrons-lui un show mémorable, murmura-t-il en cueillant les lèvres de son ex et bientôt future femme.

Le rideau frémit et Mme Milton demeura bouche bée à son poste d'observation. Mais lorsque Jeffrey et Grace regagnèrent la maison, main dans la main, une dizaine de minutes plus tard, ils avaient depuis longtemps oublié la femme de charge...

13.

Après sa rupture avec Gabe, Julia avait tiré une discrète satisfaction du rôle d'héroïne tragique qu'elle avait adopté pour l'occasion. Des mois durant, elle avait porté son « chagrin d'amour » en bandoulière, affichant un air sombre mais stoïque, déclinant la plupart des invitations pour rester en tête à tête avec elle-même, s'apitoyant avec délectation sur le sort funeste qui était le sien.

Le départ de Michael pour Chicago la laissa dans un état d'esprit complètement différent. Il n'était plus question d'apitoiement sur soi-même, et sa souffrance était trop violente pour qu'une quelconque comédie puisse y porter remède. En fait, le sentiment qui prédominait chez Julia était la colère. Colère contre Michael, tout d'abord, qui avait *osé* lui demander de tout planter là sur-le-champ pour devenir sa maîtresse. Et colère contre elle-même parce qu'elle avait été trop lâche, trop prudente pour accepter son offre et prendre le risque de l'aimer.

Elevée dans une atmosphère confinée et sur-protectrice, Julia avait hérité malgré elle de l'inquiétude de ses parents. Mais depuis quelque temps, elle avait tendance à remettre en question les saints principes de prudence qui avaient toujours régi son existence. Le sacro-saint « bon sens » que préconisaient ses parents ne revenait-il pas, au fond, à une attitude de renoncement systématique ? Et à quoi bon vivre, s'il fallait toujours marcher en ligne droite sans regarder ni à droite ni à gauche, sous prétexte qu'on risquait de se perdre en empruntant les chemins de traverse ?

Les deux derniers jours de l'année scolaire tinrent Julia raisonnablement occupée. Le vendredi soir, elle fêta le début des vacances avec quelques collègues et réussit l'exploit de ne pas penser à Michael pendant trois heures d'affilée. Mais une fois bouclé le ménage de fond du samedi matin, la jeune femme dut se rendre à l'évidence : elle ne se sentait pas la force d'entreprendre quoi que ce soit pour meubler les huit semaines de congé qui s'étendaient devant elle.

Ne tenant plus en place, elle s'installa devant sa vieille machine à écrire, mit une feuille de papier en place et actionna quelques touches. Avant même d'avoir réalisé ce qu'elle était en train de faire, Julia avait rédigé sa lettre de démission.

Elle relut sa prose soigneusement formulée, apposa sa signature d'une main tremblante et glissa le courrier dans une enveloppe. Sans se donner le temps de changer d'avis, elle timbra la lettre et sortit. En traversant la rue pour se diriger vers la boîte aux lettres la plus proche, Julia songea aux sermons consternés que lui feraient ses frères, aux regards entendus qu'échangeraient ses deux belles-sœurs en apprenant que cette « pauvre Julia » avait encore eu une de ses idées farfelues. A sa grande stupéfaction, elle découvrit qu'imaginer leur désapprobation la laissait de marbre.

Ses parents, eux, seraient fous d'inquiétude, mais elle s'efforcerait de les convaincre du bien-fondé de sa décision. Car Michael avait raison au moins sur un point : il était temps pour elle de changer de cap. Les longues journées de travail ne lui faisaient pas peur et elle n'avait personne à sa charge. Quant aux traites de son appartement, elles étaient lourdes, certes, mais elle ne pouvait pas les laisser peser indéfiniment sur son âme pour autant !

L'humeur optimiste de Julia dura jusqu'au moment où elle ouvrit son journal pour lire les offres d'emploi. Personne, de toute évidence, ne recherchait de décoratrice d'intérieur débutante fascinée par les techniques de restauration des tissus anciens. En refermant le quotidien, l'ancienne Julia se serait précipitée sur le téléphone pour supplier la directrice de la Kensington Academy de ne pas tenir compte de sa lettre de démission. La nouvelle Julia déglutit, essuya ses paumes moites sur son jean, et se força à reprendre la liste des offres d'emploi depuis le début. Si elle ne trouvait pas à se faire embaucher comme décoratrice, elle pourrait toujours accepter un poste de vendeuse dans un magasin de papiers peints ou au rayon ameublement d'un grand magasin. Ce ne serait pas la formule idéale pour exercer ses talents créatifs, mais elle pourrait au moins apporter de précieux conseils.

Lorsque le téléphone sonna, Julia en était à sa troisième relecture et n'avait toujours coché aucune annonce. Elle hésita à répondre. A cette heure-ci, un samedi après-midi, c'était sûrement sa mère qui appelait. Et elle n'avait aucune — mais alors *aucune* — envie de s'entendre questionner sur ce « merveilleux Edward Hillyard ». Et encore moins d'annoncer qu'elle venait de démissionner de sa prestigieuse école privée. Juste au moment où le répondeur allait se mettre en route, Julia rassembla son courage et s'empara du combiné. Puisqu'elle avait décidé de tourner le dos à la lâcheté sous toutes ses formes, rien ne servait de différer l'inéluctable.

— Allô ?

— Julia, c'est toi ? Ici Tate Herald. Tu as une voix un peu stressée. Je te dérange, peut-être ?

Tate Herald ! Ce coup de fil inattendu lui rendit instantanément le sourire.

— Tu ne me déranges pas le moins du monde. De fait, tu ne pouvais pas mieux tomber. Je viens d'éplucher la page « Emplois » de mon journal et ça m'a fichu un cafard monstre. Ton coup de fil arrive à point pour me changer les idées.

— Tu cherches du travail? Aïe, aïe, aïe! Je sais d'expérience à quel point ce genre de démarche peut vous mettre le moral à plat, dit Tate d'une voix compatissante. Mais je ne pensais pas qu'une enseignante aussi qualifiée que toi aurait du mal à trouver preneur.

— Je ne cherche pas un poste d'enseignante, justement. Finis les paquets de copies à corriger et la routine des cours à préparer. J'envoie tout balader et je me lance dans la décoration d'intérieur. C'est gonflé, non?

— Je dirais plutôt que c'est une initiative logique, compte tenu de tes talents et de tes capacités. Michael m'a dit que tu lui avais proposé quelques idées intéressantes pour les chambres d'Ashby Hall?

Les doigts de Julia se crispèrent sur le combiné.

— Michael? Tu l'as eu au téléphone depuis qu'il est de retour à Chicago?

— Mm... oui. Nous sommes de vieux amis, tu sais. Il m'a passé un coup de fil, il y a deux jours. Et ton nom est tombé à plusieurs reprises dans la conversation.

Julia brûlait d'envie de savoir ce que Michael avait dit d'elle. Mais comment poser la question sans trahir une curiosité excessive? Muette, elle attendit la suite, en espérant Dieu sait quoi.

— Tu as des projets pour ce soir? demanda Tate après un bref silence. Mon ami a dû s'envoler de toute urgence pour Los Angeles où il doit passer une audition et je me retrouve sur la touche. Ça te dirait de dîner avec moi? Dans un endroit tranquille et retiré, de préférence.

— Avec grand plaisir, Tate. Les endroits tranquilles et retirés me conviennent tout à fait.

— Merci. Tu sais, la plupart du temps, j'adore être reconnue par mes fans. Si tu croises un acteur qui te dit qu'il déteste la célébrité, ne crois surtout pas un mot de ce qu'il te raconte. Nous sommes tous avides de reconnaissance. Mais il y a des jours où je sature et c'est justement le cas aujourd'hui.

— Pourquoi ne viendrais-tu pas dîner chez moi, si tu as envie d'avoir la paix ? Ça t'évitera de passer trop de temps à signer des autographes sur des bouts de nappe en papier. Je cuisinerai un truc tout simple. Un soufflé, par exemple, si tu aimes ça.

— Simple ? Un soufflé ?

Tate émit un petit sifflement admiratif.

— Julia, tu es une perle ! Je peux être chez toi à 7 heures. Ça te va ?

— Parfait. Le dîner sera prêt.

Sifflotant gaiement, Julia se mit en cuisine, ravie d'avoir trouvé un dérivatif pour la distraire du double drame qui caractérisait désormais son existence : sa non-liaison avec Michael Forrest et son avenir professionnel qui ressemblait à un grand trou noir...

Ponctuelle, Tate arriva à l'heure dite et suivit Julia dans le salon.

— Tu sais que je t'envie de vivre dans un cadre aussi raffiné ? s'exclama l'actrice en regardant autour d'elle. Je crois que je pourrais m'installer chez toi pendant des heures et ne plus avoir envie d'en bouger. Chaque objet dans cette pièce apporte un équilibre à l'ensemble. Et les couleurs sont un enchantement ! Quant au canapé devant la cheminée, c'est une vraie petite merveille.

Julia sourit.

— Si je ne savais pas Lianne si occupée par son bébé, je la soupçonnerais de t'avoir soufflé ces réflexions à l'avance. Ce canapé, c'est ma fierté. Je l'ai déniché dans une brocante, sur Portobello Road. Il m'a fallu doo semaines entières avant de trouver enfin le bon tissu pour le recouvrir.

Tate passa la main sur le dossier.

— Tu veux dire que tu l'as recouvert toi-même ?

— Oui... enfin, cela n'a rien d'une prouesse technique, tu sais. Il m'a fallu beaucoup plus de temps pour restaurer les accoudoirs de bois.

— Lianne m'a dit une fois que tu avais un talent fou. Il suffit d'entrer chez toi pour s'en convaincre, commenta Tate avec enthousiasme.

Julia rougit.

— Tu connais Lianne. Elle porte des appréciations beaucoup trop généreuses sur les gens qu'elle aime. Mais merci quand même, Tate. Je commençais à me demander si je n'étais pas un peu folle d'avoir renoncé à une carrière solide pour entreprendre une démarche aussi aléatoire.

— Tu n'es pas folle, tu es talentueuse. La différence est fondamentale, alors tâche de ne jamais la perdre de vue, même dans les moments difficiles. Suivre sa vocation est parfois terriblement ingrat. Mais pour en être moi-même passée par là, je peux te le dire d'expérience : tu ne te sentiras jamais satisfaite tant que ton travail ne reflétera pas la femme que tu es réellement.

Julia lui sourit avec gratitude.

— Merci, Tate. C'est important ce que tu me dis là. Je tâcherai de m'en souvenir chaque fois que je traverserai une période un peu sombre. De toute façon, le pire qui puisse m'arriver, c'est de mordre la poussière et de procurer à ma famille l'immense satisfaction d'affirmer qu'ils avaient vu venir le désastre depuis le début.

— Si tu te casses la figure, tu te relèves, tu t'époussettes et tu repars dans la même direction. Et surtout, envoie promener les oiseaux de mauvais augure ! recommanda Tate d'un ton ferme en prenant place sur le canapé. Tu sais, si j'avais écouté mes parents, je me morfondrais aujourd'hui dans un emploi de bureau quelconque et je traînerais mon sentiment d'échec comme un boulet. Mais j'ai eu la chance d'avoir une grand-mère qui croyait en moi. Lorsque je vivotais avec trois francs/six sous en enchaînant les boulots de serveuse pour me payer le conservatoire, c'est elle qui m'a aidée à tenir le coup. « Lorsqu'on a la chance d'avoir du talent, on ne le laisse pas en friche » : voilà ce qu'elle me disait chaque fois que je traversais une phase de découragement aigu. Le jour où j'ai enfin décroché un contrat pour une pub de sous-vêtements, elle était trois fois plus excitée que moi. A l'entendre, on aurait pu croire que j'avais été embauchée à vie par la Royal Shakespeare Company !

Julia rit de bon cœur mais une pointe de découragement assombrissait sa joie. C'était une chance pour Tate d'avoir été ainsi soutenue par une personne de sa famille.

— Ta grand-mère doit être aux anges maintenant que tu es une actrice à part entière.

— Elle est ravie, c'est vrai. Mais elle m'aide aussi à garder les pieds sur terre. Dès le moment où j'ai commencé à être vraiment connue, elle a cessé de me répéter que j'étais la septième merveille du monde. Aujourd'hui, elle a plutôt tendance à me parler du danger des « chevilles qui enflent » et des gens qui ont « la grosse tête ». C'est une femme d'une grande sagesse, ma grand-mère.

— Et c'est infiniment précieux d'avoir une personne comme elle dans son entourage immédiat ! Dans ma famille, on ne connaît qu'un principe véritable : « Dans le doute, s'abstenir. » La psychologie d'un créateur est à peu près aussi mystérieuse pour mes parents que celle d'un chef de tribu amazonienne. Mais trêve de lamentations ! Passons dans la cuisine, si tu veux bien et nous boirons un verre en attendant que le soufflé finisse de monter.

La soirée fut parfaite — ou presque. Tate était une femme sensible, intelligente, avec un agréable franc-parler. Elles eurent tout le loisir d'explorer les affinités manifestes qu'elles avaient pressenties dès leur première rencontre. Ravie de voir se dessiner les prémices d'une amitié véritable, Julia n'en luttait pas moins contre une frustration croissante. C'était parfaitement stupide de sa part, bien sûr, mais elle n'attendait qu'une chose depuis le début : que Tate oriente enfin la discussion sur Michael.

Lorsqu'elles s'installèrent dans le salon avec le café, Julia n'y tint plus. Ravalant sa fierté, elle renonça aux stratégies subtiles et demanda de but en blanc :

— Comment as-tu connu Michael Forrest, au fait ?

— Notre rencontre a été arrangée par mon agent. J'avais besoin d'un peu de publicité aux Etats-Unis au moment où « Grosvenor Square » allait être diffusé sur les chaînes US. Et il se trouvait que nous avions recours à la même agence, Michael et moi. Ils ont pensé que la meilleure façon pour Tate Herald d'avoir son nom en première page de tous les tabloïds serait de prétendre qu'elle avait une aventure avec le roi incontesté de la jet-set : Michael Forrest.

— Et comment ont-ils réussi à convaincre Michael de coopérer ? s'enquit Julia avec curiosité. Je doute qu'il ait besoin des services d'une agence pour se trouver une collection de petites amies !

— Cela va certainement te surprendre, mais lorsque Michael s'affiche avec une jeune femme, il s'agit très souvent d'un simple arrangement publicitaire. Dans mon cas, Michael a conclu un accord avec les producteurs de « Grosvenor Square ». L'équipe a séjourné dans ses hôtels pendant l'entière durée de notre tournée et nous avons organisé notre réception au Carlisle Forrest de Los Angeles. En échange de quoi Michael a accepté de m'escorter chaque fois que je devais me montrer à une manifestation quelconque. Nous avons ainsi déclenché tout un tapage médiatique autour de notre prétendue histoire d'amour torride. En réalité, le jeu amoureux s'arrêtait dès que les photographes avaient tourné les talons.

Mais le hasard a voulu que Michael et moi nous devenions de très bons amis.

Julia remua distraitement son café.

— Je comprends que tu puisses bénéficier de ce genre de publicité car tu es très photogénique. Te voir partout en première page des magazines peut donner envie au public américain de suivre ta série. Mais où est l'intérêt pour Michael ? Les gens ne choisissent pas un hôtel en fonction de la vie privée du président du groupe, il me semble.

— Ce n'est pas tout à fait exact. Michael a découvert qu'ajouter une touche de glamour à sa vie personnelle pouvait apporter un plus à la réputation de ses hôtels. Mais de toute façon, qu'il le veuille ou non, il est et restera toujours une cible de choix pour la presse à scandale. Il a commencé à attirer l'attention des médias lorsqu'il a obtenu le contrôle de l'empire Carlisle Forrest en évinçant son propre père. Souviens-toi qu'il avait moins de trente ans à l'époque et que sa mère s'était déjà distinguée en enchaînant les amants en série. Quant à son père, il a choisi d'étaler leur conflit père-fils au grand jour en appelant publiquement ses actionnaires à le soutenir. Lorsque Michael a remporté la bataille et qu'il a été nommé président-directeur général, il est devenu un héros à sa manière pour une presse qui fait ses choux gras de ce genre de tragédie familiale. Sa liaison avec Cherie Lockwood a achevé de sceller son destin dans la mesure où Cherie a choisi de créer un maximum de publicité autour de leur histoire. Après la naissance de Storm, Michael a appris à ses dépens que les événements de sa vie privée — grossis, déformés et généralement interprétés de manière mensongère — alimenteraient toujours les colonnes des magazines. De guerre lasse, il a fini par adopter une attitude pragmatique en se créant une espèce de personnage fictif dont les apparitions publiques sont soigneusement mises en scène. De cette façon, au lieu d'être livré en pâture aux journalistes, il récupère pour lui la publicité qu'on lui fait malgré lui.

Julia reposa lentement sa tasse sur sa soucoupe.

— Mais entre Michael et Cherie, il y a réellement eu une histoire d'amour, n'est-ce pas ? Ce n'était pas une pure fiction puisque Storm existe et que Michael a reconnu sa paternité.

Tate hésita un instant avant de répondre.

— Michael s'est fait avoir par Cherie sur toute la ligne et je suis furieuse qu'il ait accepté d'être affublé d'un rôle aussi ingrat dans leur histoire. Mais cela ne me donne pas le droit pour autant de divulguer ses secrets. Ni ceux de Cherie, d'ailleurs, malgré tout le mépris que je peux éprouver pour cette fille. Si Michael ne t'a pas raconté ce qui s'est passé *vraiment* entre Cherie et lui, je ne me sens pas habilitée à le faire. Et honnêtement, Julia, si tu n'as toujours pas compris que Michael est le sens de l'honneur personnifié, tu n'es pas la femme qu'il lui faut. Ce qui serait regrettable, d'ailleurs. Car en vous voyant ensemble l'autre fois, j'ai pensé que Michael avait peut-être enfin rencontré la compagne idéale pour lui.

Julia sentit le feu lui monter aux joues.

— J'ai rencontré Michael pour la première fois il y a un an. Et depuis le début, ses démêlés avec Cherie et Storm m'ont servi de prétexte pour ne pas m'avouer que j'étais attirée par lui.

— C'est si difficile pour toi de reconnaître que tu es tombée amoureuse ? demanda Tate avec douceur.

Au point où elle en était, nier ses sentiments pour Michael n'aurait plus guère de sens. Julia secoua pensivement la tête :

— J'ai toujours cru fermement qu'un homme et une femme devraient être amis avant de devenir amants. Avec Michael, j'ai l'impression de tout faire à l'envers. J'ai commencé par tomber amoureuse et, maintenant, je m'efforce de savoir qui il est.

Tate eut la sagesse de ne pas entrer dans un débat théorique sur l'ami et sur l'amant, sur l'avant et sur l'après. Avec un sourire aux lèvres, elle se contenta de démontrer ce qui était l'évidence même :

— Cela me paraît compliqué d'apprendre à connaître Michael si vous restez cantonnés chacun d'un côté de l'Atlantique. Tu ne crois pas que ce serait plus facile de clarifier tes sentiments par rapport à lui s'il se trouvait au moins à portée de voix ?

La logique de Tate était irréfutable. Julia arpenta son salon après le départ de l'actrice et s'efforça de porter un regard objectif sur la situation. Rien ne la forçait à tourner en rond, dans son appartement de Londres, le cœur dévoré par la nostalgie, alors que Michael lui avait proposé de venir le rejoindre. Lorsqu'il l'avait invitée, le mercredi précédent, il l'avait tellement surprise qu'elle s'était rabattue d'instinct sur ses anciens comportements frileux. Rétrospectivement, en revoyant la scène, Julia se demanda pourquoi sa décision de repousser l'homme qu'elle aimait lui avait paru si sensée, si raisonnable. Etait-ce vraiment se protéger du danger que de tourner le dos à l'amour et à la vie ? En refusant de suivre Michael, elle avait cru faire l'économie d'une souffrance. Mais ne souffrait-elle pas mille fois plus en se condamnant à rester coupée de lui ?

Clairement, il n'existait qu'une solution réellement *sensée*, en l'occurrence : décrocher son téléphone, appeler British Airways et obtenir une place en urgence sur le prochain vol pour Chicago.

Julia qui avait sillonné l'Europe de long en large se considérait comme une voyageuse avertie. Et pourtant lorsqu'elle fit ses premiers pas dans l'aéroport O'Hare, ce dimanche après-midi, la sensation de dépaysement fut totale. Même si la langue parlée autour d'elle était la sienne, l'accent peu familier rendait la compréhension difficile. Quant aux proportions du bâtiment, elles lui parurent démesurées. L'éclairage laser, l'architecture futuriste, tout contribuait à lui donner le vertige.

L'officier de douane examina son passeport avec un tel air de suspicion que Julia fut presque étonnée lorsqu'il lui indiqua enfin, d'un signe bref du menton, qu'elle pouvait poursuivre son chemin. S'orientant tant bien que mal au cœur de la foule étrangère, elle poussa un soupir de soulagement lorsqu'elle réussit à récupérer sa valise et à se laisser tomber à l'arrière d'un taxi.

— Ouf ! Le Carlisle Forrest, s'il vous plaît, s'exclama-t-elle en repoussant les cheveux qui tombaient sur son front moite.

Elle suffoquait dans sa robe d'été à manches longues, plus adaptée au climat anglais qu'à la chaleur qui régnait à Chicago.

— Ah, c'est qu'on transpire chez nous, n'est-ce pas ? commenta le chauffeur en lui souriant dans le rétroviseur. C'est comme ça, à Chicago. Soit on suffoque, soit on meurt de froid. Et je ne vous parle pas de l'humidité ! C'est du cent pour cent, par ici.

Fatiguée par ses neuf heures de vol, Julia répondit par quelque vague commentaire et le laissa monologuer pendant le reste du trajet. Lorsqu'ils atteignirent le centre de Chicago, cependant, elle oublia sa lassitude, éblouie par l'architecture spectaculaire et par l'élégance des places. Le chauffeur lui indiqua l'étrange *Tribune Tower* avec son porche et son pinacle gothique que séparaient les trente étages de l'immeuble. Julia nota d'autres constructions moins bizarres mais tout aussi intéressantes, témoignant du talent des architectes de l'Ecole de Chicago. Jusque-là, ses connaissances sur la ville se limitaient aux scènes de rues des films de gangster consacrés à Al

Capone ou à des images de documentaire sur les horreurs du ghetto noir du South Side. Pas un instant, elle ne s'était attendue à découvrir la splendeur du lac Michigan ni le profil majestueux des gratte-ciel qui, dans la lumière de cette fin d'après-midi, formait un des plus beaux panoramas urbains qu'il lui ait jamais été donné de voir.

Le taxi s'immobilisa devant une construction imposante, haute d'une trentaine d'étages, dominant le lac. Michael avait précisé que l'hôtel phare de la chaîne, Carlisle Forrest, datait de plus d'un siècle. Julia fut sidérée de découvrir qu'au tournant du siècle déjà, les architectes de Chicago avaient réussi à concevoir des immeubles aussi vertigineusement élevés et néanmoins solides. Séduite par l'élégance et l'impression de vitalité qui émanait du lieu, Julia paya le chauffeur et pénétra dans l'hôtel.

Le hall d'entrée était un exemple si parfait du style art déco qu'elle demeura clouée sur place, frappée par l'élégance des lignes, l'éclat des chromes, la beauté des comptoirs en noyer. Penser qu'on puisse lui demander d'émettre des suggestions pour « améliorer » un pareil décor relevait de la farce pure et simple, se disait-elle, stupéfiée. Et dire que Michael dirigeait non seulement cet hôtel, mais neuf autres encore, tous aussi prestigieux que celui-ci ! Jusque-là, elle n'avait eu affaire qu'à l'homme privé. Elle avait vu Michael en compagnie de leurs amis communs ou dans le cadre, comparativement modeste, d'Ashby Hall. Mais à présent qu'elle découvrait l'étendue de ses responsabilités, elle se sentait terriblement insignifiante.

Une petite voix insidieuse, sans doute celle de ses parents, lui souffla à l'oreille qu'elle allait au-devant d'un flop aux proportions historiques. Comment avait-elle pu obéir à l'impulsion ridicule d'arriver ainsi, sans crier gare, dans cet hôtel de très grand luxe ? Comme si une relation durable était envisageable entre un homme tel que Michael Forrest et une femme comme elle ! Seul un caprice du hasard les avait réunis. Si Elisabeth Gabrielle n'avait pas décidé de naître avec un mois d'avance, il n'y aurait sans doute jamais rien eu entre eux.

Pour elle, la nuit d'amour passée à Ashby Hall avait été une révélation et une expérience décisive. Mais aux yeux de Michael, il pouvait s'agir d'un épisode sexuel parmi d'autres. Il lui avait proposé de le suivre sur l'impulsion du moment, mais lorsqu'il constaterait qu'elle l'avait pris au mot, il se mordrait sans doute les doigts d'avoir lancé une invitation aussi imprudente.

Julia dut faire un effort de volonté presque surhumain pour imposer silence à l'incorrigible pessimisme qu'elle sentait monter de nouveau en elle. Elle savait pourquoi elle était venue. L'amour qu'elle éprouvait pour Michael était si fort, si vibrant que tout le reste semblait bien pâle en comparaison. Elle était consciente des risques qu'elle courait, mais, si elle tournait les talons maintenant, elle le regretterait toute sa vie.

Redressant la tête, elle s'avança jusqu'à la réception.

— Je souhaiterais parler à Michael Forrest s'il est à son bureau aujourd'hui, dit-elle au réceptionnaire. Mon nom est Julia Dutton.

Le sourire de l'employé se fit plus impersonnel ; son expression encore un peu plus lisse et impénétrable.

— Vous avez rendez-vous, madame ?

— Pas à proprement parler, non. Mais je pense qu'il acceptera de me voir, ajouta-t-elle crânement.

Le réceptionniste hocha la tête d'un air sceptique.

— Je pourrais éventuellement essayer d'appeler son bureau. Mais je doute qu'il soit présent à l'hôtel un dimanche après-midi.

— J'ai le numéro de téléphone de son domicile, mais je pensais trouver M. Forrest ici, insista Julia calmement.

Le fait qu'elle ait les coordonnées personnelles de Michael parut rassurer quelque peu l'employé.

— Une seconde, madame, s'il vous plaît. J'appelle M. Forrest.

Il actionna une série de touches.

— Monsieur Forrest ? Ici David, de la réception. Une de vos amies vient de se présenter ici et souhaiterait vous parler. Son nom est Dutton. Julia Dut...

Le réceptionniste n'alla pas plus loin.

— ... Oui, monsieur, c'est bien ce nom-là, en effet, répondit-il après quelques secondes de silence. Elle est ici, oui, à l'accueil... Oui, parfait. Il ne faut surtout pas qu'elle bouge d'ici ? Entendu, je le lui transmets.

Le nommé David raccrocha et la considéra avec une curiosité à peine voilée.

— M. Forrest descend tout de suite et vous demande de patienter quelques instants en l'attendant. Il n'en a pas pour longtemps.

Le cœur battant, Julia se tourna vers le fond du hall. A peine une minute plus tard, elle vit les portes de l'ascenseur s'ouvrir. Michael en sortit, superbement élégant dans un costume en lin clair. Leurs regards se croisèrent et ce fut plus fort qu'elle : Julia se mit à courir vers lui, sous les regards ébahis d'une bonne demi-douzaine de personnes qui assistaient à la scène.

Les bras de Michael se refermèrent autour de sa taille au moment précis où elle se pendait à son cou.

— Tu m'as demandé de venir te dire un petit bonjour la prochaine fois que je passerais dans le coin, murmura-t-elle en levant son visage vers le sien. Alors... me voici.

Avec un sourire en coin, il l'attira plus étroitement contre lui.

— Je suis ravi que le hasard t'ait conduite dans les parages.

— Je suis venue payer mes dettes, en fait. J'avais promis de me soumettre à l'un de tes petits déjeuners, rappelle-toi.

— Je me rappelle, oui. Et tu ne perds rien pour attendre. Avec les intérêts qui courent, tu es bonne pour une double ration.

Michael enfouit les doigts dans ses cheveux et son regard se fit soudain infiniment grave.

— Oh, Julia, si tu savais comme c'est bon de te voir ici. J'ai cru que je devenais fou, cette semaine.

Il l'embrassa et elle ferma les yeux, s'abandonnant sans retenue à l'euphorie des retrouvailles. Elle n'aurait su dire combien de temps s'était écoulé lorsqu'une voix masculine s'éleva, quelque part à sa droite :

— Désolé pour cette interruption, Michael, mais il n'y a pas trois minutes, j'ai vu un photographe du *National Investigator* dans le hall. Vous préféreriez peut-être conduire votre... euh.. amie dans mon bureau, si vous souhaitez un peu plus d'intimité.

Les jambes coupées, le souffle court, Julia resta blottie contre Michael. L'homme qui venait de parler portait un costume sombre et un badge indiquant : Thomas Burdine, directeur adjoint. En temps normal, elle se serait rejetée en arrière, les joues en feu, horrifiée de s'être donnée ainsi en spectacle. Mais en l'occurrence, elle ne ressentait aucune gêne ; juste une joie immense et jubilatoire.

Michael garda sa main solidement serrée dans la sienne.

— Merci pour l'avertissement, Tom, et désolé d'avoir fait baisser le standing de ce hall d'hôtel, ajouta-t-il avec un léger sourire.

— Je ne sais pas si vous avez fait baisser quoi que ce soit. Je dirais plutôt que vous avez élevé vertigineusement le taux d'attention ambiant, rétorqua le dénommé Tom, très pince-sans-rire.

Julia jeta un coup d'œil autour d'elle et nota que tous les employés, sans exception, les observaient d'un air fasciné. Elle commençait à se sentir sérieusement embarrassée lorsqu'un chasseur en uniforme s'approcha de Michael :

— Votre limousine est avancée, monsieur Forrest. Le chauffeur vous fait savoir que la circulation est particulièrement dense aux alentours de l'aéroport et que vous devriez partir au plus vite si vous ne voulez pas manquer votre avion.

Michael sourit.

— Merci, Ron, mais j'ai changé d'avis. Je ne me rendrai pas à l'aéroport aujourd'hui, finalement. Dites au chauffeur de mettre la course sur mon compte personnel, vous voulez bien ?

— C'est entendu, monsieur. Je transmettrai le message.

Le chasseur était parfaitement stylé et il se contenta de jeter un rapide coup d'œil à leurs mains jointes avant de ressortir.

— Tu n'aurais pas dû annuler ton vol pour moi, Michael. Je sais que tu as un emploi du temps très chargé. Cela ne m'aurait pas dérangée de t'accompagner. Ou même d'attendre ton retour, d'ailleurs.

Une lueur amusée dansa dans les yeux de Michael.

— En fait, je m'apprêtais à prendre l'avion pour Londres.

— Pour Londres ? Ah tiens... Tu avais des projets particuliers en tête ? demanda-t-elle en réprimant un sourire.

— Tout à fait, oui. Je pensais qu'il était temps pour moi de traiter quelques problèmes personnels de nature urgente.

— Quelle coïncidence ! C'est exactement la raison pour laquelle je suis venue à Chicago. C'est une chance que nous ne nous soyons pas croisés quelque part au-dessus de l'Atlantique.

— Julia..., fit-il d'une voix rauque.

Il esquissa un pas dans sa direction et se ravisa lorsque son regard croisa celui de son directeur adjoint.

— Tu sais quoi, Julia ? Je suis prêt à parier que si nous montions dans ma suite, nous pourrions résoudre tous nos problèmes en un rien de temps.

Elle réussit à garder son sérieux.

— Il se pourrait bien, mon cher Michael, que tu aies raison sur ce point.

Ils reposaient enlacés dans le grand lit, bras et jambes mêlés, le souffle encore irrégulier, les lèvres toujours jointes. Julia comprit qu'elle s'était assoupie quelques instants, lorsqu'elle ouvrit les yeux et découvrit le visage de Michael penché sur le sien.

— Qu'est-ce qui t'a décidée à venir à Chicago ? demanda-t-il sans sourire en lui caressant la taille.

— Je voulais être avec toi.

Elle sentit sa main se crisper sur sa hanche.

— Pourquoi ?

— Parce que je t'aime, admit-elle en posant les doigts sur les siens. Et parce que tout le reste, en comparaison, me paraissait dénué d'importance.

Habituée à voir Michael dissimuler ses émotions sous un masque ironique, Julia fut surprise de voir son visage refléter soudain un mélange de joie, de soulagement.

— Je t'aime aussi, Julia.

Sa voix résonna faiblement, comme si la confession lui avait été arrachée de force. Julia lui effleura les lèvres avant de plonger son regard dans le sien.

— Tu sais, Michael, si tu t'entraînes à le dire une fois par jour, je te promets que, dans quelque temps, ce ne sera pas beaucoup plus douloureux que de te faire arracher une dent sans anesthésie.

— Je t'aime, répéta-t-il.

— Tu vois, ça va déjà mieux ! chuchota-t-elle en plaçant les deux mains en corolle autour de son visage. Cette fois, tu n'as même pas fait la grimace.

Il sourit, mais son expression était tendue.

— Il faut que nous discutions sérieusement, Julia. Nous savons l'un et l'autre que notre histoire ne sera pas simple à vivre. Et le fait que nous habitions à des milliers de kilomètres de distance n'est sûrement qu'un problème mineur à côté de tous les autres qui se poseront nécessairement...

— Les amours compliquées sont souvent les meilleures. Regarde Grace et Jeffrey DeWilde. Je suis certaine qu'ils s'aiment éperdument et pourtant leur mariage est toujours en chantier au bout de trente-deux années de pratique intensive.

Michael fronça pensivement les sourcils.

— Grace m'a donné quelques conseils la dernière fois que je l'ai vue à Londres. D'après elle, on ne devrait jamais essayer de construire une relation si on ne prend pas soin au préalable de poser des fondations solides, en évacuant d'emblée tout ce qui pourrait faire, plus tard, vaciller l'édifice. Voilà pourquoi il me paraît important d'examiner d'abord tous les problèmes un à un. J'aimerais pouvoir nous donner une chance d'y arriver, Julia, mais je ne suis pas de ceux qui peuvent parler avec désinvolture d'engagement, de mariage et d'avenir partagé. L'exemple du couple de mes parents a fait de moi un ardent partisan du divorce et la seule fois où je suis tombé amoureux avant de te rencontrer, je m'en suis pris plein la figure.

— Avec Cherie Lockwood? demanda-t-elle d'une voix hésitante.

— Avec Cherie, oui.

Julia serra sa main dans la sienne.

— Rien ne te force à me parler d'elle, si tu préfères garder ces souvenirs pour toi. Cherie est-elle vraiment importante à ce point pour nous, Michael? Nous ne sommes plus des adolescents, toi et moi. Que nous ayons eu un passé sentimental chacun de notre côté paraît aller de soi, non?

Il secoua la tête.

— Je tiens à t'expliquer ce qui s'est passé avec Cherie pour que tu saches d'où viennent mon attitude cynique et ma méfiance systématique par rapport à tout ce qui est sentiment. Avec elle, la notion de mariage est plutôt devenue synonyme de trahison que de fidélité.

— Cherie et toi n'étiez pourtant pas officiellement mari et femme ?

— Non. Je n'ai jamais été marié, mais chez des gens qui le sont ou qui l'ont été, j'ai eu l'occasion d'observer certains comportements qui ont eu sur moi un effet profondément dissuasif. Lorsque Cherie a fait irruption dans ma vie, j'avais trente-trois ans et j'ai cru rencontrer l'amour. A l'époque, je pensais être un type cynique, blasé, à qui on ne pouvait pas la conter. En réalité j'étais encore suffisamment naïf pour constituer une cible facile. Cherie, que je considérais comme une jeune femme douce et aimante, pleine d'un charme mystérieux et sauvage, me fascinait totalement. Elle avait un côté insaisissable qui éveillait mes instincts de chasseur. C'était très précisément l'effet qu'elle voulait me faire, d'ailleurs. Et elle a bien su choisir son pigeon.

— Pourquoi un pigeon ? protesta Julia. Si elle a voulu te séduire, c'est sûrement parce qu'elle était attirée par toi, non ?

— Pas le moins du monde. Cherie m'a tendu un piège parce qu'elle était enceinte de trois semaines et qu'il lui fallait à tout prix un père pour son enfant. Elle m'a choisi à cause de ma réputation de célibataire endurci. Et également parce que mes yeux et mes cheveux sont plus ou moins de la même couleur que ceux du père réel de l'enfant. Le fait que je n'appartienne pas à la grande famille du cinéma a dû compter aussi. C'est plus facile de jouer la comédie devant un profane que devant un public plus averti.

Julia fronça les sourcils.

— Je ne comprends pas. Si Cherie, pour une raison quelconque, ne voulait pas nommer le père véritable, pourquoi ne s'est-elle pas contentée d'avoir son enfant seule ? De nombreuses actrices d'Hollywood, de nos jours, mettent des bébés au monde sans pour autant faire connaître le nom du père !

— Cherie avait une peur bleue que la vérité ne finisse par éclater. Elle craignait qu'un journaliste plus futé que les autres ne réussisse à faire le rapport entre elle, le bébé et le vrai père, un homme sur lequel aucun soupçon d'adultère ne devait peser. C'est pour le protéger que Cherie a eu avec moi la plus torride et la plus publique des aventures. A la rigueur, j'aurais pu le comprendre, en revanche, ce que j'ai plus de mal à lui pardonner, c'est qu'elle m'a laissé croire que j'étais le père de l'enfant.

— Elle a fait ça ? s'écria Julia.

Michael haussa les épaules avec cynisme.

— Je n'avais aucune raison de douter de sa parole. Elle avait pris ses distances avec son amant, et nous ne nous étions pour ainsi dire pas quittés depuis le début de notre liaison. Apprenant que j'allais devenir père, je me suis préparé à assumer mon rôle le mieux possible. Pendant les deux mois qui ont suivi, j'ai harcelé Cherie sans relâche pour qu'elle accepte de régulariser la situation. Au début, elle a multiplié les excuses pour repousser le mariage, puis, en désespoir de cause, elle a fini par changer tous ses verrous et m'interdire l'accès à sa maison. C'est grâce au coup de fil anonyme d'une infirmière que j'ai su que Cherie allait accoucher. Je croyais toujours que cet enfant était le mien, alors j'ai sauté dans le premier avion pour Los Angeles et je suis arrivé à la maternité quelques heures après la naissance de Storm.

— Mais, Michael, c'est absolument épouvantable ! Comment a-t-elle pu avoir la cruauté de te monter une histoire pareille ?

— Je ne pense pas qu'elle l'ait fait par cruauté. Je dois reconnaître à la décharge de Cherie qu'elle avait de moi une idée complètement fausse, à cause de la réputation que m'avaient faite les médias. Elle était persuadée que je prendrais mes jambes à mon cou en apprenant qu'elle était enceinte. Jamais elle ne se serait doutée que j'insisterais à ce point pour tenir mon rôle de père vis-à-vis de Storm.

— Cela n'excuse en rien ce qu'elle t'a fait, Michael ! Comment a-t-elle pu se baser sur de simples on-dit et décider qu'elle pouvait t'utiliser comme cela, sans remords ? Même en admettant qu'elle t'ait mal jugé au départ, vous avez tout de même passé du temps ensemble ! Si elle avait eu ne serait-ce qu'une once d'affection et de respect pour toi, elle aurait compris tout de suite que tu n'étais pas l'homme qu'elle imaginait !

Michael sourit faiblement.

— C'est sympa de t'indigner comme ça pour moi.

— Je pense au nombre de fois où je t'ai critiqué parce que j'estimais que tu étais un père irresponsable, admit-elle en rougissant. J'ai tellement honte de moi, Michael.

Il lui prit les mains pour lui embrasser les doigts un à un.

— Tu n'as pas à te sentir coupable, Julia. Tu ne me connaissais pas encore quand la presse a commencé à répandre ces histoires.

— Mais une fois que tu as su que Storm n'était pas ton fils, pourquoi as-tu continué à jouer le jeu ? Tu aurais pu sauver ta réputation en rétablissant la vérité !

— Après la naissance de Storm, j'ai menacé Cherie de la traîner en justice pour obtenir une garde partagée. Se sentant acculée, elle s'est s'effondrée et m'a avoué que l'enfant n'était pas de moi. Je l'ai poussée dans ses retranchements, et elle a fini par lâcher également le nom du père véritable, en me suppliant de ne pas mettre la presse au courant. Ses arguments étaient si convaincants que j'ai fini par céder. Mais je l'aurais fait beaucoup plus volontiers si elle avait joué franc jeu dès le début au lieu de me manipuler aussi froidement.

— Mais *pourquoi* ? s'écria Julia. Pourquoi avoir

accepté de continuer à passer pour un sale type et un père indifférent ? Qui voulais-tu donc protéger ? Ce n'est tout de même pas Cherie ?

— Non, bien sûr ! Et encore moins son amant. Si j'ai gardé le silence, c'est à cause du troisième personnage de ce drame. Dans le classique triangle formé par le mari, la maîtresse et la femme, c'est elle, Terri, que j'ai voulu ménager. Elle était en train de perdre la partie dans sa longue lutte contre la myopathie. Si j'avais parlé, elle serait morte en sachant non seulement que son mari la trompait, mais qu'il avait conçu avec Cherie l'enfant qu'elle n'avait jamais réussi à lui donner.

Enfin la lumière se fit dans l'esprit de Julia.

— Brad Stein ! Le père, c'était lui !

— En personne, oui. L'homme respecté dans tout le milieu du cinéma, à cause de sa fidélité sans faille à son épouse gravement malade. Et qui a encore amélioré sa réputation en acceptant d'épouser cette « pauvre Cherie » et d'élever comme son fils l'enfant que je suis censé avoir si lâchement abandonné. Le héros par excellence, en somme.

Julia frissonna.

— Comment peux-tu supporter que tout le monde porte ce type aux nues alors qu'il t'a fait un coup aussi vicieux ? Il a à peu près autant de sens moral qu'un cafard au fond d'une poubelle, ce Brad Stein.

— Ce n'est pas tout à fait exact, Julia. Cela dit, je n'aurais pas hésité un instant à détruire la légende de Brad s'il n'y avait eu que sa réputation en jeu. Mais à l'époque où Storm est né, Terri entrait dans la phase finale de sa maladie. Même si le scénario minable de Brad et de Cherie me faisait horreur, j'ai compris qu'ils étaient soucieux l'un et l'autre de protéger Terri. Cherie était très sincèrement attachée à la première femme de Brad et je crois qu'elle était prête à tous les sacrifices pour que Terri puisse vivre sereinement les derniers mois de sa vie.

— Si Cherie avait été prête à tous les sacrifices, comme tu dis, elle aurait peut-être eu la décence d'attendre que son amie soit décédée avant de tomber dans les bras de son mari. Quant à Brad Stein, c'est quand même un sacré hypocrite. Même si ces deux personnages ne sont pas entièrement noirs, je trouve que tu es d'une tolérance exemplaire avec eux, Michael. J'admire ton esprit charitable.

Pour la première fois depuis qu'ils avaient entamé cette conversation, il lui adressa un vrai sourire.

— Si tu m'avais entendu il y a trois ans, tu ne m'aurais pas trouvé charitable du tout. Mais le temps aide les blessures à se refermer. D'ailleurs, tu ne peux pas imaginer à quel point je suis soulagé, rétrospectivement, que Cherie Lockwood ne soit pas la mère de mon enfant ! Car le pire, dans cette histoire, c'est qu'au moment même où je me précipitais à la maternité pour tenter de voir « mon » fils, je me rendais compte que je n'avais jamais été réellement amoureux de Cherie. Elle m'avait séduit, intrigué, et je lui ai couru après comme un imbécile. Mais je n'ai pas fait plus d'efforts pour essayer de connaître la véritable Cherie qu'elle n'en a fait pour savoir qui était réellement Michael Forrest.

Julia se blottit plus étroitement contre lui.

— On pourrait presque dire la même chose de mon histoire avec Gabe. Il était beau, intelligent et l'héritier de l'empire DeWilde. Je me suis donc convaincue que j'étais amoureuse de lui. Mais, en vérité, j'étais tellement fascinée par l'image qu'il projetait de lui-même que je ne m'étais même pas rendu compte qu'il n'y avait jamais eu la moindre étincelle d'amour véritable entre nous.

Michael enfouit le visage dans son cou.

— Entre nous, par contre, ce ne sont pas les étincelles qui manquent.

Elle sourit.

— En effet. C'est même un vrai feu d'artifice.

Pour un homme qui rayonnait de confiance en lui d'ordinaire, Michael paraissait soudain passablement indécis.

— Lorsqu'un homme et une femme découvrent qu'ils s'aiment, marmonna-t-il, le dénouement logique de leur histoire, c'est le mariage, non ?

Julia rit de bon cœur, même si une pointe de tristesse assombrissait sa joie.

— Rien ne nous oblige à nous y conformer si ce schéma te terrifie, Michael.

Il prit une profonde inspiration.

— L'*idée* du mariage continue à me faire peur, c'est vrai. Mais j'ai compris cette semaine qu'il serait stupide de ma part de renoncer au bonheur sous prétexte que mes parents étaient malheureux ensemble et que je me suis fait avoir par Cherie. J'ai passé deux jours à énumérer les raisons pour lesquelles tu avais eu tort de refuser de me suivre à Chicago. Et, hier soir, j'ai renoncé à reporter la faute sur toi pour finalement admettre que je m'étais conduit comme un imbécile.

D'une caresse, il releva les cheveux qui lui tombaient sur le front et plongea son regard dans le sien.

— Si je partais pour Londres aujourd'hui, c'était dans l'intention de te demander de m'épouser, Julia. Je sais maintenant que tu es mon amie autant que mon amante, la femme avec qui je veux partager ma vie et la mère dont je rêve pour mes enfants. Acceptes-tu de te marier avec moi, Julia ? S'il te plaît ?

Elle dut répondre par l'affirmative car elle se retrouva soudain dans ses bras, inondée de baisers et de promesses passionnées.

— Une petite précision quand même, murmura Michael, comme elle se blottissait contre sa poitrine. J'aimerais que tu signes un contrat au préalable.

Julia tressaillit et voulut se dégager, mais il la maintint serrée contre lui.

— Ce contrat ne comportera que deux clauses. La première, c'est que j'exige que tous nos enfants te ressemblent...

Elle cligna des paupières.

— *Tous* nos enfants ? Mais tu en veux combien, au juste ?

— Pour le nombre exact, les négociations restent ouvertes. Tout ce que je demande, c'est qu'ils soient à l'image de leur mère.

Julia rit doucement.

— Cela me paraît être une exigence raisonnable.

— L'autre clause est la suivante : tu ne devras offrir tes services de décoratrice qu'à des sociétés que je dirige.

— Mmm... Voilà qui sera plus difficile. Je me suis déjà engagée à prendre en charge l'aménagement de la nouvelle maison que Tate Herald vient d'acheter à Londres.

— C'est vrai ?

Loin de chagriner Michael, la nouvelle parut le ravir.

— Toutes mes félicitations, Julia. Je suis certain que Tate ne regrettera pas son choix.

— Je l'espère. Comme tu vois, j'ai suivi ton conseil et j'ai démissionné de la Kensington Academy.

Elle lui jeta un regard de défi.

— Comme je dispose désormais de pas mal de temps libre, je pourrais éventuellement consentir à m'occuper aussi de la restauration des chambres d'Ashby Hall. A condition que tu me verses des honoraires conséquents, bien sûr.

— Ah oui ? C'est une proposition intéressante. A quel genre de rémunération songes-tu ?

Elle fit un geste évasif de la main.

— Oh ! Plusieurs millions d'euros, au moins.

Une lueur amusée brilla dans le regard de Michael.

— Attention, je suis un âpre négociateur, ma chérie. Je propose que tu m'accordes une ristourne de cent mille euros pour chaque nuit que nous passerons ensemble dans la chambre de M. et Mme Blodget.

Julia retomba en riant contre les oreillers.

— Cent mille par nuit ? Dis-moi, Michael, tu ne surestimes pas un peu la valeur de tes services ?

— Pas le moins du monde. Je les vaux amplement au contraire.

Les mains posées sur chacune de ses épaules, il se plaça légèrement au-dessus d'elle.

— Je peux te proposer un échantillon à titre gracieux, si le marché t'intéresse ?

Des frissons de désir coururent sur la peau de Julia.

— Oui, tu pourrais commencer par une démonstration gratuite, murmura-t-elle dans un souffle. Et pourquoi pas tout de suite ?

La tendresse dans le sourire de Michael lui alla droit au cœur.

— A ton service, mon amour. Pour la vie...

14.

Depuis deux jours, amis, connaissances, collaborateurs, parents proches ou lointains n'avaient cessé d'affluer des quatre coins du monde pour assister au grand dîner donné par Grace et Jeffrey DeWilde à l'occasion de leur second mariage. En contraste avec la nuit d'octobre, humide et noire, Ashby Hall rayonnait de lumière, et une activité intense régnait dans l'hôtel. Déjà, dans le grand salon de réception, une armée de serveurs circulait parmi les invités avec des plateaux remplis de coupes de champagne et d'assortiments de canapés. Dans l'assistance, les conversations allaient bon train. On s'extasiait sur le raffinement du décor, la grâce des arrangements floraux, la beauté des bouquets que Julia Dutton avait composés elle-même avec les dahlias et les chrysanthèmes du jardin.

Alors que tout le monde était déjà rassemblé en bas, Jeffrey arpentait la suite Salisbury sous le regard mécontent de Mme Blodget en s'efforçant d'ignorer la petite pendulette en chrysocale dont les aiguilles tournaient impitoyablement. Bien des choses avaient changé au cours des derniers mois, se disait-il avec un amusement mêlé d'impatience mais, sur un point au moins, Grace était restée la même : toujours ponctuelle à ses rendez-vous d'affaires, elle était systématiquement en retard à toutes ses réceptions.

Jeffrey s'apprêtait à frapper un coup discret à la porte de la chambre, lorsque Grace en sortit enfin, essoufflée, les joues rosies par le stress et plus éblouissante que jamais dans une robe bustier en satin bleu nuit. Le collier « Eaux Dansantes » scintillait de tous ses feux à son cou. En dehors de sa bague de fiançailles et de son alliance, c'était le seul bijou qu'elle portait. Elle lui adressa un sourire si délicieusement contrit que Jeffrey se sentit fondre avant même qu'elle ait commencé à s'excuser :

— Je sais, je suis en retard, mon chéri, mais, s'il te plaît, essaye de ne pas m'en vouloir, pour cette fois. Je voulais à tout prix être belle pour toi et, à mon âge, il me faut infiniment plus de temps pour y parvenir que lorsque nous nous sommes mariés la première fois !

Jeffrey eut une vision de sa femme telle qu'elle lui était apparue quelque trente années en arrière, flottant dans sa robe blanche, émouvante de beauté sous son fin voile de dentelle. Il avait été séduit alors, mais il savait qu'elle était infiniment plus belle aujourd'hui à ses yeux qu'elle ne l'avait été ce jour-là.

— Tu es magnifique, cela vaut bien toutes les attentes et je t'aime à la folie. Ta robe est parfaite avec ce collier.

Jeffrey la prit dans ses bras et l'embrassa en prenant soin de ne pas la décoiffer ni de se couvrir de rouge à lèvres. Les années de mariage lui avaient appris beaucoup de choses sur la vie, et lui avaient également permis d'assimiler deux ou trois détails pratiques qui avaient leur importance...

Il lui offrit son bras.

— Alors, madame DeWilde ? Prête à descendre saluer nos invités ?

En regardant Grace et Jeffrey descendre l'escalier sous les applaudissements nourris de leur famille et de leurs amis, Mary DeWilde sentit les larmes lui venir aux yeux.

Bien sûr, son fils avait beaucoup souffert durant l'année qui venait de s'écouler, mais rarement auparavant elle l'avait vu aussi heureux qu'aujourd'hui. Grace était radieuse, elle aussi. Comme toujours, elle surpassait en élégance toutes les autres femmes de l'assistance, et son bonheur éclatant ajoutait à sa beauté une aura de douceur et de grâce.

— Comment allez-vous, Mère ? demanda Jeffrey en se penchant pour déposer un baiser sur sa joue.

— Quelle question ! Je ne peux qu'aller bien en une occasion comme celle-ci !

Mary embrassa Grace et emboîta le pas au couple de mariés. Ian Stanley, de retour de son voyage en Chine, interrompit sa conversation avec Sloan de Wilde et s'avança pour faire un baise-main à Grace. Mary, le cœur serré, remarqua que, malgré le hâle, il paraissait fatigué et avait manifestement perdu du poids. Mais le sourire qu'il adressa à Grace n'avait rien perdu de son charme légendaire.

— Ma chère Grace, tu devrais avoir pitié des autres femmes et faire un effort pour dissimuler un peu de ta radieuse beauté. Ce n'est pas étonnant que Jeffrey affiche ce petit sourire exaspérant de conquérant comblé.

Jeffrey serra affectueusement la main de son ami.

— Tu te trompes sur le sens de mon sourire. J'affichais simplement mon plaisir de voir que tu avais invité tes trois ex-femmes à notre fête. Quelle bonne surprise !

Ian se mit à rire.

— Je pensais que tu apprécierais le clin d'œil. Cela te confortera dans l'idée qu'il est plus simple d'épouser la même personne chaque fois que de varier inutilement.

— Merci pour cette délicate attention. Mais Grace et moi avons déjà pris la décision solennelle de nous arrêter là. Un troisième mariage serait au-dessus de nos forces.

— Grace ! Jeffrey !

Leland Powell traversa le salon pour venir serrer sa

sœur dans ses bras. Puis il se tourna vers Jeffrey et lui posa la main sur l'épaule.

— Je suis tout spécialement chargé de vous transmettre les félicitations de Mallory et de Liam qui regrettent de ne pouvoir être de la fête. Ma petite-fille est encore trop jeune pour voyager en avion. Vous ai-je dit qu'ils l'ont appelée Catherine ? Mallory a décidé de lui donner le nom de notre mère.

Grace paraissait ravie de voir son frère aussi réjoui d'être grand-père.

— Bienvenue au club des grands-parents, Leland. Comment vont Mallory et Liam ? Ils sont fous de joie, je suppose ?

Leland hocha la tête.

— Liam est déjà fou de sa fille. C'est une chance, si l'on peut dire, qu'ils n'aient pas eu de garçon, ajouta-t-il gravement. Je pense que Liam se sent moins infidèle, ainsi, à la mémoire du fils qu'il a perdu.

Michael Forrest s'approcha pour consulter Jeffrey sur un problème de vin à servir avec l'entrée et Grace s'éloigna pour circuler parmi ses invités.

« Ce Michael Forrest est vraiment beau garçon », songea Mary en s'approchant des deux hommes. Par certains aspects, il lui faisait penser à feu son mari. Charles avait lui aussi cette prestance, cette aura de sensualité à la fois intense et contenue qui plaisait tant aux femmes. Si elle avait eu quarante ans de moins, Julia Dutton aurait eu de la concurrence !

Elle saisit Michael par la manche.

— Jeffrey m'a dit que votre fiancée avait rénové les chambres, ici, à Ashby Hall ?

— C'est exact.

— Elle a un joli talent, cette petite.

Cherchant Julia des yeux dans la foule, Mary finit par la repérer près des portes-fenêtres où elle papotait gaiement avec Lianne et Gabe.

— Et c'est un beau brin de fille, avec ça. Si j'étais vous, je l'épouserais vite, avant que cette perle rare ne vous file entre les doigts.

Michael se mit à rire.

— Je vous assure, madame DeWilde, que je me marierais demain si je le pouvais. Mais la famille de Julia tient à un mariage traditionnel. Il nous faudra donc patienter jusqu'à Noël.

— Ah, des noces de Noël ! Voilà qui peut être tout à fait charmant. Vous comptez les célébrer à Londres ?

— Probablement, oui, car toute la famille de Julia réside sur place.

Sollicité par le chef de cuisine qui lui faisait signe de loin, Michael s'excusa et s'éloigna à grands pas. Mary poursuivit son chemin, évitant les personnes de connaissance pour se réserver le plaisir d'évoluer parmi les invités en simple spectatrice. Qui était le couple, là-bas, dans le coin, près de la cheminée qui s'entretenait avec Ryder Blake ? Sûrement Cutter et sa femme, Maxine. Plus tard dans la soirée, elle se débrouillerait pour trouver une entrée en matière afin de bavarder avec eux un moment. C'était une des consolations de la vieillesse, médita Mary en continuant sa tournée d'observation. On pouvait se permettre de poser des questions terriblement indiscrètes sans que quiconque trouve à y redire. A première vue, Cutter n'avait rien d'un DeWilde, mais en regardant plus attentivement, Mary nota la forme légèrement carrée de sa mâchoire, sa façon de se tenir très droit, comme pour défier le monde. La femme de Ryder, Natasha, avait exactement la même attitude, la même arrogance dans le port de tête — un héritage de Dirk DeWilde certainement plus attachant et plus durable que les joyaux volés qu'il lui avait laissés.

Megan et Phillip Villeneuve étaient en conversation avec Kate et son mari, Nick Santos. Extérieurement, Kate avait gardé son allure un peu nerveuse de jeune pouliche sauvage. Mais Mary constata avec satisfaction que, sous ses airs rebelles, sa petite-fille paraissait très attachée à son détective de mari. Elle avait une façon de s'abandonner lorsque Nick lui entourait les épaules ou la taille qui en disait long sur l'amour qui les unissait. Quant à Megan et Phillip, ils étaient enlacés, comme d'habitude, et riaient les yeux dans les yeux. Mary réprima un sourire coquin derrière son mouchoir en dentelle. Pas besoin d'être fine psychologue pour comprendre que ces deux-là s'entendaient à merveille, au lit comme ailleurs.

De tous ses petits-enfants, c'était Megan qui avait subi la transformation la plus profonde, au cours de l'année écoulée. Longtemps, la jeune femme était restée indécise, peu sûre d'elle et incapable de s'imposer, alors même qu'elle avait toutes les capacités pour y parvenir. Mais en découvrant que Phillip était prêt à renoncer à tout pour qu'elle devienne sa femme, elle s'était épanouie comme une fleur. Pour cette simple raison déjà, Mary était prête à enterrer la hache de guerre et à oublier la vieille querelle qui les opposait depuis dix ans au père de Phillip. La vieille dame sourit en voyant Megan contredire Nick avec un geste de la main d'une grâce toute française. Cosmopolites, voyageurs dans l'âme, les DeWilde avaient toujours formé un mélange résolument hybride malgré les efforts de Charles pour maintenir le mythe d'une citoyenneté solidement britannique. Mary, elle, trouvait plutôt réjouissant que les descendants d'Anne-Marie vivent éparpillés sur trois continents et dans cinq pays différents.

A l'autre bout du salon, Michael Forrest éleva la voix pour prier les invités de passer à table. La centaine de personnes présentes se dirigea dans le plus grand désordre vers la salle de restaurant. Cette année était décidément l'année de tous les mariages, songea Mary en se dirigeant vers la table où Grace et Jeffrey étaient déjà installés avec leurs enfants. Elle espérait de tout cœur que cette génération de nouveaux mariés tirerait de la vie conjugale autant de bonheur qu'elle en avait connu avec Charles.

Mary attendit que tous les invités aient pris place avant de lever sa coupe de champagne.

— Mes enfants, mes petits-enfants, mes amis... J'ai le douteux privilège d'être la personne la plus âgée de toute cette assemblée. Mon grand âge me confère donc le droit de prendre la parole et de vous faire bénéficier de ma sagesse, que vous le vouliez ou non.

Elle sourit et attendit que les rires qui fusaient de toutes parts soient retombés avant de poursuivre :

— Comme je suis d'un naturel charitable, je ne retiendrai pas votre attention trop longtemps. Je n'ai d'ailleurs que quelques mots à dire, mais ils viennent droit du cœur. Cette année pour les DeWilde restera mémorable entre toutes. Mes trois petits-enfants ont rencontré l'amour et l'ont officialisé par les liens du mariage. Elisabeth Gabrielle, la pionnière d'une nouvelle génération de DeWilde, a vu le jour fin juillet. Nous avons découvert une autre branche de la famille en Australie et en Nouvelle-Zélande et apaisé de vieilles, vieilles querelles dont l'origine remonte à des événements qui se sont déroulés alors que la plupart d'entre vous n'étaient pas encore nés. Et si nous sommes tous réunis ce soir, c'est, comme vous le savez, pour célébrer un événement heureux entre tous : Grace et Jeffrey se sont retrouvés et ont décidé de faire de nouveau route ensemble. Les chemins qu'ils ont suivis ont parfois été tortueux, mais je crois qu'ils ont réalisé l'un et l'autre à quel point la vie à deux est belle lorsqu'on repart sur de bonnes bases. Avant de me laisser envahir par un accès de sentimentalité embarrassant, je vous demanderai de lever votre verre à la santé de mon fils Jeffrey DeWilde et de sa femme Grace. Mes enfants, je souhaite de tout cœur que vos trente-deux prochaines années de mariage soient plus heureuses encore que les trente-deux précédentes !

Mary s'assit sous un tonnerre d'applaudissements et fut bientôt entourée de tous ses petits-enfants qui s'étaient levés pour l'embrasser. Jeffrey fit tinter sa coupe contre celle de Grace.

— A nous, murmura-t-il en plongeant les yeux dans les siens et en échangeant avec elle un regard qui valait toutes les promesses de la terre.

HARLEQUIN

LE FORUM DES LECTEURS ET LECTRICES

CHERS(ES) LECTEURS ET LECTRICES,

VOUS NOUS ETES FIDÈLES DEPUIS LONGTEMPS?

VOUS VENEZ DE FAIRE NOTRE CONNAISSANCE?

SI VOUS AVEZ DES COMMENTAIRES, DES CRITIQUES À FORMULER, DES SUGGESTIONS À OFFRIR, N'HÉSITEZ PAS… ÉCRIVEZ-NOUS À:

LES ENTERPRISES HARLEQUIN LTÉE.
498 RUE ODILE
FABREVILLE, LAVAL, QUÉBEC.
H7R 5X1

C'EST AVEC VOS PRÉCIEUX COMMENTAIRES QUE NOUS ALLONS POUVOIR MIEUX VOUS SERVIR.

DE PLUS, SI VOUS DÉSIREZ RECEVOIR UNE OU PLUSIEURS DE VOS SÉRIES HARLEQUIN PRÉFÉRÉE(S) À VOTRE DOMICILE, NE TARDEZ PAS À CONTACTER LE SERVICE D'ABONNEMENT; EN APPELANT AU (514) 875-4444 (RÉGION DE MONTRÉAL) OU 1-800-667-4444 (EXTÉRIEUR DE MONTRÉAL) OU TÉLÉCOPIEUR (514) 523-4444 OU COURRIER ELECTRONIQUE: AQCOURRIER@ABONNEMENT.QC.CA OU EN ÉCRIVANT À:

ABONNEMENT QUÉBEC
525 RUE LOUIS-PASTEUR
BOUCHERVILLE, QUÉBEC
J4B 8E7

MERCI, À L'AVANCE, DE VOTRE COOPÉRATION.

BONNE LECTURE.

HARLEQUIN.

VOTRE PASSEPORT POUR LE MONDE DE L'AMOUR.

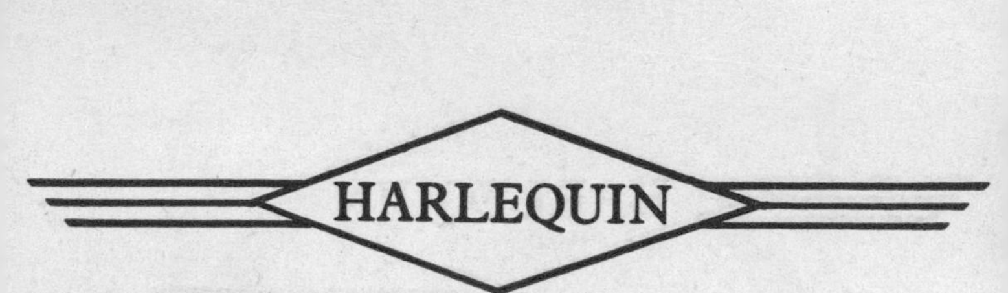
HARLEQUIN